SUR
LES CHEMINS
_de_ L'AMOUR

Cindy Belliard

SUR
LES CHEMINS
de L'AMOUR

LES ÉDITIONS
JKA

SUR LES CHEMINS DE L'AMOUR
Dépôts légaux :
Bibliothèque nationale du Québec
Bibliothèque nationale du Canada

© Les Éditions JKA
Saint-Pie (Québec)
J0H 1W0 Canada
www.leseditionsjka.com

ISBN : 978-2-923672-22-9
Imprimé au Canada

Je dédie ce livre à tous ces gens, notamment mes parents,
qui m'ont encouragée à réaliser ce rêve.
Du fond du cœur, merci!

CHAPITRE I

Alexandra n'est apparemment pas très chanceuse en amour. Elle s'était pourtant donné corps et âme pour que cette relation fonctionne, mais cela n'avait pas été suffisant. Cet échec amoureux avait été causé par une incompatibilité quasi totale.

En fait, tout a commencé lorsque Joshua lui a demandé d'habiter avec lui. Alexandra doutait que ce fût une bonne idée, en raison du fait qu'ils ne sortaient ensemble que depuis quatre mois à ce moment-là. Elle avait donc tout d'abord refusé cette offre. Alexandra trouvait que c'était trop tôt à cette étape de leur relation. Ce ne fut toutefois pas la fin du débat. Joshua en entendait autrement et était bien décidé à la faire changer d'avis. Il était plutôt convaincant lorsqu'il le voulait ! Il était très insistant et plein de promesses par rapport à leur cohabitation future.

— Tu ne le regretteras pas mon amour, je te le promets ! lui avait-il dit avec son sourire charmeur et ses yeux doux.

— Allez… tu le sais que c'est le bon choix à faire, dis-moi oui… emménage avec moi ma chérie ! avait-il ensuite insisté. Tu me l'as dit toi-même, tu es fatiguée de tes colocataires, fatiguée de leur attitude et du manque d'espace... ce serait la solution parfaite pour toi, et pour moi également ! Penses-y bien, la solution est très simple ! Tu n'as qu'à me dire que tu acceptes et je nous trouve le plus bel appartement en ville ! avait ajouté Joshua toujours avec ce sourire et ces yeux doux.

— Laisse-moi y penser d'accord ? avait alors dit Alexandra. Je dois y réfléchir, peser les pour et les contre et m'assurer que c'est réellement ce que je veux.

Il était vraiment convaincant et Alexandra avait de la difficulté à s'opposer à de si bon arguments et à autant de conviction. De toute évidence, il était très amoureux d'elle et sérieusement engagé dans leur relation.

Une semaine plus tard, alors qu'Alexandra hésitait malgré tout à accepter son offre, Joshua lui fit la surprise d'une visite impromptue à son travail. Il avait une surprise pour elle. Alexandra se demanda de quoi il pouvait bien s'agir. Elle le trouvait d'ailleurs bien élégant aujourd'hui, habillé de son habit de travail assorti d'une cravate. Elle supposa qu'il devait donner une présentation aujourd'hui, comme cela est le cas à l'occasion. Elle croyait que c'était probablement la raison de son habillement très professionnel. Elle aimait bien lorsqu'il se vêtait de la sorte. Elle le trouvait très élégant et séduisant.

— J'ai une surprise pour toi ma chérie ! lui avait-il dit en plongeant une main dans la poche intérieure de son veston.

À ce moment précis, des papillons envahirent l'estomac d'Alexandra. Elle avait un pressentiment de ce qui allait s'ensuivre et ne savait plus comment réagir. Elle ne se sentait pas du tout prête à une telle déclaration !

Joshua sortit une petite boîte de velours blanche. « Oh mon dieu », se dit Alexandra dans son for intérieur, en paniquant ! Elle lui tourna le dos et se mit à tourner en rond dans le magasin où elle travaillait. Elle ne savait plus comment réagir.

— Chérie, ouvre la boîte ! lui dit doucement Joshua.

— Je ne peux pas ! lui répondit-elle. Elle était très nerveuse à ce moment.

Elle lui fit ensuite face et il lui fit un chaleureux sourire pour l'encourager. Elle s'avança alors vers lui, saisit le petit coffret de velours et l'ouvrit. Une bague ! Alexandra avait bien raison, elle avait misé juste sur son contenu !

— Sais-tu de quoi il s'agit ma chérie ? lui demanda-t-il.

— Je crois que oui… balbutia-t-elle.

— Il s'agit d'une bague de promesse. Par cette bague, je te promets que je vais veiller sur toi, que je vais voir à ton bonheur. Je te promets aussi de t'aimer de tout mon cœur jusqu'à la fin de mes jours, ajouta-t-il.

Dès le lendemain, elle décida de faire taire la petite voix dans sa tête qui lui disait « je ne suis pas convaincue que c'est une bonne idée Alex » et finit par accepter d'emménager avec lui dans un quatre et demi à Gatineau, secteur Hull.

Joshua était fou de joie ! À vrai dire, il n'avait jamais été aussi heureux de toute sa vie. Sa tendre moitié lui avait dit oui ! Elle avait finalement convenu d'emménager avec lui, pourvu que leur appartement soit situé de ce côté-ci de la rivière, c'est-à-dire à Gatineau.

Cela faisait partie des promesses de Joshua. Celui-ci habitait Ottawa et il lui avait offert de trouver un appartement au Québec, si cela pouvait la convaincre d'habiter avec lui, ce qui était un critère très important pour Alexandra. Elle désirait absolument demeurer au Québec.

À partir de ce moment, les étapes déboulèrent très rapidement. Ils emménagèrent donc ensemble dans un appartement de quatre pièces situé à Gatineau, secteur Hull. Alexandra n'avait pas eu le cœur de lui dire « attendons un peu plus tard ». Celui-ci leur avait trouvé un appartement pour la fin du mois.

Leur appartement était bien et Alexandra s'habituait à la vie en cohabitation. Aussitôt emménagé avec Joshua, elle s'était promis de faire les efforts nécessaires pour que cela fonctionne entre eux. Maintenant qu'ils habitaient ensemble, elle avait bien l'intention que leur relation fonctionne.

— Que veux-tu manger pour souper, amour ? s'entendait-elle régulièrement demander.

— Je ne suis pas difficile ! lui répondait-il la plupart du temps, bien concentré devant l'écran de son ordinateur.

Il mangeait d'ailleurs régulièrement son souper devant son écran d'ordinateur, même si Alexandra n'était pas vraiment d'accord avec cela.

Disons que cela ne correspondait pas vraiment à l'idée qu'elle s'était faite des repas de couple. Ainsi, elle mangeait la plupart du temps son repas seul, devant le téléviseur. Elle s'était rapidement résigner à accepter ce nouveau trait de caractère de son copain. Elle s'était dit que cela faisait partie de sa personnalité et qu'il lui fallait l'accepter. Elle lui en avait parfois touché mot, mais celui-ci n'avait pas voulu changer ses vieilles habitudes… habitudes qu'il lui avait d'ailleurs cachées dans le passé. Avant d'emménager ensemble, ils dînaient toujours ensemble, en amoureux, autour de la table. Cela avait malheureusement subitement changé dans leur nouvel appartement.

Un soir, elle avait décidé de lui en glisser mot, car cette situation la chagrinait de plus en plus. Cela pesait sur son cœur. Ce n'était pas l'idée qu'elle s'était faite d'une vie de couple, surtout que Joshua c'était éloigné d'elle depuis le déménagement, au lieu de se rapprocher, comme il se devait. Un soir, elle s'était alors glissée derrière sa chaise d'ordinateur et avait glissé amoureusement ses mains de chaque côté du cou de Joshua pour l'enlacer, alors qu'il était bien concentré devant son écran. Elle avait ensuite déposé un baiser dans son cou, puis lui avait murmuré à l'oreille :

— Joshua, j'apprécierais vraiment que tu me tiennes compagnie à table, à l'heure du souper.

— Ah oui, mais pourquoi ? lui avait-il répondu en ne lui prêtant qu'à moitié attention.

En entendant ces paroles, elle s'était sentie un peu blessée qu'il ne comprenne pas pourquoi elle faisait une telle requête, mais elle avait tout de même ajouté, sur un ton doux et calme :

— Cela nous donnerait l'occasion de parler et de nous raconter notre journée, entre autres choses !

— Oui, mais chérie, mon projet me tient vraiment à cœur. Je dois y consacrer beaucoup de temps si je veux un jour percer dans ce domaine et faire enfin l'emploi de mes rêves ! lui avait-il répondu.

— D'accord, lui avait-elle alors répondu, n'ayant pas la force ou le goût d'ajouter quoi que ce soit à ces commentaires.

Elle s'était sentie par contre très blessée par cette réponse. Elle était triste de constater que son ordinateur et sa carrière étaient plus importants que sa vie de couple, car il passait de plus en plus de temps sur son ordinateur. Surtout qu'il lui avait promis qu'il s'occuperait bien d'elle et qu'elle ne regretterait pas d'emménager avec lui.

Après seulement un mois de cohabitation, il se couchait souvent plusieurs heures après Alexandra, quand celle-ci dormait d'un sommeil profond. Cela n'était pas non plus l'idée qu'elle s'était faite d'une vie de couple. Elle était de plus en plus déçue et triste de la tournure des événements. Joshua avait changé par rapport à l'homme qu'elle connaissait et cela ne lui plaisait pas du tout. Elle ne comprenait pas ce qu'il se passait. Où étaient ces belles promesses ? Ces promesses d'un grand et bel amour ? Remisées au fond d'un tiroir, de toute évidence, et maintenant hors de portée !

Plus les jours et les mois avançaient, moins il s'occupait d'elle.

— Nous devrions aller au cinéma, mon amour, il y a un
bon film à l'affiche ! Ça fait longtemps que nous ne sommes pas sortis en amoureux, cela nous ferait le plus grand
bien ! avait-elle proposé spontanément plusieurs fois, toujours sur un ton optimiste et très convaincant. Mais ces réponses étaient souvent les mêmes : « Pas ce soir Alexandra.
Je n'en ai pas vraiment le goût… » ou « une autre fois » ou
encore « pas ce soir, je suis occupé… pas ce soir, je dois travailler… ».

À mesure que les mois passaient, il se couchait très
tard la plupart du temps, travaillait toujours sur ses projets informatiques et était très loin de donner de l'amour,
de l'attention et de l'affection à Alexandra qui, comme la
plupart des femmes, en avait besoin pour être heureuse et
s'épanouir dans leur relation de couple. Alexandra avait
toujours été une femme forte, mais elle refusait d'accepter
plus longtemps de se faire traiter avec si peu de considéra-
tion. Elle avait essayé tant bien que de mal de faire fonctionner leur relation, puisqu'il vivait ensemble, mais rien
à faire. L'attitude de Joshua ne faisait qu'empirer à mesure
que le temps avançait.

Elle commençait même à douter de ses charmes fémi-
nins. Pourtant, Alexandra était une belle jeune femme de
grandeur moyenne. Elle avait une belle taille affinée qui faisait bien des envieuses ainsi que de beaux grands cheveux
bruns avec des reflets cuivrés sous le soleil. Elle possédait
un teint légèrement bronzé et de magnifiques yeux verts.
Toutefois, confrontée à l'indifférence et à la froideur que lui

manifestait son copain, lorsque celle-ci, comme tentatives pour le séduire, défilait devant lui en petite tenue et que ce dernier ne manifestait pas le moindre intérêt à son égard, elle en venait à douter de ses charmes. Il avait même, à plusieurs reprises, l'air agacé que celle-ci essaie de le séduire et de le caresser. Ce qui avait évidemment comme résultat de la blesser davantage. De plus, elle se sentait rejetée.

— Me trouves-tu attirante ? s'était-elle surprise à lui demander à quelques reprises.

— Pourquoi me poses-tu la question ? avait-il répondu sur la défensive.

— Tout simplement pour savoir si tu me trouves encore belle ! avait-elle ajouté les larmes aux yeux. Larmes qu'elle tentait d'ailleurs de dissimuler à son copain qui n'aurait pas compris pourquoi cela pourrait lui donner envie de pleurer.

— Tu es très bien, lui avait-il répondu avec un sourire forcé. Puis il s'était remis au travail. Il n'avait d'ailleurs fait qu'une courte pause.

Pour toutes ces raisons et même plus encore, huit mois après qu'ils eurent commencé à habiter ensemble, Alexandra avait décidé qu'elle en avait assez de cette relation et avait rompu. Elle lui avait alors remis la bague de « fausses promesses » qu'il lui avait offerte avant qu'ils n'emménagent ensemble.

— Non, garde-la ! avait-il insisté.

— Non, je ne la veux plus ! avait-elle ajouté fermement.

— Mais que veux-tu que j'en fasse ?

— Tu en feras ce que tu veux… ça ne me regarde pas, mais je ne la reprendrai pas ! avait-elle conclu.

Il s'était alors résolu à la reprendre. Elle le soupçonnait d'insister pour qu'elle le garde dans le but qu'elle regrette sa décision et revienne sur celle-ci. Il lui avait clairement dit qu'il la reprendrait à n'importe quel moment si elle changeait d'avis.

— Je suis prêt à changer et à faire des efforts pour te rendre heureuse ! lui avait-il promis par la suite.

Comme seule réponse, elle lui avait dit :

— Il est trop tard. Ma décision est prise et je ne reviendrai pas sur celle-ci.

Elle décida ensuite qu'il était mieux pour elle qu'elle n'habite plus avec lui. Elle s'était donc mise à chercher très activement un nouvel appartement.

Il ne lui avait fallu que trois mois pour se trouver un nouvel appartement à Gatineau, secteur Gatineau cette fois, et y déménager. Les logements se faisaient rares dans ce coin du pays, mais Alexandra fut chanceuse et se dénicha un beau trois pièces près de tous les attraits principaux de la ville.

Cette rupture était ce qu'il y avait de mieux à faire, car leur relation ne pouvait plus continuer ainsi. Elle ne menait nulle part et Alexandra ne l'avait que trop bien comprise. Par ailleurs, Joshua lui faisait vivre de grandes frustrations et déceptions depuis déjà bien trop longtemps. Cela devait cesser. Elle savait qu'elle ne pouvait bâtir son avenir sur cette relation, malgré tous les espoirs qu'elle avait fondés en celle-ci.

Heureusement pour Alexandra, pendant la période qui avait suivi cette rupture, elle avait été bien entourée de ses proches. Sa famille et ses amis avaient beaucoup contribué à la nouvelle vie de célibataire d'Alexandra. Ils la sortaient de chez elle et lui changeait les idées à tour de rôle. Ce n'était pas toujours facile pour elle d'être seule. Elle préférait malgré tout être seule plutôt qu'être avec un homme qui ne l'appréciait pas à sa juste valeur et ne la traitait pas comme il se doit.

Au cours de la dernière année, profitant de sa vie en tant que célibataire, Alexandra avait rencontré plusieurs hommes et était allée à quelques rendez-vous, mais aucun de ces hommes ne lui avait donné le goût de se risquer. Il y avait toujours quelque chose qui n'allait pas avec eux, quelque chose qui faisait qu'elle était certaine qu'ils n'étaient pas faits pour être ensemble. Certains pourraient appeler cela l'intuition féminine ! D'autres pourraient penser qu'elle avait peur de se jeter de nouveau à l'eau.

La plupart de ses rendez-vous la décevaient. Ces hommes étaient tous très gentils, mais cela n'était pas suffisant. Elle voulait beaucoup plus que cela !

— Je veux de l'amour et de la passion ! confia Alexandra à sa meilleure amie et à ses parents. Je désire un homme fiable, sur qui je peux compter. Un homme qui a le goût de l'aventure, le goût de mordre dans la vie à pleines dents !

— Un homme à ton image ! ajouta sa meilleure amie.

— Tout à fait ! Je veux un homme séduisant... un homme qui fait bouillir le sang dans mes veines ! Mais, plus que tout, un homme qui me sera fidèle et qui m'aimera sincèrement, et ce, pendant de nombreuses années.

Chloé, sa meilleure amie la comprenait totalement. Elle lui souhaitait d'ailleurs de tout son cœur de trouver bientôt l'élu de son cœur.

— Je te souhaite sincèrement de trouver un tel homme Alexandra ! lui avait-elle dit un sourire chaleureux et sincère aux lèvres.

Le problème était que plus Alexandra rencontrait d'hommes, plus elle était convaincue qu'elle ne trouverait jamais l'amour de sa vie.

— Tous les hommes que j'ai rencontrés jusqu'à maintenant sont bien loin de ce que je désire ou de ce que j'ai besoin dans ma vie ! avait-elle aussi confié à sa meilleure amie.

Chloé et elle se connaissaient depuis plusieurs années. Leur amitié était très importante. Elles pouvaient se parler de tout et de rien, sans peur d'être jugée.

— Je suis un peu découragée des rencontres que je fais, lui avait-elle confié à un autre moment. Depuis un bon moment, il y a de jeunes hommes d'à peine vingt ou vingt-deux ans qui me tournent autour, tous convaincu de pouvoir m'apporter ce dont j'ai besoin.

— Et tu ne crois pas que ce soit le cas ? lui avait demandé Chloé.

— Eh bien, ils sont bien gentils, et je ne doute pas de leur sincérité... je suis certaine qu'ils croient en effet dur comme fer qu'ils pourront m'apporter tout ce dont j'ai besoin, mais je sais dans mon for intérieur que ce ne sera pas le cas.

— Je vois, lui avait répondu sincèrement Chloé.

— Ils sont jeunes et je crois que la plupart d'entre eux sont trop jeunes pour être réellement sérieux. Je crois qu'ils ne sont pas prêts à vivre pleinement une relation sérieuse et surtout pas assez mature pour moi. Est-ce que tu comprends ce que je veux dire ? Crois-tu que j'ai tort de penser ainsi ? Devrais-je leur laisser une chance malgré tout ? lui demandait Alexandra confuse et inquiète.

— Je crois que si tu les vois comme cela, c'est qu'il y a une bonne raison. Je ne crois pas que tu as tort, au contraire, je crois que tu dois te fier à tes intuitions et continuer d'écouter ton cœur.

Pour la remercier de son écoute, Alexandra lui fit une grosse étreinte. Elle appréciait, une fois de plus, l'oreille attentive et compréhensive de son amie. Elle aimait aussi ses conseils judicieux qui avaient le don de la rassurer.

Alexandra décida donc de faire une pause dans sa recherche de l'homme idéal. Elle se disait que ce n'était de toute évidence pas le bon moment pour faire des rencontres.

Elle décida donc de se consacrer uniquement à sa carrière, à ses amis et à sa famille pour le moment. Elle se disait qu'à défaut de trouver l'amour, elle allait au moins essayer de réussir sa vie professionnelle. Elle n'avait que vingt-trois ans, mais elle prévoyait tout de même s'acheter une maison d'ici un an ou deux. Ses parents, qui habitaient à Buckingham, l'encourageaient beaucoup à réaliser ce projet.

— C'est le meilleur et le plus important investissement à faire dans une vie ! lui avaient-ils répété à maintes reprises.

Cela était d'autant possible, car elle occupait maintenant un emploi stable au gouvernement fédéral depuis environ un an et demi. Cet emploi était aussi très bien rémunéré, surtout pour une jeune femme de son âge. Elle était d'ailleurs très fière de cet accomplissement. Elle était très fière d'avoir appris l'anglais et d'avoir ainsi pu obtenir un emploi au gouvernement.

— Le fait d'être sortie avec Joshua m'a au moins permis de devenir bilingue ! se répétait Alexandra lorsqu'elle pensait à son bilinguisme.

C'est d'ailleurs grâce à cet emploi qu'elle avait pu acheter, il y a un an, une belle voiture sport neuve. En effet, après sa rupture avec Joshua, elle s'était acheté une superbe Mustang GT 2004 noire, munie de sièges en cuir également noirs et d'une transmission manuelle. À sa grande joie, cette petite merveille faisait tourner bien des têtes sur son passage.

CHAPITRE 2

C'est maintenant l'automne, ce qui veut dire que l'hiver approche. Ce constat ne fait que déprimer davantage Alexandra. Elle n'aime pas l'hiver. Pas en ville du moins. Elle ne trouve rien d'intéressant à faire durant l'hiver, depuis qu'elle habite en plein cœur d'une grande ville. Au moins, au Témiscamingue, la région où elle est née et où elle a grandi, l'hiver, ils allaient glisser, faire de la motoneige et se faire traîner en tube par un quad sur le lac, en essayant tant bien que mal de ne pas lâcher prise. Ils allaient aussi pêcher sur la glace et allaient voir des courses de motoneiges sur le lac, même que son père y participait à l'occasion en prenant soin de préparer sa motoneige pour qu'elle soit des plus compétitives. Tout cela lui manque de temps à autre, mais elle sait qu'elle n'aurait jamais une carrière intéressante au Témiscamingue, en comparaison de celle qu'elle a en ce moment en Outaouais.

Elle songe parfois à retourner vivre à Ville-Marie, sa ville natale au Témiscamingue, mais elle sait très bien qu'elle n'y serait pas heureuse. Les emplois sont difficiles à trouver et les hommes de vingt-quatre ans et plus ont pour la plupart quitté la région ou ne sont tout simplement plus libres. Et puis, elle aime tout de même bien le dynamisme de la ville : ses lumières qui habillent et colorent les édifices le soir, ainsi que la vie et l'énergie que celle-ci dégage le jour et en soirée.

Elle se dit aussi qu'elle s'ennuierait probablement des sorties qu'elle fait avec Chloé régulièrement. Au moins deux fois par mois, sa meilleure amie Chloé l'appelle pour leurs fameuses sorties entre filles. Parfois, elles vont dans des bars à Ottawa où elles dansent pendant des heures. À l'occasion, elles boivent jusqu'aux petites heures du matin. D'autres fois, elles vont tout simplement au cinéma voir un bon film de fille romantique... un classique de filles que les hommes ne voudraient pas voir de toute façon.

Déjà jeudi ! La fin de semaine est bientôt arrivée. Alexandra, qui est une passionnée des voitures sport, vient tout juste d'apprendre qu'il va y avoir un événement spécial à Luskville, une piste de quart de mille. Une entreprise locale de mécanique automobile qu'elle connaît très bien organise une journée et une soirée spéciales à Luskville. Plusieurs personnes qu'elle connaît seront présentes et vont courser. Certains pour le plaisir, d'autres pour gagner une bourse, et d'autres pour la fierté d'être vainqueur. Elle ne veut surtout pas manquer cet événement !

La compétition aura lieu samedi, donc dans deux jours. Elle a très hâte. Elle va probablement y voir des gens et surtout des hommes qu'elle n'a pas vus depuis un bon moment déjà. Elle va aussi avoir la chance de prendre sa Mustang

GT. Elle sait qu'elle ne gagnera pas de prix, mais elle aime bien courser de temps à autre pour le plaisir et surtout pour battre quelques-uns des hommes qui se mesurent à elle. Cela la fait toujours sourire et l'amuse à coup tout !

Il y a généralement peu de femmes dans ces courses, ce qu'Alexandra trouve bien dommage. D'autant plus qu'étant une des rares femmes à courser, elle reçoit beaucoup plus d'attention qu'à l'habitude, mais elle ne participe pas aux courses pour cette raison.

Elle ne compte plus les fois où elle a vu un homme donner un coup de coude à son ami en lui disant :

— Regarde, c'est une femme qui est au volant !

Elle n'aime pas le ton avec lequel ces paroles sont prononcées. De plus, le regard qu'échangent les hommes à ce moment lui donne l'impression d'être un objet ou un morceau de viande, comme on dit !

Par ailleurs, les grandes foules la gênent, mais son désir de vitesse et le plaisir que lui procure sa superbe Mustang l'emporte sur ces petits désagréments.

Elle essaie d'aller courser au moins une fois par mois. La saison commence généralement en juin et s'étend jusqu'au mois de septembre. Elle aime la sensation que lui procurent les courses et par-dessus tout l'ambiance qui y règne.

Samedi est enfin arrivé. La température semble parfaite. Une belle journée ensoleillée du mois d'août illumine cette journée. Il ne fait ni trop chaud, ni trop froid, ce qui va aider les coureurs à avoir de meilleurs temps au quart de mille.

Alexandra prépare donc sa voiture en vue des courses. Elle vide le coffre de sa Mustang pour l'alléger. Elle veut être certaine que rien ne va bouger lorsqu'elle va courser, un peu plus tard aujourd'hui, même si la piste est en ligne droite. Elle s'assure que sa voiture est très propre, parce qu'elle en est très fière et qu'elle aime bien paraître.

— Prête à aller courser ! s'exclame un de ses voisins de sa fenêtre d'appartement.

— Fin prête ! lui lance-t-elle avec un sourire chaleureux aux lèvres.

Celui-ci est habitué de la voir accomplir ce petit rituel. Il vient d'ailleurs souvent lui faire un brin de jasette lorsqu'elle est dehors ou lorsqu'elle prépare sa voiture pour la course.

— Fais-leur mordre la poussière et regretter de s'être frotté à toi ! ajoute-t-il sur un ton exclamatif suivi d'un clin d'œil.

— Je n'y manquerai pas ! lui répond-elle.

Elle embarque ensuite dans sa Mustang et part à la recherche d'une station-service. Elle doit mettre de l'essence dans sa voiture. Elle ne doit toutefois pas en mettre trop, car cela pourrait lui faire perdre quelques centièmes de secondes lors de la course. Plus léger est le véhicule, plus rapide il sera. Elle vérifie ensuite la pression d'air dans ses pneus, car cela aussi pourrait jouer sur les performances de sa Mustang. La voiture est maintenant fin prête. Elle retourne derrière le volant de sa voiture et se dirige vers Luskville.

Elle n'est pas aussi mordue de la mécanique et de la course que plusieurs des coureurs qui seront à Luskville, mais elle aime bien préparer sa voiture pour obtenir le meilleur rendement possible. Elle est aussi très fière de pouvoir montrer aux hommes qui l'entoure qu'elle sait ce qu'elle fait et qu'elle est débrouillarde, même si elle n'est pas mécanicienne contrairement à la grande majorité d'entre eux. Elle n'a pas étudié dans ce domaine et elle y a été initiée assez tard, mais malgré tout, elle se débrouille très bien et connaît l'essentiel sur les voitures.

Vingt minutes plus tard, elle y est. À l'entrée du site, ils inscrivent le numéro 122 sur sa fenêtre côté passager, avec de la cire à chaussure blanche. Cette étape franchie, elle se dirige vers le puits des coureurs.

Alors qu'elle roule lentement dans la ligne de gauche réservée aux arrivants, elle aperçoit déjà plusieurs visages familiers. Elle salue au passage les gens qu'elle connaît ici et là. Elle adore rencontrer plein de gens, surtout lors d'événements comme celui-ci. Elle s'y sent comme un poisson dans l'eau. Elle repère finalement un bon endroit où stationner sa voiture et l'y immobilise.

À Luskville, elle rencontre toujours plein de gens qu'elle connaît et fait aussi régulièrement de nouvelles connaissances. Étant l'une des rares femmes à participer à ce genre d'activité et à en connaître un minimum sur la mécanique, les nouvelles rencontres en sont grandement facilitées. Le fait qu'elle soit une personne plutôt sociable et très sympathique compte aussi pour beaucoup.

Sa voiture tout juste stationnée, elle commence déjà à parler avec les gens qu'elle connaît et qu'elle n'a pas vus depuis un petit moment. Au passage, elle salue Matt qui travaille aux derniers réglages de sa voiture.

— Bonjour Matt, comment vas-tu ? commence-t-elle.

— Super ! Et toi ? lui répond-il content de la voir.

— Très bien, très bien ! Quelle superbe journée hein ? ajou-te-t-elle.

— Je ne te le fais pas dire ! Difficile de demander mieux !

Elle continue de marcher, en direction d'un autre grou-pe. Sur son chemin, elle croise un autre des habitués de la piste.

— Bonjour Tommy, comment va Mélanie ?

— Très bien ! lui répond-il avec le sourire.

— Est-ce qu'elle est ici ? lui demande Alexandra.

— Oui, tu devrais la trouver près des estrades.

— Merci Tommy et bonne course ! ajoute-t-elle

Malheureusement pour elle, dans ce milieu, plusieurs bons partis sont déjà pris. Les hommes libres sont souvent jeunes ou ne sont pas vraiment intéressants ou même atti-rants, selon les goûts d'Alexandra.

Elle rejoint un groupe d'amis et discute un moment avec eux. Les hommes parlent la plupart du temps de voitu-res et Alexandra se joint de temps à autre à la conversation. Parfois, elle en profite pour aborder d'autres sujets avec les copines des coureurs, qui ne sont en règle générale pas très intéressées par la mécanique.

Il est maintenant temps de courser. Alexandra s'aligne dans un des couloirs asphaltés menant aux deux pistes du quart de mille. Des hommes, de temps à autre, s'avancent vers elle pour lui souhaiter une bonne course et lui faire des compliments. Elle en rit la plupart du temps et en rougit parfois. Elle n'arrive toujours pas à s'habituer à toute cette attention.

Alexandra, comme la plupart des coureurs automobiles, course pour son propre plaisir, pour l'adrénaline et aussi pour la fierté qu'elle éprouve à la fin d'une bonne course.

Elle course donc une bonne partie de la soirée. Elle s'arrête régulièrement pour donner une pause à sa voiture et laisser le moteur refroidir, ce qui lui permet de se reposer également. Certains en profitent pour la féliciter, d'autres lui posent des questions sur sa voiture. Par exemple, on lui demande souvent si elle a conduit une GT ou une Mach 1 ? Elle trouve que la réponse est évidente.

Certains ont même l'audace de lui demander s'il s'agit d'une Mustang GT ou V6 ? Elle sait dès lors qu'ils ne connaissent pas beaucoup les voitures et disent un peu n'importe quoi.

Elle répond généralement simplement en disant que c'est une GT.

Puis elle s'éloigne habituellement ensuite d'eux. Elle n'aime pas être snob, mais elle sait qu'elle perd son temps à discuter avec des jeunes qui posent ce type de questions. Règle générale, ils font semblant d'en connaître beaucoup sur la mécanique et disent n'importe quoi, ce qui agace royalement les coureurs.

Beaucoup hommes qui l'abordent lorsqu'elle est à Luskville sont curieux et cherchent des prétextes pour lui parler.

Elle aime bien cette attention et est très fière de répondre aux questions que les gens lui posent sur sa voiture, dans la limite où elle connaît les réponses et que celles-ci sont pertinentes. Elle aime bien démontrer qu'elle se débrouille en mécanique.

Un peu plus tard, alors qu'elle discute avec un de ses amis, Jason, elle aperçoit, du coin de l'œil, un nouveau visage.

— Humm ! Un très joli visage, murmure-t-elle.

Cet étranger pique la curiosité d'Alexandra. Elle se demande immédiatement s'il est célibataire, car elle le trouve fort intéressant. Elle trouve qu'il paraît bien et qu'il semble avoir à peu près son âge.

Elle l'observe encore quelques minutes. Elle conclut qu'il doit être célibataire, car il n'est pas accompagné. Elle a bien l'intention de confirmer cette hypothèse sous peu.

— Alexandra, tu es encore là ? lui demande Jason sur un ton moqueur. Il avait bien remarqué que son attention était portée ailleurs.

— Oui, je t'écoute, dit-elle en fixant le bel étranger qui se trouve un peu plus loin devant elle.

— Oui ! C'est ça… ajoute-t-il sur un ton sarcastique.

— Je reviens dans quelques minutes O.K. Jason ? lui dit-elle en projetant un plan pour s'approcher de son bel étranger.

Elle avait remarqué qu'un autre de ses amis, Ben, conversait maintenant avec lui. Elle décide de sauter sur l'occasion pour aller jaser avec eux et en apprendre ainsi un peu plus sur cet homme mystérieux.

Elle se dirige d'un pas sûr, sourire séducteur aux lèvres, vers son ami Ben et se mêle à la conversation, et ce, de façon très naturelle.

— Bonjour Ben, tu vas bien ? lui demande Alexandra qui vient tout juste de se mettre subtilement et naturellement entre lui et son interlocuteur.

— Très bien et toi ? lui demande Ben.

— Super ! répond-elle. Quelle belle soirée pour courser hein ?

Ben traduit alors en anglais ce qu'elle vient de dire.

— *Great evening indeed*, lui répond le bel étranger.

Alexandra saisit alors l'opportunité pour se présenter.

— *My name is Alexandra!* Puis elle lui présente sa main. Geste qui lui vient naturellement.

— *I'm Jonathan*, lui dit-il en lui serrant la main. *Glad to meet you!*

Elle lui fait un sourire en guise de réponse, ne sachant trop quoi ajouter. Ben et Jonathan continuent ensuite leur conversation, en n'ignorant toutefois pas Alexandra. Ils sont bien contents de la présence de celle-ci à leurs côtés.

Elle trouve ce prénom « Jonathan » *sexy*, mais elle est malgré tout un peu déçue lorsqu'elle réalise qu'il est anglophone. Elle aurait préféré qu'il soit francophone. Elle parle assez bien anglais, mais elle s'exprime plus facilement en français, puisqu'il s'agit de sa langue maternelle. Elle se rend vite compte qu'il ne semble d'ailleurs pas du tout parler français.

Elle décide de passer par-dessus ce détail et de faire plus ample connaissance avec Jonathan. Ben trouve rapidement un prétexte pour s'éloigner et les laisser seuls pour discuter. Il a vite compris qu'Alexandra trouve Jonathan de son goût et qu'elle désire mieux le connaître, alors il lui laisse le champ libre. En s'éloignant, il lui fait un petit clin d'œil complice, à l'insu de Jonathan, ce qui la fait sourire. Elle a compris qu'il a donné ce prétexte pour les laisser seuls, mais le clin d'œil est venu confirmer son intuition. Elle apprécie beaucoup son geste.

Alexandra et Jonathan, qui discutent depuis un bon moment déjà, semblent avoir plusieurs points en commun et beaucoup d'atomes crochus. De toute évidence, ils aiment tous deux les voitures ainsi que courser sur une base non régulière.

Au cours de la conversation, Jonathan, d'un air un peu timide, lui glisse en anglais :
— Je dois t'avouer que je trouve ça très séduisant de voir une fille courser comme tu le fais… surtout qu'il s'agit de ta propre voiture sport !

Elle sent immédiatement ses pommettes rosir, puis lui répond, toujours en anglais :
— Je te remercie ! C'est très gentil ! lui répond-elle avec son plus beau sourire. Elle est aussi un peu timide face à ce compliment.

— Je dois également te confier que j'aime aussi t'entendre parler de voitures comme tu le fais ! C'est surprenant que tu en saches autant sur les voitures et je trouve que ça ajoute à ton charme, si je peux me permettre.

Aux yeux de Jonathan, cela la rend véritablement unique. Il n'avait jamais entendu de femmes parler aussi aisément de voitures comme le fait Alexandra. De plus, elle paraît très bien ! Il est très impressionné.

— Wow, c'est vraiment gentil ! lui répond-elle très fière. Puis elle ajoute :

— Parlant de voiture, laquelle conduis-tu ? Je ne crois pas t'avoir déjà vu courser.

Il pointe en direction d'une belle Camaro SS noire, laquelle est assez récente si elle se fie à la carrosserie et au modèle de la voiture. Alexandra adore les voitures sport noires et est très impressionnée par ce qu'elle voit en ce moment. Comme il ne parle pas du tout français, elle lui demande, en anglais, d'un ton démontrant qu'elle est agréablement surprise :

— C'est à toi la Camaro SS noire qui est là-bas ?

Il fait signe de la tête pour lui confirmer que cette voiture est bien la sienne. Puis ils se dirigent spontanément vers la Camaro pour l'observer de plus près.

Alexandra affiche un petit sourire. Cette Camaro est vraiment impressionnante. Elle est en parfait état et à coup sûr très rapide en plus. Comme il n'y en a pas beaucoup dans le coin, Alexandra est encore plus heureuse d'en voir une de près. Elle aime l'originalité de la voiture de Jonathan.

Toutefois, ce qu'elle apprécie par-dessus tout, c'est la personnalité modeste et charmante du conducteur. Certes, sur la piste il n'en ferait qu'une bouchée, mais cela ne la dérange pas le moins du monde, au contraire, elle adore cela.

Alexandra est fière d'avoir pris l'initiative de lui parler, car la soirée se déroule à merveille. Jusqu'à présent, elle constate que c'est un bel homme, qu'il a un beau style vestimentaire, qu'il est d'une compagnie agréable, et qu'il a un sourire magnifique ainsi que des yeux scintillants de vie. De plus, il est âgé de vingt-neuf ans et il possède, en prime, une impeccable voiture sport très rapide. Des qualités idéales qui plaisent à Alexandra !

De son côté, Jonathan semble lui aussi très attiré par Alexandra. Son langage non verbal ne ment pas. Ses paroles de tout à l'heure le confirment également. Jonathan est un homme timide et réservé dans son approche, mais Alexandra aime bien ce côté chez lui. Elle trouve même ce trait de caractère attirant.

Par ailleurs, Alexandra n'a jamais eu peur de faire les premiers pas, pourvu que cela ne soit pas toujours constant, bien entendu ! Elle se dit qu'il est important qu'il démontre de l'intérêt envers elle, s'il veut que cela progresse entre eux et c'est exactement ce qu'il fait en ce moment. Alexandra est vraiment excitée par la tournure que prend la soirée !

Jonathan lui pose plusieurs questions afin d'apprendre à mieux la connaître. Alexandra en est flattée. Il lui demande entre autres :

— Où habites-tu ?

À cette question, Alexandra répond tout simplement qu'elle habite à Gatineau. Ensuite, il lui demande :

— Quel type d'emploi occupes-tu ?

— Je travaille comme commis de bureau pour Industrie Canada, un ministère du gouvernement du Canada.

— Aimes-tu ton travail ? lui demande-t-il tout bonnement.

— Eh bien, en toute honnêteté... pas particulièrement. Je trouve mon travail plutôt monotone et routinier, mais au moins je me rappelle constamment à quel point je suis chanceuse d'avoir un emploi aussi bien rémunéré à mon âge. Cela me donne la motivation nécessaire pour entrer au travail tous les jours !

— C'est dommage car je trouve qu'il est important d'aimer son travail. Moi, pour ma part, j'adore mon travail ! C'est ma passion en fait ! Il faut dire que le fait d'être dans un domaine qui me passionne, et d'être mon propre patron, en plus, y est pour beaucoup !

— Wow, c'est super ça ! ajoute Alexandra très impressionnée.

Tout au long de la conversation, il lui fait régulièrement de grands sourires. Il se trouve en bonne compagnie et l'humour d'Alexandra le fait régulièrement rire. Il faut dire qu'elle fait de temps à autre des erreurs lorsqu'elle parle anglais. Elle utilise parfois le mauvais terme ou le mauvais temps de verbe, mais Jonathan trouve cela très mignon et que cela ajoute à son charme en fait !

Alexandra est aussi ravie qu'il ne s'arrête pas à son apparence pour en tirer des conclusions. Elle n'aime pas être perçue comme quelqu'un qui a seulement un beau visage. Elle veut être reconnue comme une femme intelligente ayant du charme.

La soirée se passe très bien, mais tire déjà à sa fin.

— Vais-je avoir la chance de le revoir ? demande Alexandra à l'intention de Jonathan.

Jonathan sourit, manifestement heureux qu'elle lui pose la question. Il sort son cellulaire de sa poche, puis lui dit, toujours en anglais :

— Si tu acceptes de me donner ton numéro de téléphone, je te promets d'en faire bon usage !

Sans hésiter, affichant ce joli sourire aux lèvres qui en fait craquer plus d'un, Alexandra lui donne son numéro de téléphone.

— N'hésite surtout pas à t'en servir ! Que ce soit pour aller jouer au billard, aux quilles, aller au restaurant, aller voir un film, aller se balader en voiture ou pour toute autre activité ! ajoute-t-elle. Ce n'est pas pour me vanter, mais je suis très ouverte en ce qui a trait aux sorties !

— Je te promets que tu auras de mes nouvelles sous peu, lui répond Jonathan d'un ton doux et sincère.

Sur ces dernières paroles, Jonathan se dirige vers sa voiture, afin de retourner chez lui. Les courses sont terminées depuis plusieurs minutes déjà.

Alexandra lui dit : Au revoir ! On se reparle bientôt !

Puis elle se dirige vers quelques-uns de ses amis avant de partir. En se rapprochant d'eux, elle aperçoit un sourire moqueur aux lèvres de ceux-ci. Elle se doute que cela veut dire qu'ils la connaissent assez bien pour avoir deviné que cet homme lui plaît, même s'ils n'ont pas entendu leur conversation. Ils aiment bien taquiner Alexandra, surtout sur ce sujet.

— C'est ça... payez-vous ma tête ! dit-elle avec humour. Elle n'en est pas du tout offusquée. Elle s'attendait à une telle réaction de leur part et elle se doute que cela ne fait que commencer.

— Nous... jamais ! On t'aime trop pour ça ! ajoute un de ses amis sur un ton sarcastique, alors que les autres pouffent de rire.

— Me semble, oui ! ajoute Alexandra.

Elle en profite ensuite pour changer immédiatement le sujet de la conversation. Puis, après quelques minutes d'échanges au sujet des voitures, elle les quitte pour retourner chez elle.

C'est avec fierté et le cœur léger qu'elle quitte le quart de mille de Luskville. Elle doit avouer qu'elle a eu beaucoup de plaisir ce soir. Encore plus qu'à l'habitude ! Elle a revu des gens qu'elle n'avait pas vus depuis un bon moment, elle a fait de nouvelles connaissances, elle a battu quelques voitures au quart de mille en début de journée et, le plus important, elle a rencontré un homme très séduisant. Somme toute, une excellente journée quoi !

Arrivée à la maison, elle stationne sa voiture à l'endroit habituel et monte se coucher. Enfin un homme plus âgé qu'elle qui semble tout avoir pour lui plaire ! Elle a très hâte de le revoir, d'apprendre à mieux le connaître et de voir si une relation amoureuse est possible entre eux. Elle a un bon pressentiment pour la première fois depuis bien longtemps. Elle espère de tout cœur que ce pressentiment est de bon augure. Elle s'endort paisiblement, en pensant à la belle soirée qu'elle vient de passer.

Le matin venu, Alexandra se réveille d'excellente humeur. Elle se lève tranquillement, puis se dirige à moitié endormie vers la salle de bain pour se rafraîchir le visage. Elle se rend ensuite dans la cuisine où elle se verse un bon bol de céréales en chantonnant. Puis elle s'installe devant la télévision, en pyjama, pour déguster ce qu'elle vient de se préparer. Elle aime bien faire la grasse matinée et relaxer en pyjama de temps à autre, comme c'est le cas ce matin. Cette routine lui paraît encore plus bénéfique et profitable étant donné qu'elle s'est réveillée en grande forme et très joviale ce matin.

Le coup de fil de Jonathan ne se fait pas attendre bien longtemps. Vers treize heures trente, le téléphone sonne.
— *Hello, may I speak to Alexandra please?* dit la voix masculine au téléphone.
C'est Jonathan ! Elle est surprise d'avoir de ses nouvelles aussi rapidement, mais en est ravie. Elle avait elle aussi très hâte de lui parler et de le revoir. Comme elle a souvent attendu après les appels de certains hommes dans le passé,

elle est bien contente de ne pas avoir dû attendre celui-ci pendant plusieurs jours.

— C'est moi ! lui répond-elle en anglais, en essayant de dissimuler, du mieux qu'elle peut, l'excitation et l'enthousiasme qu'elle ressent.

Durant les minutes qui suivent, ils conversent de tout et de rien à la fois, parfois un peu maladroitement et timidement. Alexandra est d'autant plus nerveuse de lui parler, puisqu'elle est moins à l'aise de converser strictement en anglais. Certes, elle est bilingue et se débrouille très bien dans cette deuxième langue, mais, malgré tout, cela lui demande un effort considérable et représente un petit stress de plus. Elle a souvent peur qu'il ne comprenne pas exactement ce qu'elle veut dire. Heureusement, jusqu'à maintenant, cela ne semble pas trop être le cas.

Pour sa part, le fait qu'Alexandra soit francophone ne semble pas du tout gêner Jonathan. Bien au contraire.

— J'aime ton petit accent « québécois-française » ! lui a-t-il avoué un peu plus tôt dans la conversation. Je trouve cela très séduisant ! avait-il ajouté. Alexandra avait d'ailleurs décelé un peu de gêne dans sa voix.

Une fois de plus, ce compliment avait instantanément fait rosir les joues d'Alexandra. Une chance qu'il n'était pas à côté d'elle et n'en avait rien vu !

Elle s'avoue à elle-même qu'elle aussi aime bien l'accent anglo-ontarien de Jonathan. Elle y trouve un petit quelque chose de séduisant et de différent. Il faut dire que Jonathan a une très belle voix, qui s'avère maintenant être une douce musique aux oreilles d'Alexandra.

À maintes reprises, Alexandra sent des bouffées de chaleur envahir son corps. Il lui fait tout un effet, surtout quand il parle de véhicules ou de son entreprise ! Et cela est causé en grande partie par la fierté et la passion qu'il exprime pour ces deux choses, ce qui le rend très attirant aux yeux d'Alexandra.

— Il n'a vraiment rien à envier aux autres ! pense Alexandra au cours de leur conversation.

— Où habites-tu au juste ? lui demande Alexandra, même si elle se doute qu'il va répondre « à Ottawa ».

— J'ai mon propre appartement, un trois et demi, à Ottawa. J'y habite maintenant depuis deux ou trois ans.

— Tout comme moi ! À l'exception que le mien se situe à Gatineau et que j'y habite depuis moins longtemps que toi ! ajoute Alexandra enthousiaste face à ce nouveau point en commun.

— Tu habites seule toi aussi ? lui demande Jonathan.

— Oui monsieur ! répond-elle sur un ton fier et joyeux.

Ils conversent maintenant depuis près d'une demi-heure. Alexandra n'a pas vu le temps filer, trop absorbée par la conversation. Elle n'aime d'ordinaire pas beaucoup parler au téléphone, mais aujourd'hui fait exception !

Alors que leur conversation tire à sa fin, Jonathan se décide à lui lancer une invitation à souper :

— Je me demandais si tu aimerais souper avec moi au restaurant ce soir ? Je sais que je ne m'y prends pas beaucoup à l'avance, mais je me suis dit que je pouvais tout de même demander…

— Ce soir ? Je trouve que c'est une excellente idée.

— Que dis-tu de dix-huit heures trente ?

Alexandra est un peu surprise de constater que les choses vont aussi vite, mais elle accepte tout de même l'offre de Jonathan avec enthousiasme. Il est vrai que la situation évolue rapidement entre eux, mais elle en est très contente. Après tout, elle aussi avait très hâte de le revoir et elle n'est pas la fille la plus patiente. Il semble qu'ils vont bien s'entendre sur ce point.

— C'est parfait ! lui répond-elle un sourire aux lèvres. Malgré qu'il ne puisse pas la voir en ce moment, quelqu'un lui avait déjà dit « un sourire, ça s'entend ! » Alors elle applique régulièrement cette heureuse théorie au téléphone.

— Donc, je passe te chercher vers dix-huit heures ? lui demande-t-il.

— C'est parfait ! lui répond à nouveau Alexandra.

— On se voit tantôt. ajoute Jonathan.

— Oui, à bientôt ! répond-elle.

— Bonjour, ajoute-t-il en français cette fois, avec un très fort accent anglais, pour clore la conversation.

— Bye ! ajoute Alexandra surprise avec un sourire qui remonte à la surface.

Puis ils raccrochent. Elle laisse aussitôt échapper un petit ricanement coquin et amusé. Malgré sa simplicité enfantine, ce seul mot français rendait indéniable l'accent anglophone de Jonathan et cela avait amusé Alexandra.

Elle ne se moquait toutefois pas de lui, bien loin d'elle cette intention.

Elle n'en revient toujours pas. Il l'invite au restaurant ce soir. De plus, il vient la chercher dans quelques heures seulement ! Elle adore ce genre de surprises ! Elle aime ces petits imprévus de la vie. Alexandra aime la spontanéité. Elle aime bien faire des choses de temps à autre sur un coup de tête, pourvu que les risques ne soient pas trop grands évidemment.

Pour passer le temps, elle fait un peu de ménage et de nettoyage dans son appartement, le tout en écoutant sa musique un peu plus fort qu'à l'habitude. C'est un rituel qu'elle adopte fréquemment lorsqu'elle est nerveuse, excitée ou simplement d'excellente humeur. Elle fait jouer sa musique préférée, puis elle chante et danse au rythme des chansons. Elle s'assure toutefois que personne ne la voit, car cela la gênerait au plus haut point si quelqu'un l'apercevait en train d'effectuer ce numéro de danse qui aurait l'air plutôt loufoque vu de l'extérieur.

Le temps file rapidement. Il est déjà quinze heures. Alexandra commence alors à se préparer pour sa soirée avec Jonathan. Elle jette un coup d'œil dans sa garde-robe, afin d'y dénicher ce qu'elle portera ce soir. Elle essaie plusieurs jupes, pantalons et chandails, mais elle ne sait trop ce qu'elle veut porter. Au bout de quelques minutes, elle arrête finalement son choix sur l'un de ses ensembles préférés : une jupe courte noire qui descend juste au-dessus des genoux, et un chandail rouge à manches courtes, qui possède un joli col en V. Ce chandail tombe à merveille sur elle. Il a un très beau décolleté et met en valeur ses courbes, sans pour autant trop laisser entrevoir sa poitrine. Il faut laisser place à l'imagination ! se dit toujours Alexandra. Par ailleurs, elle ne voudrait pas avoir l'air vulgaire ou déplacée en portant un décolleté qui serait trop plongeant.

Cet ensemble met pleinement sa silhouette en valeur ! songe-t-elle en se regardant dans le miroir. Elle doit avouer qu'elle n'a pas vraiment de défauts à cacher, avec son enviable taille de guêpe.

Ses cheveux sont détachés et tombent joliment sur ses épaules. Le dégradé que lui a fait sa coiffeuse, il y a quelques jours de cela, lui va à ravir ! se dit-elle en s'observant dans le miroir. La couleur brun foncé sur ses cheveux et les reflets cuivrés qu'elle y a mis donnent de la vie à son visage. Cette couleur ajoute aussi de l'éclat et de la brillance à son cheveu, tout en lui conservant un air naturel. Elle adore cela !

Elle applique un peu de maquillage sur ses paupières et du mascara sur ses cils, ce qui accentue ses magnifiques yeux verts et lui donne un regard simple, mais accrocheur. Elle ajoute ensuite une touche de fard à joues, afin de donner un peu plus de couleur. Elle espère ainsi camoufler toutes les fois où elle va probablement rougir. Pour compléter l'ensemble, elle décide de porter ses belles bottes noires ajustées, qui montent jusqu'à la base du genou.

Elle songe en elle-même, fière du résultat obtenu : « Au moins je m'assure ainsi un deuxième rendez-vous ! » Elle ne montre pas beaucoup ses jambes, mais les hommes ont pour habitude d'adorer cet ensemble à l'allure femme fatale, et Alexandra le sait très bien. Elle a aussi confiance qu'il va voir au-delà de ses beaux vêtements et de son allure séduisante. De façon plus ou moins consciente, cela lui sert aussi d'excellent petit test, afin d'analyser la façon dont il va réagir face à ce *look* un peu provocateur. Elle va ainsi pouvoir observer s'il va rester un parfait gentleman tout au long de la soirée, ou s'il va tout tenter pour la ramener chez lui, à la fin de la soirée.

Quelqu'un sonne à la porte de l'appartement d'Alexandra. Elle jette un rapide coup d'œil à sa montre. Elle indique dix-sept heures cinquante-cinq. Elle passe un dernier et rapide coup de brosse dans ses cheveux, puis se dépêche d'aller ouvrir la porte.

Comme elle le pensait, Jonathan se trouve maintenant devant elle. Il est à l'heure et même un peu à l'avance. Alexandra est une personne très ponctuelle et apprécie cette qualité chez les gens.

Elle lui jette un rapide et discret coup d'œil de la tête au pied. Il est vraiment bien habillé. Il porte un joli pantalon beige et un chandail polo un peu plus foncé. Cette couleur et cet ensemble lui vont très bien. Elle trouve que cela fait jeune et chic à la fois.

— Très bon choix ! pense Alexandra.

Ses cheveux sont très bien coiffés, et il a mis un peu de gel. Alexandra approuve tout à fait cette tenue qui lui va très bien.

-Bonsoir Alexandra, lui dit Jonathan, tout sourire.

Il semble lui aussi bien aimer ce qu'il voit.

— Bonsoir ! lui répond-elle avec un chaleureux sourire.

Il lui fait ensuite une petite accolade et lui glisse un baiser sur chaque joue, en guise de bonsoir. Son geste est très bien accueilli par Alexandra. Cela la met un peu plus à son aise. Il a brisé la glace et il est aussi resté un parfait gentleman dans sa façon de le faire. Elle est ravie.

— *Are you ready to go?* lui demande-t-il.

— Je suis prête ! répond-elle en anglais.

Il lui montre le chemin de la main, en l'invitant à le suivre. Heureusement, elle avait déjà ses longues bottes à talons hauts dans les pieds. Elle attrape rapidement son sac à main, puis elle referme et verrouille la porte de son appartement derrière elle. Elle passe ensuite devant lui, comme le lui suggère son galant cavalier.

Alexandra trouve que la soirée commence sur une très bonne note.

— Je suis stationné ici, lui dit Jonathan, en désignant du doigt sa superbe Camaro SS.

Alexandra rit intérieurement de ce dernier commentaire, mais n'en laisse rien transparaître. Avec la voiture qu'il possède, elle n'a eu aucune difficulté à la repérer, surtout qu'elle s'y connaît en voiture ! Elle se dit ensuite qu'il l'a probablement montré du doigt par habitude ou par politesse ; c'est pourquoi elle ne fait aucun commentaire.

En se dirigeant vers la voiture de Jonathan, elle remarque qu'il sourit discrètement. De nature confiante, elle le prend comme un compliment. Jonathan l'accompagne jusqu'au côté du passager et lui ouvre la portière.

— Quelle galanterie ! s'exclame Alexandra.

Elle n'est pas du tout habituée à autant de galanterie, mais elle trouve cela tout à fait charmant de sa part. De toute évidence, elle est capable d'ouvrir sa portière toute seule, et honnêtement elle préfère généralement le faire, mais elle comprend les intentions délicates et galantes de Jonathan. C'est pourquoi elle lui sourie, le remercie, puis s'assoie bien confortablement dans la voiture. Il referme ensuite la porte derrière elle.

Maintenant à l'intérieur de la voiture, elle en profite pour regarder autour d'elle. Elle trouve que sa voiture est vraiment belle et surtout très propre ! À vrai dire, il ne semble même pas y avoir un grain de poussière dans cette voiture. Alexandra garde aussi toujours sa voiture propre, mais elle doit avouer que la voiture de Jonathan est encore plus propre que la sienne.

— Impressionnant ! murmure Alexandra avant que Jonathan n'entre dans la voiture.

— Where are we going ? lui demande-t-elle.

— C'est une surprise ! lui répond Jonathan. Si tu es d'accord et que tu me fais confiance bien entendu !

— Je te fais entièrement confiance ! lui répond-elle en arborant un large sourire.

Pendant la durée de la balade en voiture, Alexandra mène la conversation. Jonathan a vraiment une bonne écoute, en conclut alors Alexandra. Elle trouve que c'est d'ailleurs une très belle qualité.

Quelques moments de silence ici et là se produisent pendant la promenade en voiture, ce qui rend Alexandra un peu mal à l'aise. Elle sait cependant que cela n'est qu'une question d'habitude, que c'est dû au fait qu'ils ne se connaissent pas beaucoup. Elle se dit que dans peu de temps, ces petits silences passeront inaperçus et seront très naturels.

Ils arrivent finalement au restaurant. Il y a déjà beaucoup de gens et ils vont s'assoient au bar en attendant leur tour. Ils commandent chacun une boisson, dans l'attente qu'une table se libère. Ils discutent ensuite tranquillement, bien qu'Alexandra n'est pas tout à fait détendue. Ce n'est pas un mauvais stress en tant que tel. Il s'agit tout simplement d'un peu de nervosité, étant donné que c'est leur premier rendez-vous, se rappelle Alexandra.

Jonathan, lui, semble bien détendu. Elle se demande comment il fait et espère qu'elle ne paraît pas trop nerveuse. Bien qu'elle soit une personne très souriante et énergique, elle ne veut pas avoir l'air d'un paquet de nerfs non plus ! Heureusement, cela ne semble pas être l'image qu'elle projette.

La soirée se déroule bien jusqu'à maintenant. Ils rient, discutent et apprennent à mieux se connaître. Jonathan lui parle un peu plus en détail de son entreprise, ce qui attire tout particulièrement l'attention d'Alexandra. Elle aime un homme qui sait où il s'en va et qui réussit bien dans la vie.

— Votre table est maintenant prête ! leur annonce la serveuse.

Ce restaurant, nommé Montanas, est bien différent de ce qu'Alexandra a l'habitude de voir à Ottawa. Les tables de celui-ci sont toutes en bois verni pâle et sont probablement faites en pin. Il y a aussi des animaux empaillés au mur, tels que des chevreuils et des bisons, ce qu'Alexandra trouve particulier et plutôt loufoque.

Ils suivent donc la serveuse jusqu'à leur table, puis ils s'assoient sur une banquette l'un en face de l'autre. Alexandra aime bien l'atmosphère du Montanas. Il est vrai que l'endroit est plutôt bruyant, mais cela ne fait qu'ajouter de l'ambiance, pense Alexandra.

— Bon choix de restaurant ! lui confirme Alexandra.

— Je suis bien content qu'il te plaise ! Trouves-tu quelque chose à ton goût sur le menu ? Parce que si la nourriture ne te plaît pas, nous pouvons aller ailleurs ! Ce n'est vraiment pas un problème !

— Je suis très bien ici et le menu me convient parfaitement, je te remercie ! J'hésite d'ailleurs entre deux ou trois plats qui semblent tous très bien ! ajoute-t-elle pour le rassurer.

— Ne te gêne surtout pas pour me le laisser savoir si quelque chose te gêne au cours de la soirée hein ? lui demande-t-il ensuite.

— Je n'y manquerai pas ! répond-elle avec un sourire chaleureux.

Tout se déroule à merveille ! pense Alexandra. Ils passent ensuite leur commande, puis continuent de discuter.

Ils abordent toutes sortes de sujet, car un commentaire en apporte un autre. Alexandra fait la majeure partie de la conversation, mais Jonathan participe quand même à celle-ci et ne semble pas s'en plaindre.

— À qui va la brochette de poulet avec riz ? leur demande un des serveurs.

— Ici ! lui répond Alexandra, en levant un doigt dans les airs.

Le serveur dépose ensuite l'assiette de côtes levés et pommes de terre pilées devant Jonathan. Il avait assumé, avec raison, que cette assiette devait donc être la sienne. Simple déduction !

— Merci ! dit Jonathan à l'intention du serveur.

Alexandra aime beaucoup le repas. De plus la compagnie de Jonathan lui plaît vraiment et celui-ci semble partager cette pensée ; il apprécie lui aussi la nourriture et la compagnie d'Alexandra.

Alexandra a aussi le bonheur de ressentir qu'elle plaît beaucoup à Jonathan. Elle est rassurée de voir qu'il s'intéresse à elle et que ce n'est pas seulement à cause de son *look* attirant du moment.

— Comment sont tes... euh... ton repas ? lui demande Alexandra, en cherchant le bon mot pour exprimer en anglais ce qu'elle veut dire.

— Mes côtes levées sont excellentes, lui répond Jonathan qui semble avoir deviné qu'elle cherchait ce mot quelques secondes plus tôt.

— C'est ça, des côtes levées ! répète Alexandra sur un ton exclamatif, heureuse qu'il ait prononcé le mot qu'elle cherchait.

Jonathan lui fait ensuite un sourire. Ce qui voulait dire dans un langage non verbal : « Tout le plaisir est pour moi ».

Pendant le repas, Alexandra cherche parfois ses mots, mais elle parvient malgré tout assez bien à exprimer ce qu'elle veut dire. Du moins la plupart du temps ! Ce n'est pas aussi facile pour elle de converser en anglais que ça l'est en français, mais elle se débrouille tout de même plutôt bien. Jonathan semble bien comprendre ce qu'elle veut dire la plupart du temps. Ce n'est pas mal, se dit Alexandra pour se rassurer et effacer les petites frustrations qu'elle ressent lorsqu'elle ne trouve pas les mots justes.

— Je suis désolé si je ne m'exprime pas toujours clairement… glisse Alexandra dans la conversation.

— Tu n'as pas à t'inquiéter Alexandra, ton anglais est parfait ! lui dit gentiment Jonathan.

Alexandra apprécie beaucoup cette réponse. Elle n'est pas tout à fait d'accord, mais elle trouve que c'est très gentil de sa part de l'avoir dit d'un ton aussi sincère !

En l'observant et en l'écoutant parler, Alexandra trouve qu'il est de toute évidence un homme intelligent, mais réservé. Il semble être de nature plutôt tranquille et détendue. Alexandra se dit que c'est une bonne chose. Sa personnalité est différente de la sienne sur plusieurs points, et elle se dit que cela pourrait apporter un certain équilibre.

Généralement, elle a beaucoup d'énergie et parle beaucoup. Elle croit donc qu'une personne calme et ayant une bonne écoute est probablement ce qu'il lui faut.

Le repas terminé, ils restent encore un moment à table pour converser. Le courant passe bien entre eux. De toute évidence, l'attirance est mutuelle et non seulement d'un point de vue physique. Ils semblent tous deux aimer la personnalité de l'autre autant que son apparence. Il va assurément y avoir un deuxième rendez-vous !

La serveuse s'approche maintenant avec l'addition et la dépose au centre de la table. Alexandra s'apprête à la saisir, mais Jonathan la devance.

— C'est moi qui invite ! dit-il souriant avec fierté. Il semble d'ailleurs catégorique sur ce point. Alexandra lui sourit chaleureusement et lui répond tout simplement :

— D'accord... alors merci !

Alexandra savait qu'il était inutile de refuser parce qu'il tenait sincèrement à payer. Il est vrai qu'elle a l'habitude de payer ses propres factures, mais n'en est pas moins touchée de voir à quel point il est tout naturel pour Jonathan de payer pour les deux. Habituellement, elle insiste pour payer sa note, mais cette fois-ci elle ne le fait pas. Elle se dit que cela fait du bien de se faire gâter de temps à autre et elle apprécie le fait qu'il ait pris la liberté de régler l'addition. Et puis elle se dit qu'elle va pouvoir lui rendre la pareille lors d'un prochain rendez-vous.

L'addition maintenant réglée, Alexandra et Jonathan retournent à la voiture. Ils sont prêts à rentrer, après avoir passé une très belle soirée.

Lorsqu'ils arrivent à la voiture, Jonathan lui ouvre à nouveau la portière et l'invite à entrer dans celle-ci. Quelques secondes plus tard, il s'assoit derrière le volant, puis emprunte la route pour retourner à Gatineau.

— Je te remercie pour cette charmante soirée, lui dit Alexandra au bout de quelques minutes de silence.

— Ce fut un plaisir ! lui répond Jonathan. Il est concentré sur la conduite, mais il semble lui aussi très satisfait de sa soirée.

— Je te remercie pour le repas... et aussi d'être venu me chercher chez moi... et de m'y raccompagner ! C'est vraiment très gentil de ta part ! lui dit-elle sincèrement d'un regard tendre.

Jonathan sourit et lui répond :

— Ce n'est rien et ça m'a fait plaisir ! dit-il d'un ton confiant, mais en laissant tout de même transparaître un soupçon de gêne.

C'est d'ailleurs un des traits de sa personnalité qu'Alexandra aime bien. Elle adore ce petit air un peu anxieux qu'il affiche à l'occasion. Il ressemble alors à un enfant timide, et elle trouve cela absolument craquant.

Dans la voiture, le retour est plus silencieux. Alexandra, qui a parlé en anglais toute la soirée, accueille à bras ouverts ce petit répit de discussion. Elle se dit qu'elle va se contenter d'écouter et de simplement répondre aux questions ou commentaires de Jonathan. Ce dernier reste lui aussi silencieux durant la plus grande partie du trajet, mais Alexandra y accorde peu d'importance. Elle se dit qu'ils ont parlé toute la soirée et qu'il est peut-être fatigué lui aussi ou qu'il ne sait tout simplement pas quoi lui dire pour le moment, ce qui est bien ainsi.

Ils se trouvent maintenant devant l'appartement d'Alexandra. Jonathan stationne la voiture devant celui-ci.

— Bonne nuit Alexandra! lui dit-il d'une voix douce et chaleureuse.

— Bonne nuit, lui répond-elle à son tour.

— J'aimerais te rappeler… si tu désires aussi me revoir, bien évidemment!

— Mais bien sûr! lui répond-elle sur un ton expressif.

Elle est d'ailleurs surprise qu'il en doute, car de toute évidence, le courant passe bien entre eux! Toutefois, en y pensant bien, elle se rappelle qu'elle a souvent cet effet sur les hommes. Pour une raison qu'elle ignore, ils ont tendance à douter un peu d'eux lorsqu'ils se trouvent autour d'elle.

Jonathan refait son joli sourire timide qu'Alexandra aime tant. Celui-ci fait d'ailleurs un drôle d'effet sur Alexandra. Elle ne sait pas trop pourquoi exactement elle se sent émoustillée ainsi. Elle se demande à quoi attribuer ce sentiment. Est-ce causé par la très belle soirée en sa compagnie? sa belle voiture sport? ou par la pleine lune? En tout cas, elle ressent une attirance physique très forte pour lui et cela lui donne des ailes.

Répondant à une pulsion soudaine, elle se penche vers Jonathan et lui donne un doux et court baiser sur la bouche. Puis elle se recule doucement, en le scrutant pour voir sa réaction.

La réaction de Jonathan ne tarde pas à venir. Il glisse une de ses mains derrière la nuque de celle-ci, rapproche sa tête doucement vers la sienne et l'embrasse à son tour. Il fait durer ce baiser, puis commence à l'embrasser de plus en plus passionnément, à l'écoute des réactions d'Alexandra. Il l'embrasse avec une remarquable douceur et délicatesse à la fois. Alexandra est complètement sous son charme et se laisse guider. Il dépose son autre main dans le haut de son dos et la rapproche vers lui pour que leurs corps soient plus près l'un de l'autre et pour lui démontrer le désir qui l'envahi.

Jonathan glisse ensuite sa main dans le bas du dos d'Alexandra et y appuie ses doigts avec une certaine force, ce qui fait monter des frissons jusque dans le cou d'Alexandra. Il bouge son autre main dans ses cheveux et caresse sa joue au passage, ce qui lui donne à nouveau des frissons.

Alexandra dépose alors sa main droite à la hauteur des pectoraux de Jonathan, tout près de son cœur. Elle glisse son autre main derrière la nuque de celui-ci. Elle bouge ensuite ses doigts sur sa nuque et dans ses cheveux simultanément, tout en continuant de l'embrasser, ce qui semble bien plaire à Jonathan.

Ils s'embrassent ainsi, langoureusement, pendant quelques minutes. Puis ils concluent leur baiser passionné par deux doux baisers qu'Alexandra dépose sur les lèvres de Jonathan. Elle garde ses yeux sur ses lèvres douces et invitantes. Elle se recale ensuite dans son siège, sourire coquin de satisfaction aux lèvres.

Alexandra ne peut pas dire pendant combien de temps exactement ils se sont embrassés, mais elle a adoré ce baiser !

Environ cinq secondes plus tard, elle lui dit, d'un ton rapide, en souriant :

— Bonne nuit !

Puis elle sort de la voiture. Alors qu'elle ouvre la portière de la voiture pour sortir, il lui répond :

— *Good night hun!* en la regardant sortir de sa voiture. Il est un peu déstabilisé et surpris par la tournure des événements. Surtout par ce torride baiser. Il trouve aussi un peu déstabilisant et un peu excitant à la fois qu'elle se sauve tout de suite après, comme si rien n'était arrivé.

Les deux pieds maintenant hors de la voiture, elle se penche pour le regarder et lui dit :

— N'oublie pas de la rappeler !

— Ne t'inquiète pas ! lui répond-il d'un air plein de sous-entendus.

Sur ces derniers mots, elle referme la portière de la voiture, puis se dirige vers son appartement. Devant sa porte d'entrée, elle sort ses clés, puis lui fait signe de la main lorsqu'elle les trouve, afin de lui montrer qu'il peut partir tranquille, car elle va maintenant pouvoir rentrer en toute sécurité. Par galanterie et par précaution, Jonathan avait décidé d'attendre qu'elle soit à l'intérieur avant de partir. Il l'avait fait sans trop y réfléchir, par galanterie et par instinct protecteur.

Maintenant dans son appartement, Alexandra court rapidement jusqu'à sa fenêtre, dans le but de le regarder s'éloigner dans sa belle voiture. Elle l'observe par la fenêtre de sa chambre. Elle sourit, le cœur rempli de chaleur. Elle allume ensuite sa chaîne stéréo et fait jouer la radio. Elle s'étend sur son lit et se laisse emporter par la musique, se remémorant différents moments de la soirée. Elle ne peut s'empêcher d'analyser de façon rationnelle les événements de la soirée, afin d'en tirer ses conclusions. Analyser les situations est dans sa nature et elle ne peut s'empêcher de le faire chaque fois qu'elle rencontre un homme.

Elle ne trouve rien de négatif. La soirée était tout simplement géniale ! Tout de même un peu exigeante par moments, puisqu'elle a dû s'exprimer en anglais la plupart du temps, mais hormis ce petit détail, c'était très bien !

Déjà, le lendemain soir, Jonathan la rappelle. Elle est très contente d'entendre sa voix.

— J'espère que je ne te dérange pas ? lui demande Jonathan inquiet de l'avoir rappelé trop rapidement après leur premier rendez-vous.

— Pas du tout ! Je suis même bien contente de te parler ! lui répond Alexandra, d'excellente humeur.

Ils discutent ainsi au téléphone pendant un bon moment. Puis, à un moment donné, ils décident de s'échanger leurs adresses courriels, afin de pouvoir s'écrire à n'importe quelle heure du jour ou de la nuit. Alexandra en est bien heureuse, car elle aime recevoir régulièrement des courriels. Elle aime aussi l'idée de pouvoir communiquer avec lui ainsi, car ce sera beaucoup plus facile pour elle de s'exprimer en anglais par écrit, plutôt que de vive voix.

Peu de temps après avoir échangé leurs adresses courriels, ils mettent fin à la conversation.

— Bon bien, je te souhaite une bonne soirée ! lui dit Alexandra, maintenant prête à raccrocher le combiné.

— *Good evening Hun!* lui répond-il tendrement.

Puis ils raccrochent.

Alexandra est ravie de la tournure des événements et désire parler de Jonathan à son entourage. Elle décide de commencer tout de suite par ses parents. Elle saute donc sur le téléphone et s'empresse de composer leur numéro de téléphone. Elle a tellement hâte de leur raconter son rendez-vous avec Jonathan ! Elle va toutefois éviter de leur raconter comment s'est terminé celui-ci ! Ils n'ont pas besoin de connaître ces détails ! pense-t-elle. Elle se doute que son père ne sera pas fou de joie en apprenant que Jonathan est anglophone, mais elle espère que ses parents seront malgré tout très heureux qu'elle ait enfin rencontré un homme qui lui plaît et qu'ils ne feront pas trop de commentaires à ce propos.

Le téléphone sonne.

— Oui allô ? dit une voix féminine au bout du fil.

— Bonjour maman, c'est moi ! lui répond-elle, comme à l'habitude. Comment vas-tu ? lui demande-t-elle sur un ton surexcité.

— Je vais très bien et toi ? Tu me sembles particulièrement de bonne humeur ! Quelle en est la raison ? lui demande-t-elle curieuse de savoir ce qui la rend de si bonne humeur aujourd'hui.

— Eh bien, j'ai rencontré un homme qui me plaît beaucoup, commence Alexandra.

Puis elle lui raconte ensuite un résumé de sa soirée avec Jonathan. Elle confie aussi ses sentiments envers ce garçon. Brigitte, sa mère, en est ravie. Vers la fin de la conversation, Alexandra mentionne comme dernier point :

— Je te le dis, maman, Jonathan est parfait pour moi ! La seule chose qui est un peu moins parfaite c'est qu'il ne parle pas du tout français… mais ça s'apprend hein !? lui dit-elle sur un interrogateur, mais surtout exclamatif pour la convaincre.

— Absolument ma chérie ! Il y a toujours des solutions, surtout pour ce genre de problème. Et puis, tu te débrouilles très bien en anglais, alors il ne faut pas t'inquiéter.

Elle est vraiment très contente d'entendre sa mère exprimer ces paroles réconfortantes. Elle n'avait pas besoin de l'accord de ses parents pour sortir avec Jonathan ou un autre homme, mais leur soutien est toujours très apprécié. Le père de cette dernière, qui comprend des bouts de la conversation et surtout la partie qui fait mention que Jonathan est anglophone, ne peut s'empêcher de lui faire une petite blague à ce propos :

— Qu'est-ce qu'il y a... y'en avait plus de francophones libres de ce côté-ci du pont, il fallait que tu le prennes en Ontario ? Ha ! Ha ! s'écrie son père en s'approchant du combiné pour qu'elle l'entende bien.

— Très comique papa ! répond-elle à sa mère de façon sarcastique. Elle prend toutefois ce commentaire bien à la légère et n'y accorde pas trop d'importance. Elle sait que son père aime bien la taquiner.

Il lui dit ensuite, en s'approchant encore une fois du combiné, qu'il est bien heureux qu'elle ait rencontré un homme qui lui plaît, même s'il aurait préféré que celui-ci parle français. Les parents d'Alexandra ne parlent pas anglais, c'est en grande partie pour cette raison que cela pourrait un peu déranger ses parents qu'il soit anglophone, à son avis.

Après environ trente minutes de conversation téléphonique avec ses parents, Alexandra raccroche finalement le combiné. Son oreille est rouge et bouillante d'avoir parlé aussi longtemps au téléphone. Elle vaque ensuite à ses occupations, en ne cessant de penser à Jonathan.

Toute la semaine, ils échangent des petits mots d'amour par courriel. Elle ne sait trop comment c'est arrivé, mais depuis leur soirée au restaurant dimanche dernier, ils agissent comme un vrai couple. Elle en est ravie, mais elle se demande bien ce qu'elle va répondre quand les gens vont lui demander : « Depuis quand sortez-vous ensemble ? » Mais elle ne s'en fait pas trop avec cela. Elle se dit qu'elle trouvera bien quelque chose à leur répondre le temps venu. Elle aime bien l'idée d'avoir à nouveau un petit copain dans sa vie. Surtout un homme comme Jonathan ! Elle en est très fière !

Vendredi, seize heures. La fin de semaine est enfin arrivée ! Alexandra retourne chez elle en autobus, après une longue et plutôt ennuyante journée de travail. Elle est malgré tout d'excellente humeur, car Jonathan doit la rejoindre chez elle dans environ deux heures. Celui-ci finit toujours de travailler un peu plus tard qu'Alexandra. Avoir sa propre entreprise n'a pas que de bons côtés ! se dit Alexandra, bien heureuse que ses journées de travail ne soient pas aussi longues que celles de Jonathan.

Ils n'ont fait aucun plan précis pour la soirée. Pour l'instant, ils ont seulement convenu de se rejoindre chez elle, vers dix-huit heures et ensuite voir ce qu'ils désirent faire de leur soirée. Alexandra pensait peut-être passer la soirée tranquille chez elle à regarder des films avec son amoureux, mais elle reste ouverte à d'autres suggestions.

L'autobus la débarque à l'arrêt, qui n'est qu'à quelques pas de son appartement, comme à l'habitude. Aussitôt arrivée dans son appartement, elle fait sa petite routine habituelle. Elle dépose son sac à main dans l'entrée, elle pose ses clés sur le bout du comptoir de cuisine, près de l'entrée, met ensuite son sac à lunch sur l'autre bout comptoir de la cuisine, près de l'évier, puis elle enlève finalement ses chaussures.

Elle fait ensuite jouer un peu de musique, puis tourne en rond dans l'appartement. Elle ne tient plus en place tellement elle a hâte de voir Jonathan. Elle décide finalement de sauter dans la douche pour se sentir fraîche et aussi pour passer le temps.

Une vingtaine de minutes plus tard, la douche maintenant terminée, elle décide de se mettre de la crème pour le corps. Elle prend son temps afin, encore une fois, de tuer le temps. Elle se dirige ensuite vers sa chambre à coucher pour s'habiller. Elle sélectionne un joli *jeans* bleu foncé ajusté, ainsi qu'un débardeur bleu océan à fines bretelles, lui aussi ajusté.

Elle termine sa toilette par un bon coup de brosse à cheveux, un peu de mascara sur ses cils, puis un bon brossage de dents. Elle est maintenant prête ! Elle regarde l'heure. Dans une demi-heure, Jonathan sera enfin là ! se dit-elle. Elle décide donc de s'asseoir devant la télévision pour faire passer la dernière demi-heure d'attente avant son arrivée.

Dix-huit heures deux, on cogne à la porte. Alexandra s'empresse d'aller ouvrir.

— Hello ! lui dit-elle avec un large sourire aux lèvres.

— *Good evening hun!* lui répond-il, souriant lui aussi.

— Entre ! lui dit-elle ensuite en anglais.

Ils discutent ensuite des plans pour la soirée.

— J'ai pensé que nous pourrions aller tout simplement louer de bons films et les regarder tranquillement chez moi. Qu'en dis-tu ?

— C'est une bonne idée ! lui répond Jonathan.

— Nous pouvons faire autre chose aussi si tu préfères, hein ! Je suis ouverte aux suggestions.

— Non, non, ton idée me plaît. Je trouve moi aussi que c'est une excellente idée de rester tranquille à écouter des films. Ça va me permettre de me détendre après une bonne semaine de travail, la rassure Jonathan.

— D'accord, répond-elle. Et pour souper ?

— Que dirais-tu d'arrêter à la Rôtisserie en revenant du magasin vidéo ?

— Excellente idée ! lui répond Alexandra. Elle adore le poulet, alors ce choix lui convient à merveille.

Ils partent donc dans la voiture de Jonathan, afin d'aller louer les films. Quelques minutes à peine plus tard, ils arrivent déjà au club vidéo. Ils ne prennent que quelques minutes à louer leurs films. Ils choisissent un film d'action et une comédie romantique. Tous deux étaient d'accord avec ces choix.

Arrivée à la caisse, Alexandra sort sa carte de membre du club vidéo, car celle de Jonathan n'est pas valide au Québec, puis remet immédiatement vingt dollars au caissier, afin de devancer Jonathan pour le paiement. Celui-ci est d'ailleurs surpris, puis lui demande :

— Tu es certaine ? Je peux payer, tu sais !

— Je sais, mais c'est à mon tour de payer ! Elle le lui dit d'un ton décidé qui signifie qu'il est bien mieux de ne pas s'obstiner et d'accepter son cadeau !

Jonathan comprend tout de suite ce regard et sourit. Puis il la remercie d'avoir payé les films. Ils se dirigent ensuite de nouveau vers la voiture. Sur le chemin du retour, ils s'arrêtent à une rôtisserie. Cette fois-ci, c'est Jonathan qui insiste pour payer. Sans opposition, Alexandra le remercie à son tour.

De retour à l'appartement, ils s'installent autour de la table de cuisine, afin de manger leur repas. Ils en profitent aussi pour se raconter leur semaine et apprendre à se connaître davantage.

À la fin du repas, ils jettent leurs boîtes de carton à la poubelle, se lavent les mains, mettent le film dans le lecteur DVD, puis s'installent confortablement sur le divan du salon. Ils écoutent ensuite tranquillement la comédie romantique qu'ils ont louée, collés l'un sur l'autre.

Alexandra est très bien dans les bras de Jonathan. Elle le trouve tellement doux et affectueux, qu'elle en tombe presque endormi. Il lui joue régulièrement dans les cheveux. À d'autres moments, il lui caresse délicatement et tendrement le bras. Alexandra le trouve vraiment attentif. Elle se dit qu'elle est très chanceuse d'avoir un tel homme à ses côtés. Ils en profitent pour s'embrasser à l'occasion, tout en restant calmes, silencieux et détendus.

Dès que le premier film se termine, ils s'embrassent à nouveau un instant, puis Alexandra se lève.

— Es-tu prêt à écouter notre deuxième film ? lui demande-t-elle.

— Je suis fin prêt ! lui répond-il. Il a de toute évidence très hâte qu'elle revienne se blottir dans ses bras.

Alexandra met donc le deuxième film qu'ils ont loué en marche, puis retourne se réfugier dans les bras de Jonathan. Ils restent ainsi, collés l'un contre l'autre, pendant toute la durée de ce deuxième film. Puis, à la fin de celui-ci, Alexandra lui demande :

— Es-tu prêt à aller te coucher ?

— Déjà ! Est-ce que nous pouvons rester collés encore un petit moment ? lui demande alors Jonathan, de sa voix douce et mielleuse.

— Eh bien, tu peux aussi rester à coucher… pour la nuit si tu le veux ! lui offre Alexandra.

Jonathan ne se fait pas prier et accepte.

— *Sounds good to me!* Je suis partant ! lui répond-il, enthousiaste.

Elle se lève, attrape la main de Jonathan et se dirige vers sa chambre à coucher. Arrivée dans la chambre, Alexandra se déshabille et enfile sa tenue de nuit, pendant que Jonathan se change lui aussi. En enfilant sa robe de nuit, elle se retourne et l'aperçoit à moitié nu. Il ne lui reste qu'un joli boxer moulé sur son corps. Cela la fait sourire. Elle le trouve très attirant dans cette tenue. Jonathan se glisse le premier sous les couvertures, puis Alexandra l'y joint immédiatement après. Elle se glisse ensuite sous les couvertures et se serre contre lui. Elle dépose ensuite sa tête dans le creux de son épaule. Celui-ci en profite pour passer son bras autour d'Alexandra.

À peine une quinzaine de secondes plus tard, elle lui lance un regard langoureux et ils commencent à s'embrasser. Leur baiser est de plus en plus passionné et Alexandra se tourne pour se hisser au-dessus de Jonathan. Ils continuent à s'embrasser vigoureusement, ce qui fait monter encore plus fort leur désir.

Dans l'élan du moment, Jonathan agrippe une poignée de cheveux d'Alexandra avec force et passion, sans toutefois lui faire mal. Il l'embrasse ensuite dans le cou, puis continue de l'embrasser un peu partout, en descendant tranquillement vers sa poitrine. Le désir qui coule dans leurs veines est très fort et la tension devient presque insoutenable.

Ils retirent ce qu'il leur reste de vêtements avec grande hâte. Alexandra enfile ensuite, avec doigté, une protection à Jonathan, puis ils se mettent à faire l'amour. Leurs ébats amoureux passionnés leur procurent un exquis sentiment de délivrance. Alexandra doit l'admettre, Jonathan est un très bon amant ! Puis, à la fin, elle roule sur le côté et se blottit tout contre Jonathan.

— C'était merveilleux ! lui avoue Alexandra.

— Je suis bien d'accord ! lui répond Jonathan. Il est aussi, de toute évidence, très satisfait de leurs ébats sexuels ardents et passionnés.

Elle dépose ensuite de nouveau sa tête au creux de l'épaule de Jonathan, puis celui-ci l'entoure de ses bras masculins. Elle s'endort paisiblement tout contre lui, à peine quelques minutes plus tard. Elle s'est endormie très vite, car elle se sentait bien et en sécurité à ses côtés.

— Bonne nuit ma chérie ! lui murmure tendrement Jonathan, lorsqu'il s'aperçoit que sa dulcinée dort déjà, bien blottie dans ses bras.

Le lendemain matin, Alexandra lui prépare à déjeuner.

— Bon matin ! lui souhaite-t-elle gaiement, lorsqu'il la rejoint dans la cuisine.

Elle est d'excellente humeur en cette belle journée ensoleillée et après une si belle nuit à ses côtés !

— Bonjour, lui répond-il sur un ton endormi et tranquille.

— J'espère que tu aimes les œufs ! lui dit-elle ensuite.

— Oui, lui répond-il simplement.

Elle termine de préparer le petit déjeuner, qui consiste en des œufs, du bacon, des rôties et un bon verre de jus d'orange, puis elle s'assoit à la table de la cuisine pour le déguster. Jonathan s'installe devant elle. Il paraît être de bonne humeur lui aussi, mais il ne semble pas savoir quoi dire et reste silencieux. Elle se dit ensuite que c'est peut-être dû au fait qu'il a besoin d'un certain moment pour se réveiller et qu'il va bavarder davantage un peu plus tard. Alors, elle respecte son silence. Elle ne fait donc que quelques petits commentaires ici et là, afin de combler un peu ce silence, parfois embarrassant, du petit déjeuner.

— As-tu passé une bonne nuit ? lui demande Alexandra.

— Très bonne... et toi ? lui répond Jonathan.

— J'ai dormi comme un bébé, ça m'a fait un bien fou ! Je me sens en pleine forme ce matin ! dit-elle avec enthousiasme.

Jonathan lui répond par un simple petit sourire, puis ils terminent ainsi le petit déjeuner. Ensuite, Alexandra, qui ne sait trop que faire pour faire passer le temps, décide d'allumer le téléviseur.

— Est-ce que tu veux regarder la télévision ou préfères-tu faire autre chose ? lui demande alors Alexandra, embarrassée, pour sonder le terrain.

— C'est comme tu veux, lui répond simplement Jonathan. Il affiche un petit sourire réservé qu'Alexandra n'arrive pas à décoder. Ce n'est pas facile de savoir ce qu'il pense, se dit Alexandra, car il est très taciturne.

Elle s'assoit donc sur le divan, afin de regarder un peu la télévision, encore vêtue de son pyjama. Tout au long de l'avant-midi, elle constate à quel point Jonathan n'est vraiment pas très bavard le matin non plus. Il n'a pratiquement rien dit de toute la matinée. Elle se demande s'il est toujours comme cela. Elle trouve cela bien dommage et un peu ennuyeux à l'occasion. Alexandra aime bien avoir de bonnes discussions de temps à autre avec l'homme qui partage sa vie. Puis elle se dit qu'il n'est peut-être pas toujours aussi taciturne.

Le reste de l'avant-midi se passe assez bien. Il ne converse toujours pas beaucoup, mais Alexandra le trouve malgré tout de bonne compagnie.

Vers onze heures, elle décide de regarder sur Internet un site qu'elle visite souvent et sur lequel elle connaît un certain nombre de gens, afin de voir si quelque chose de spécial se passe en fin de semaine. En parcourant le site, elle découvre qu'un groupe de gens organise une balade en voiture. Elle regarde la liste de noms de ceux qui ont confirmé leur présence pour cet événement et reconnaît plusieurs d'entre eux.

— Que penserais-tu d'aller faire une balade en automobile avec un petit groupe de gens ? Ça se passerait dans de petites rues d'Ottawa, annonce Alexandra à Jonathan, qui est assis à quelques pas d'elle.

— C'est une bonne idée, lui répond Jonathan.

— Super ! lui dit alors Alexandra. Je vais confirmer notre présence pour cet après-midi ! dit Alexandra tout excitée à cette idée !

— Cool ! ajoute-t-il.

Une douzaine de voitures sport se promènent dans les rues d'Ottawa pendant cette activité. Jonathan est d'ailleurs au courant de tout cela, car ce n'est pas la première fois qu'il en entend parler. Il est lui aussi plutôt familier avec le monde automobile et cette pratique.

— Nous pouvons même prendre ma voiture ! suggère-t-il.

— Et pourquoi pas ! ajoute Alexandra.

Elle se dit que ce serait une bonne idée qu'il conduise. De plus, cela ferait changement, car elle prend habituellement sa voiture lorsqu'elle se rend à ce genre d'événements. Elle n'a pas tellement l'habitude de se laisser conduire, mais elle commence à y prendre goût avec Jonathan !

Vers quatorze heures, Alexandra et Jonathan rejoignent les participants du forum, qui se trouvent présentement dans le stationnement du Tim Horton sur Innes Road à

Ottawa. Ils se sont tous donné ce point de rendez-vous, pour ensuite partir pour la promenade de groupe dans les rues un peu plus à l'écart d'Ottawa. Alexandra en profite pour jaser et faire connaissance avec quelques hommes non loin d'elle. Jonathan reste plutôt tranquille.

Ils partent tous environ une quinzaine de minutes après l'arrivée d'Alexandra et de Jonathan au Tim Horton. Ils empruntent immédiatement le « Queensway », afin de se rendre à l'autre bout de la ville. Alexandra apprécie d'être la passagère pour une fois. Jonathan conduit vite, parfois un peu trop vite pour elle, car elle n'est pas encore habituée à la Camaro de celui-ci, mais cela ne lui fait pas peur au point de regretter d'être venue. Elle ne sait pas encore si la voiture de Jonathan tient bien les courbes, et c'est ce qui la rend un peu nerveuse, mais elle apprécie quand même la balade.

Ils traversent donc Ottawa, puis se dirigent vers de petits chemins de campagne afin de faire un peu de vitesse là où il n'est censé n'y avoir personne. Après environ une demi-heure de « promenade course » sur les chemins de campagne, tout le monde s'immobilise, les uns après les autres, sur le bord de la chaussée. Ils le font pour s'assurer que le groupe est complet et pour donner une chance aux retardataires de les rattraper.

Alexandra regarde les véhicules autour. Elle constate que toutes sortes de voitures participent à l'événement, dont certains plus lents que d'autres. Ils arrêtent ou ralentissent de temps à autre afin de leur laisser une chance de suivre. Le but premier de ces rencontres est de s'amuser et de se promener, non pas de semer tout le monde.

Maintenant stationnés sur le bord du chemin, ils débarquent tous de leur véhicule et commencent à jaser entre eux, ce qui est un excellent moyen pour faire de nouvelles connaissances. Jonathan ne se mêle pas vraiment aux conversations, et Alexandra a l'impression qu'il se cache derrière elle pendant qu'elle discute avec les autres. Elle trouve cette attitude un peu bizarre, surtout que tout le monde parle de voitures, et en anglais de plus. Elle aurait pensé que Jonathan aurait fait le plus gros de la conversation, mais non, c'est elle qui le fait et elle répond même pour lui à l'occasion, étant donné qu'il ne se mêle pas du tout aux discussions.

Le groupe converse pendant une bonne dizaine de minutes, puis ils retournent tous à leurs voitures, afin de continuer la promenade. Jonathan conduit vraiment très vite. Alexandra a l'impression qu'il pousse son bolide à la limite de ses capacités, ce qui lui fait peur. Elle se dit qu'il le fait peut-être pour l'impressionner, ce qui est loin d'être le cas pour elle. Elle n'aime pas avoir peur et, surtout, avoir peur pour sa vie.

Heureusement pour elle, une quinzaine de minutes plus tard, le groupe s'arrête de nouveau. Ils se stationnent à un petit restaurant situé dans un petit village à l'extérieur d'Ottawa. Alexandra se mêle à la foule et constate que Jonathan, à ses côtés, ne se mêle toujours pas aux conversations. Cette attitude tracasse de plus en plus Alexandra. Elle ne comprend pas qu'il reste si silencieux, surtout lorsqu'il s'agit d'un sujet qu'il aime beaucoup et qu'il maîtrise très bien, comme c'est le cas en ce moment. S'ils parlaient de vêtements ou de maquillage elle comprendrait, mais de voitures… non, elle ne comprend pas !

Après le repas, un des leaders de l'événement décide de repartir en direction d'Ottawa et de mettre ainsi fin à cette charmante balade de groupe.

De retour à Gatineau, Jonathan dépose Alexandra chez elle. Elle lui donne un baiser sur les lèvres, juste avant de sortir de la voiture, puis lui dit :

— Je te remercie de m'avoir prise comme passagère ! Je me suis bien amusée !

— Ce fut un plaisir ! Je me suis bien amusé moi aussi, lui répond-il.

Alexandra a du mal à croire ce qu'elle vient d'entendre. Il n'avait vraiment pas l'air de quelqu'un qui s'amusait, selon elle. Elle songe ensuite qu'il s'est peut-être réellement amusé. Cependant, si c'est le cas, ça ne paraissait pas beaucoup ! se dit-elle, encore surprise qu'il ait aimé sa journée.

— Au revoir ! lui dit-elle finalement en fermant la portière de la voiture.

Elle aurait probablement pu l'inviter de nouveau à monter un petit moment, mais Jonathan avait l'air de vouloir lui aussi vaquer à ses occupations habituelles. Alexandra avait elle aussi hâte de se retrouver seule et de faire ses petites choses. Aussi, elle a trouvé le silence de Jonathan plutôt lourd aujourd'hui.

Le reste de la semaine ne fait que décevoir davantage Alexandra. Jonathan est un homme vraiment bien. Il est doux, gentil et attentif, mais elle le trouve trop tranquille. Il ne parle presque jamais et Alexandra commence à trouver cela pénible. De plus, elle doit toujours s'exprimer en anglais et elle est également la seule à discuter. Elle n'aime pas trop faire des monologues. Par ailleurs, ce n'est pas aussi naturel pour elle de dialoguer en anglais. Elle aimerait donc qu'il lui fasse part de ses pensées et de ses opinions davantage.

Les jours suivants, Alexandra analyse constamment sa relation de couple avec Jonathan. Elle la remet de plus en plus en question. Il est un homme charmant, mais elle n'est pas convaincue qu'il est le type d'homme qu'il lui faut après tout. Elle a de plus en plus l'impression qu'elle perd son temps avec lui et qu'ils ne sont tout simplement pas faits pour être ensemble. Elle ne sent plus cette « chimie » qu'il y avait au tout début. Elle n'aime pas non plus devoir continuellement chercher ses mots pour exprimer ce qu'elle vit ou ce qu'elle ressent. Très souvent, elle ne dit pas certaines choses qu'elle aimerait bien lui dire, parce qu'elle trouve cela trop compliqué, voire impossible de l'exprimer en anglais. Elle s'est aussi vite rendu compte que de se concentrer après une longue journée de travail pour pouvoir parler à son co-pain est bien la dernière chose qu'elle a envie de faire.

De plus, elle pense au fait que sa famille est une famille « très francophone ». À vrai dire, ses parents ne parlent pas du tout anglais. Seulement son frère, Félix, ainsi que quelques membres de sa famille, tels que des cousins et cousines

SUR LES CHEMINS DE L'AMOUR

qui se débrouillent bien en anglais. Elle se voit très mal amener son copain lors d'une réunion familiale. Elle n'est par ailleurs pas certaine que de jouer l'interprète, lorsqu'ils iront visiter sa famille, sera la solution idéale.

La fin de semaine maintenant arrivée, après avoir passé la soirée de vendredi en compagnie de Jonathan, elle réalise avec certitude que leur relation ne pourra jamais fonctionner. L'idée qu'ils pourraient rester ensemble encore un petit moment lui passe à l'esprit, mais elle réalise ensuite qu'il pourrait s'attacher davantage à elle et elle ne veut surtout pas cela. Elle n'est pas prête à courir ce risque. De plus, elle ne veut pas s'attacher davantage à lui et ne plus être capable de rompre par la suite.

Son ex-copain, Joshua, était lui aussi quelqu'un de très silencieux et elle n'aimait pas du tout cela. Même que d'une certaine manière, cette attitude la blessait. Elle ressentait qu'elle n'était pas assez importante pour lui, car il ne partageait jamais avec elle les événements de sa vie et ne lui faisait jamais part de ses sentiments. Malheureusement, Jonathan est en train de répéter ce scénario et elle n'est pas prête à vivre cette situation une deuxième fois.

Alexandra sait qu'elle doit donc rompre le plus tôt possible. Cette idée met toutefois son estomac à l'envers. Elle se ressaisit et se convainc qu'elle doit le faire, qu'elle n'a plus le choix, afin de calmer son estomac nerveux. Sur cette lancée, elle ramasse toutes ses forces et décide d'aller rendre visite à Jonathan, afin de lui annoncer qu'elle croit qu'ils ne sont pas faits pour être ensemble et qu'elle préfère rompre.

Il serait évidemment beaucoup plus facile de le faire au téléphone, mais Alexandra se dit qu'elle lui doit bien cela. Que la moindre des choses à faire est d'affronter la situation et de lui donner des explications en personne. Elle ne veut pas le blesser et elle veut ainsi limiter les dégâts. Elle saute donc dans sa voiture, en direction de l'appartement de Jonathan, à Ottawa.

Elle a du mal à stationner sa voiture dans la rue, car il y a beaucoup de véhicules dans ce secteur. Au bout de quelques minutes, elle trouve finalement une place libre. Elle marche ensuite vers l'appartement de Jonathan. Elle n'aime pas trop marcher dans ce quartier, car Jonathan lui avait déjà dit d'être prudente et d'éviter de s'y promener seule. Elle hâte donc le pas.

Environ deux minutes plus tard, elle se retrouve face à la porte de l'appartement de Jonathan. Elle hésite un moment avant de frapper, elle prend une grande respiration, rassemble ses forces, et frappe enfin. Jonathan se dirige vers la porte, en se demandant de qui il peut bien s'agir, car il n'attendait personne. Il ouvre donc lentement la porte et constate qu'il s'agit d'Alexandra.

— Bonjour chérie ! Quelle belle surprise ! Que me vaut l'honneur de cette visite ? lui dit-il heureux de la voir et de cette visite-surprise.

— Eh… bien… tu vas sûrement être un peu moins content de me voir lorsque je t'aurai dit la raison de ma visite, ajoute-t-elle sur un ton gêné et un peu mélancolique.

— Entre, lui dit-il ensuite. Que veux-tu dire au juste ? lui demande-t-il, bien qu'il ne soit plus certain de vraiment vouloir le savoir.

Alexandra affiche un regard triste et sérieux et il n'aime pas cela. Ils s'assoient ensuite tous deux sur le divan du salon, puis Alexandra commence à lui expliquer la raison de sa visite.

— Tu sais, je trouve que tu es un homme doux et très attentif... Je te trouve vraiment très gentil ! ajoute-t-elle en hésitant un peu.

— Mais ? ajoute-t-il en voyant venir que cela présage un problème.

— Mais je ne crois pas que ça va marcher entre nous, parvient-elle à lui dire, avec une boule dans la gorge.

— Que veux-tu dire ? Qu'est-ce qui ne fonctionne pas entre nous ? demande Jonathan surpris, car il ne se doutait pas qu'il y avait un problème entre eux.

— Eh bien, c'est difficile à expliquer, lui dit ensuite Alexandra. C'est davantage un sentiment, une conviction que nous ne sommes pas faits pour être ensemble. Vois-tu, moi, j'ai besoin d'un homme qui communique, qui me raconte sa journée par exemple... me dit ce qu'il pense.

— Et tu trouves que je ne le fais pas assez, que je suis trop silencieux, c'est ça ? lui demande Jonathan.

— Non, justement. Je trouve que tu ne me parles pas. J'ai l'impression d'être la seule à faire la conversation... Je trouve aussi cela plus difficile de parler toujours en anglais lorsque je veux m'exprimer... je suis désolée.

— D'accord, mais je peux changer. Je peux faire un effort pour être plus bavard si tu veux.

— Non Jonathan, je ne veux pas que tu changes. C'est ce que tu es et c'est très bien, mais ça ne colle simplement pas avec ma personnalité. Ce n'est pas que tu n'es pas assez bien ou que tu as des défauts, c'est simplement que nous ne sommes pas compatibles … ce qui fait que ça ne fonctionnerait pas bien longtemps entre nous… tu comprends ? lui dit Alexandra, avec beaucoup de délicatesse.

— Mais est-ce qu'il y a quelque chose que je peux faire pour te faire changer d'idée ? Je ne veux pas que ça se termine entre nous !

Il lui dit ces belles paroles en la regardant tendrement et tristement dans les yeux. Il la sert ensuite contre lui, puis pose sa tête dans le creux de l'épaule de celle-ci. Le cœur d'Alexandra se serre et des larmes lui montent aux yeux. Elle sait qu'elle est en train de lui faire du chagrin et cela lui brise le cœur, car elle trouve qu'il est un bon gars, même si cela ne fonctionne pas entre eux. Elle place donc tendrement une de ses mains le long de la joue de Jonathan, puis elle lui dit :

— Je suis désolée, mais, non, il n'y a rien à faire. Ma décision est prise, lui répond-elle sur un ton doux, mais catégorique.

Ses propres paroles lui font monter une larme à l'œil. Elle n'aime pas blesser les gens et surtout pas un homme comme Jonathan. Elle sait que ce n'est pas de sa faute si ça ne fonctionne pas entre eux. Il est comme il est et elle est comme elle est, c'est aussi simple que cela.

Ils se parlent ainsi pendant une vingtaine de minutes. Alexandra lui explique du mieux qu'elle peut et avec délicatesse, en pesant chacun de ses mots, qu'elle est convaincue que leur relation ne peut pas fonctionner et qu'il ne peut rien faire pour la faire changer d'idée. Jonathan est déçu qu'elle le quitte parce qu'il est déjà attaché à elle, mais il décide finalement de la laisser partir et de ne pas essayer de la retenir davantage. Il ne veut pas qu'elle reste avec lui, si elle n'est plus heureuse à ses côtés.

— Je respecte ton choix, même si je ne suis pas nécessairement d'accord.

Il marque une légère pause, puis ajoute :

— Je ne veux pas que tu restes si tu n'es pas heureuse avec moi.

— Je suis vraiment désolée, ajoute-t-elle. Crois-tu que nous pouvons au moins resté amis ? lui demande-t-elle le cœur brisé. Même si elle doit le quitter ainsi, elle ne se sent pas prête à le rayer complètement de sa vie.

— Je suis désolé, mais non. Après ce soir, il serait mieux de ne plus nous revoir… comprends-moi, ce sera un peu plus facile de l'accepter. Je trouve que tu es une femme remarquable, mais je n'ai pas la force de rester ami avec toi… ce serait trop pénible.

— Je te comprends, ajoute Alexandra. Une larme perle sur sa joue à cause de toutes les émotions tristes qui flottent dans l'air en ce moment.

— Au revoir… ou plutôt adieu ! ajoute-t-elle le cœur gros.

Jonathan lui donne une dernière vigoureuse étreinte. Alexandra l'enlace elle aussi très fort, une dernière fois. Sous l'influence et l'intensité du moment, ils se donnent un dernier baiser, puis Alexandra quitte l'appartement de Jonathan, les larmes aux yeux et le cœur gros. C'est elle qui a voulu rompre, mais la tâche n'en est pas plus facile pour autant.

Elle est surtout triste, car elle sait qu'elle vient de faire de la peine à un homme bien et elle déteste d'avoir eu à faire cela. En repensant à la situation, elle n'en revient pas de sa réaction. Même dans un moment comme celui qu'ils viennent de vivre, Jonathan est resté un parfait gentleman et a gardé un ton calme. Alexandra lui en est reconnaissante, car elle n'aurait su que faire. Elle admet toutefois que cela aurait été plus facile pour elle de le quitter, s'il avait été blessant au lieu d'avoir été si compréhensif.

CHAPITRE 3

L'hiver est maintenant arrivé. Alexandra déteste cette saison. Il fait froid et elle n'a jamais le goût de sortir. Il y a aussi toute cette neige qu'elle doit déblayer avant de pouvoir prendre sa voiture. Cela la déprime. Heureusement qu'il y a Noël qui s'en vient à grands pas ! Cela lui remonte le moral.

La saison hivernale avance lentement. Alexandra demeure tranquille à la maison la majeure partie du temps. Elle effectue toutefois quelques sorties ici et là avec des amis, question de se divertir un peu, malgré le froid et les chemins glissants. Elle visite aussi à l'occasion ses parents qui habitent à Buckingham, ce qui lui fait aussi le plus grand bien.

Fort heureusement, elle peut toujours compter sur Chloé pour lui remonter le moral et la faire sortir de chez elle. Chloé, sa meilleure amie, invite Alexandra à quelques sorties entre filles, dans les bars, et cela lui remonte le moral à tout coup.

Alexandra profite de la saison hivernale pour faire des plans de voyages. En effet, elle a pris la résolution d'aller dans un pays chaud cet hiver, pour la première fois de sa vie. Elle a projeté d'y aller avec ses parents qui sont des habitués des caraïbes.

Jusqu'à présent, la saison hivernale se déroule sur une note bien ordinaire, mais heureusement, le mois de janvier touche à sa fin. Cela n'est pas pour déplaire à Alexandra, puisqu'elle prévoit s'envoler vers le sud avec ses parents la première semaine de février, c'est-à-dire dans deux semaines. Elle est vraiment très excitée par ce voyage, car elle n'est jamais allée dans des pays exotiques auparavant. À vrai dire, elle n'est jamais sortie du Canada jusqu'à ce jour et elle n'a jamais pris l'avion non plus. Cela lui fera donc plusieurs choses à découvrir !

Alexandra a décidé de se gâter cette année et de se payer un beau voyage d'une semaine à Cancun, tout inclus, avec ses parents. Elle avait tout d'abord prévu y aller avec des amis, mais ceux-ci ont annulé leurs plans de vacances, il y a quelques semaines de cela. Ils ont prétexté une question d'argent et de mauvais *timing* pour partir en voyage.

Alexandra a malgré tout décidé d'y aller et, par chance, a réussi à convaincre, sans trop de difficultés, ses parents de l'accompagner. Elle ressentait le besoin de sentir les doux rayons de soleil sur sa peau, de prendre des couleurs et de se détendre sur le bord d'une piscine ou de la mer, en admirant les magnifiques paysages d'été qui allaient s'offrir à elle.

Ses bagages sont entassés dans un coin de sa chambre et elle est déjà prête à partir. Elle a commencé à se préparer pour ce voyage des semaines à l'avance. À Noël, elle avait déjà commencé à faire ses bagages.

Elle a prévu de mettre dans sa valise plusieurs vêtements dans un minimum d'espace, car il y a une limite concernant le poids des bagages, par personne, dans l'avion. Elle s'est aussi assurée, à la suggestion de sa mère, d'avoir des vêtements de rechange, quelques articles importants, ainsi que son maillot de bain, dans le bagage à main qu'elle va apporter avec elle dans l'avion, au cas où sa valise se perdrait.

Il ne reste maintenant plus que quelques jours avant son départ. Toute la semaine, Alexandra redouble d'efforts pour que tout le travail qui est sur son bureau soit fait avant son départ pour ses vacances d'une semaine à Cancun. Elle ne veut pas trop en accumuler pendant son absence. C'est une chose qu'elle apprécie beaucoup de son emploi, elle peut prendre des vacances pratiquement à n'importe quel moment dans l'année. Malgré le fait que ses trois semaines de vacances par année passent généralement rapidement, elle reconnaît la chance qu'elle a d'en avoir autant, tout spécialement à son âge.

— Es-tu prête pour le voyage de demain ? lui demande Brigitte, sa mère, à la veille du voyage.

— Oui maman, je suis prête ! lui répond Alexandra au téléphone.

— Tu n'oublies pas ton passeport, hein ma chérie ? Et ta crème solaire… et ton maillot de bain…

— Oui maman, j'ai tout ce qu'il me faut ! l'interrompt Alexandra.

— D'accord, à demain alors ! Fais de beaux rêves ma chérie !

— Oui, j'ai très hâte d'être à Cancun ! À demain maman et faites de beaux rêves ! ajoute Alexandra avant de raccrocher.

Pendant le reste de la soirée, elle fait les quatre cents pas dans la maison. Elle ne tient plus en place tellement elle est excitée par ce voyage. Elle espère réussir à dormir cette nuit, mais elle n'est vraiment pas certaine qu'elle va pouvoir fermer l'œil tellement elle est débordante d'énergie ce soir !

Elle fait le tour de ses placards, de sa garde-robe et de ses bagages afin de s'assurer qu'elle n'a rien oublié. Lorsqu'elle constate qu'il n'y a plus rien à préparer, elle décide de s'asseoir devant la télévision.

Elle regarde différentes émissions de télévision, en se levant régulièrement pour faire différentes choses dans la maison afin de se garder occupée. Vers vingt-trois heures, elle décide qu'elle devrait aller se coucher. Plus tôt elle va s'endormir, plus rapidement le temps, d'ici son envol pour Cancun, va défiler, se dit-elle.

Comme elle le croyait, elle a du mal à s'endormir. Elle a trop de choses en tête et elle est trop excitée. Elle décide donc de faire jouer un peu de musique. Elle choisit un disque de musique de relaxation, ce qui devrait l'aider à dormir. Elle s'assure aussi que le son n'est pas trop fort, afin de l'aider à se détendre pour trouver le sommeil.

Elle tourne d'un côté puis de l'autre à maintes reprises et finit par s'endormir, à point nommé, vers minuit et demi.

Le lendemain matin, le grand jour est enfin arrivé. Alexandra se lève d'excellente humeur, vers neuf heures trente du matin. Elle se dirige immédiatement vers la salle de bain, se débarbouille le visage, puis se dirige vers la cuisine pour se servir à déjeuner.

Elle a prévu de se tenir occupé pendant la majeure partie de la journée, car ils ne partent pas pour l'aéroport avant la fin de l'après-midi. Elle en profite donc pour prendre une bonne douche, se préparer et vérifier une autre fois ses bagages, surtout ses bagages à main. Elle décide ensuite de faire un bon lavage de printemps à son appartement, afin qu'il soit très propre à son retour. Elle en profite aussi pour laver ses draps de lit.

Après le dîner, Alexandra décide de regarder des films qu'elle avait à la maison, dans sa petite collection. Cela devrait la tenir occupée un certain temps, jusqu'à l'arrivée de ses parents.

Les parents d'Alexandra frappent à sa porte. Elle leur ouvre et les invite à entrer.

— Bonjour ! disent Brigitte et Michel qui semblent assez calmes.

— Bonjour ! leur répond Alexandra qui, elle, ne tient déjà plus en place tellement elle est excitée.

— Es-tu prête, ma chérie ? lui demande sa mère sur un ton exclamatif.

— Oh oui ! lui répond Alexandra.

— Hé bien, allons-y ! lui lance son père, en attrapant un des bagages qu'Alexandra avait déjà placé près de la porte.

Ils doivent maintenant partir en direction de l'aéroport, car leur avion doit décoller dans trois heures. Ils mettent donc la valise et le bagage à main d'Alexandra dans le coffre de la voiture et empruntent le chemin en direction de l'aéroport d'Ottawa.

Le trajet jusqu'à l'aéroport se déroule très bien et ne prend que vingt-cinq minutes. Ils stationnent donc la voiture, puis se dirigent avec leurs bagages dans l'aéroport, afin d'être prêts à temps pour le départ de leur vol qui n'est que dans trois heures. Ils ont amplement le temps d'enregistrer leurs bagages et de passer la douane.

Maintenant bien au chaud dans l'aéroport, Alexandra trouve que l'attente est longue avant le départ. Ils doivent attendre en ligne pour aller dans la zone d'embarcation et cette ligne est assez longue d'ailleurs.

— Wow, ça va nous prendre des heures ! s'exclame Alexandra à l'intention de ses parents, en regardant la ligne de gens devant elle.

— Ça va généralement relativement vite, malgré les longues files d'attente, la rassure son père sur un ton très calme.

Alexandra et ses parents attendent environ trente minutes en ligne, avant de pouvoir traverser, afin de se rendre dans la zone d'embarcation des vols internationaux. Ils sont maintenant à l'étape de la vérification. Ils doivent enlever tous leurs objets métalliques, afin de passer par le détecteur de métaux et se rendre enfin dans la zone d'embarquement. Le but est de traverser sans faire sonner le système de détection de métaux, ce qui devrait être simple, se dit Alexandra.

— Enlève tout de suite tous tes bijoux Alexandra, lui dit son père.

— Tu devras mettre tous les objets que tu as sur toi qui contiennent du métal, comme tes bijoux, dans un des bacs gris que tu vois sur le côté de l'appareil.

— D'accord, répond Alexandra un peu nerveuse et légèrement intimidé par ces procédures qui lui sont étrangères.

Les douaniers grimacent à l'arrivée d'Alexandra et de sa mère. Celles-ci n'ont pas pensé s'habiller en conséquence des détecteurs de métaux et ont plusieurs attaches ou décorations métalliques sur leurs vêtements. Alexandra porte entre autres des boucles métalliques sur ses souliers, deux boutons métalliques comme attache pour ses pantalons et une pince dans ses cheveux, qui contient elle aussi du métal. Brigitte, elle, porte un pantalon orné d'une longue fermeture éclair le long de chaque jambe, un chandail moulant orné de deux gros boutons métalliques un peu au dessus de sa poitrine et des chaussures possédant aussi une fermeture éclair.

Alexandra et Brigitte, contrairement aux douaniers, prennent la situation avec humour, lorsqu'elles réalisent que ce qu'elles portent contient beaucoup de métal. Elles trouvent la situation cocasse, mais font quand même attention de ne pas trop sourire quand les douaniers passent leurs détecteurs de métaux autour d'elles, car eux ne semblent pas entendre à rire. Les deux femmes refoulent du mieux qu'elles peuvent leur fou rire et parviennent à garder un semblant de sérieux. L'un des douaniers, visiblement découragé par la tenue des deux femmes qui fait sonner sans arrêt leurs détecteurs, leur dit sur un ton frustré et interrogateur à la fois :

— Coudonc, vous ne saviez pas que vous alliez passer aux douanes aujourd'hui ou quoi ?

Les deux femmes haussent les épaules et font un petit sourire timide en guise d'excuses. Les douaniers les laissent ensuite reprendre leurs effets personnels et passer de l'autre côté des portes, ce qui leur donne accès à la zone d'embarquement.

Pendant ce temps, Michel, le père d'Alexandra, attendait patiemment de l'autre côté des portes, tordu de rire. Il avait passé le détecteur de métaux sans même le faire sonner une fois. Il n'en revenait pas lui non plus des vêtements que Brigitte et Alexandra avaient choisis pour le voyage. « Et les femmes ! » avait-il pensé lorsque les sonneries du détecteur de métaux s'étaient mises à sonner et à allumer comme un arbre de Noël.

L'avion ne doit décoller que dans deux heures environ. Ils en profitent pour manger un petit quelque chose à l'un des casse-croûte de l'aéroport et décident ensuite de magasiner un peu dans les petites boutiques pour passer le temps. Ils s'assoient ensuite près de leur zone d'embarcation et lisent un peu, en attendant leur départ.

Quinze minutes avant l'heure prévue de leur vol, on ouvre enfin les portes pour l'embarquement dans l'avion. Puis, ils entendent à l'interphone une voix féminine disant :

— Les gens du vol 312, en destination de Cancun, sont priés de se diriger vers la porte 9, pour embarcation immédiate.

— C'est bien notre vol hein ? demande Alexandra impatiente.

— Oui, c'est bien le nôtre, lui répond calmement son père.

— Quelle porte ont-ils dit ? demande Alexandra nerveuse, n'ayant pas retenu cette information.

— Porte 9, lui répond sa mère, elle aussi étonnamment calme.

L'embarquement s'effectue rapidement. À peine cinq minutes plus tard, Alexandra s'assoit dans le siège qui lui est attitré, près du hublot. Ses parents, quant à eux, sont assis dans les deux sièges situés juste devant elle. Ils auraient pu prendre l'allée centrale et être tous ensemble, mais Alexandra désirait pouvoir regarder par un hublot, pendant le vol, et son père aussi.

L'avion est maintenant presque prêt à décoller et Alexandra remarque que le siège, à côté d'elle, est toujours inoccupé. Elle se trouve chanceuse d'être assise seule, surtout étant donné que tous les autres sièges semblent occupés.

L'avion devrait décoller dans environ cinq minutes. À ce même moment, un jeune homme, qui semble être dans la fin de la vingtaine, s'approche d'Alexandra, puis s'assoit dans le siège à ses côtés. Alexandra sourit un peu timidement et rougit un peu. Elle ne s'attendait vraiment pas à avoir un homme comme lui à ses côtés, pour la durée du voyage. Elle avait espéré une situation de ce genre, certes, mais croyait que ces choses-là n'arrivaient que dans les films. Elle s'attendait plutôt à voir un gros monsieur ou peut-être une vieille dame, mais pas du tout un beau jeune homme comme celui qui vient de s'asseoir à ses côtés. Ses parents sourient, eux aussi, en le voyant prendre place aux côtés d'Alexandra.

Il se présente :

— *Hello! I'm Jessy!* lui dit-il en lui présentant sa main.

Alexandra rit intérieurement en constatant qu'il est anglophone. Elle se dit qu'elle a décidément un don pour les attirer. Toutefois, étant donné que l'aéroport est à Ottawa, cela n'est pas étonnant.

— *Hi, I'm Alexandra!* lui répond-elle poliment, en lui serrant la main.

Jessy semble très poli et très sympathique jusqu'à présent. Il a un beau style distingué et jeune à la fois. Alexandra est ravie qu'il soit à ses côtés pour le voyage. Celui-ci risque d'être beaucoup plus intéressant avec Jessy à ses côtés.

— Est-ce que c'est la première fois que tu prends l'avion ? lui demande Jessy en anglais, curieux de savoir.

— Oui et toi ? lui demande Alexandra.

— Non ! J'ai déjà pris l'avion plusieurs fois dans le passé, lui dit-il avec un sourire sympathique aux lèvres. Mais ne t'inquiète surtout pas, tout va bien aller, tu vas voir! ajoute-t-il pour la rassurer. Ce qui fonctionne plutôt bien d'ailleurs.

Alexandra a à peine le temps de se présenter et d'échanger quelques mots avec Jessy que l'avion prend de l'accélération et s'apprête à décoller. Étrangement, elle n'est pas vraiment nerveuse. Elle se tourne vers Jessy en souriant et constate immédiatement qu'il ne semble pas être aussi détendu qu'elle. Il paraît même plutôt nerveux. Pourtant, Alexandra se souvient qu'il vient tout juste de mentionner qu'il n'en est pas à son premier vol.

Alexandra trouve la situation plutôt ironique. C'est son premier vol et c'est elle qui tente de distraire Jessy, qui semble assez nerveux lors de vols d'avion. Jessy, qui devine qu'Alexandra s'en est déjà aperçue, lui avoue :
— J'ai toujours eu peur des décollages… Je ne sais pas pourquoi, mais dès que nous prenons de l'altitude, je vais mieux!
— Il n'y a pas de honte à cela, le rassure Alexandra. Tout va bien aller, tu vas voir!

L'avion quitte maintenant le sol. Alexandra ne peut se retenir d'éclater de rire en se retournant en direction de Jessy. L'expression sur le visage de celui-ci est à se tordre de rire. Elle voit bien qu'il essaie de cacher son inquiétude et sa peur des décollages, mais il le cache très mal. Jessy sourit, malgré lui, timidement, lorsqu'il remarque qu'Alexandra rit de lui. Il réalise ensuite à quel point il doit être drôle à voir en ce moment et rit un peu lui aussi. Ce qui semble d'ailleurs le détendre un peu. Alexandra décide alors de le fait rire un peu, question de le distraire jusqu'à ce qu'ils aient atteint l'altitude requise. La manœuvre semble bien fonctionner puisqu'il paraît plus calme et qu'il est de nouveau souriant.

L'avion est maintenant dans les airs, en direction de Cancun. Jessy retrouve son beau sourire et entame de nouveau la conversation. Il pose plusieurs questions à Alexandra, afin d'apprendre à mieux la connaître et aussi dans le but de passer le temps pendant le vol. Alexandra fait de même.

— J'ai un appartement à Ottawa, commence Jessy, et toi?

— Moi j'habite à Gatineau... également dans un appartement, lui répond Alexandra.

— Tu es native de Gatineau?

— Non, en fait, je suis native du Témiscamingue, lui répond-elle.

— Le Témiscamingue? lui demande Jessy avec un fort accent anglophone sur le mot français Témiscamingue.

— Oui, Abitibi-Témiscamingue! C'est une région très francophone du Québec, ajoute-t-elle.

— Et toi, es-tu natif d'Ottawa? lui demande-t-elle à son tour.

— Oui, lui répond-il avec un sourire.

Ils continuent ainsi à discuter pendant un bon moment. Un peu plus tard, au cours de leur conversation, elle ose lui demander :

— Est-ce que je peux te demander ton âge?

— Bien sûr, j'ai vingt-neuf ans et toi?

— Moi j'en ai vingt-trois.

— *Cool*, répond-il simplement.

Elle aime généralement les hommes entre vingt-six et trente et un ans. Elle n'est toutefois pas désireuse de sortir à nouveau avec un anglophone. Elle se dit cependant qu'elle peut quand même le côtoyer pour la durée du voyage et profiter de sa présence pour s'amuser avec lui à Cancun.

Ils discutent ainsi, de tout et de rien, en se posant toutes sortes de questions, afin d'un peu mieux se connaître pendant la majeure partie du vol. Les parents d'Alexandra, quant à eux, profitent de ce vol pour se reposer un peu.

L'avion s'apprête maintenant à atterrir. Alexandra est tout à coup un peu nerveuse, car elle trouve que la mer paraît très près de l'avion... trop près à son goût justement ! Elle n'aime pas particulièrement voler aussi bas avant d'atterrir, surtout qu'il y a des turbulences. Elle se dit qu'ils n'ont pas beaucoup d'espace tampon pour rattraper l'avion, si celle-ci devait se mettre à descendre de façon inattendue, étant donné leur très basse altitude.

Jessy constate qu'Alexandra n'est plus aussi calme et détendue qu'auparavant. Il tente de la rassurer, en lui prenant la main. Il prévoit ainsi réussir à détourner son attention de l'atterrissage, ce qui fonctionne plutôt bien. Il lui parle ensuite des activités qu'ils vont pouvoir faire à Cancun, toujours en tenant sa main entre les siennes.

— Imagines-tu que dans peu de temps nous allons découvrir de quoi a l'air notre hôtel... ou plutôt nos hôtels, étant donné que nous ne séjournerons pas dans le même complexe hôtelier !

— C'est bien vrai, lui répond Alexandra, en portant moins d'attention à l'atterrissage.

— Nous allons aussi pouvoir boire, bien manger, explorer une nouvelle ville, et nous baigner dans la mer ! Ça va être génial ! lui dit Jessy avec enthousiasme.

Alexandra se laisse distraire par les propos de Jessy. Déjà, l'avion se pose sur le sol. L'atterrissage s'est très bien passé finalement, en conclut Alexandra.

Ils sortent tous de l'avion, un à un. Alexandra est derrière Jessy, qui, lui, suit les parents de cette dernière. Alexandra lui a mentionné en vol que ses parents l'accompagnaient.

Aussitôt débarqués de l'avion, ils sont envahis par une douce brise de chaleur et d'humidité qui caresse leur peau. Alexandra apprécie particulièrement ce moment et savoure ce répit de l'hiver. Il fait nuit à Cancun, donc l'aéroport est assez calme. Alexandra, ses parents et Jessy traversent les douanes sans aucun problème, pour aller ensuite chercher leurs valises, qui se trouvent sur le tapis roulant à bagages. Jessy en profite pour mentionner à Alexandra :

— J'ai loué un Jeep Sahara pour la semaine. Je dois aller le chercher demain, dans la matinée. Si tu veux, je pourrais aller te chercher à ton hôtel et nous pourrions aller faire un tour pour explorer l'île ! Qu'en dis-tu ?

Ils seront dans deux hôtels différents et à une trop grande distance pour parcourir le chemin à pied s'ils veulent se voir, alors le véhicule tombe à point nommé.

— Oui, avec joie ! dit-elle sourire aux lèvres, malgré le fait qu'elle tombe de sommeil après ce voyage en avion. Je te laisse le nom de mon hôtel, ajoute-t-elle.

Elle fouille ensuite dans son sac à main, afin d'y trouver du papier et un crayon. Elle y écrit, lisiblement, le nom de son hôtel, puis lui remet le bout de papier.

— Ne le perds pas ! ajoute-t-elle.

— Aucun danger, et, de toute façon, je l'ai déjà mémorisé ! lui répond-il avec un sourire de fierté.

— Bon bien, bonsoir ! lui dit-elle ensuite, déjà prête à se diriger vers l'autobus voyageur qui va l'amener elle et ses parents à leur hôtel.

— Bonsoir et à demain ! répond Jessy.

Puis, Alexandra suit ses parents jusqu'à l'autobus et s'assoit dans le banc derrière eux. Elle est perdue dans ses pensées, lorsque l'autobus décolle de l'aéroport de Cancun.

Elle pense à quel point la situation est plutôt comique. Elle se dit qu'elle a réussi à obtenir un rendez-vous avec un homme charmant, dans le Sud, alors qu'elle n'a pas eu de rendez-vous depuis plusieurs mois, dans son propre pays. Elle s'attendait à bien des choses en voyageant à Cancun, mais pas à cela.

En fait, elle a toujours rêvé de faire un voyage dans un pays chaud avec l'élu de son cœur, mais le destin en a voulu autrement jusqu'à présent. Elle et son ex-ami, Joshua, en avait déjà parlé, mais le projet avait vite fait de tomber à l'eau. Encore une promesse jetée en l'air et non respectée par ce dernier. Elle n'avait pas été surprise qu'il annule leur projet, car cela finissait toujours ainsi avec lui, mais elle a quand même très déçue. Puis, avant cette période, elle n'avait tout simplement jamais été amoureuse assez long-temps pour qu'un tel voyage soit envisagé.

C'est entre autres pour cette raison qu'Alexandra est si contente d'avoir rencontré Jessy et elle compte bien en profiter. Elle n'aura peut-être pas l'homme de sa vie à ses côtés, mais elle va au moins être avec un homme qui semble très intéressant. Elle se dit que, contre toute attente, elle va peut-être finalement vivre un peu de romance à Cancun. Elle accueille cette idée à bras ouverts ! Un peu de romance lui ferait en effet le plus grand bien.

Le trajet jusqu'à leur hôtel se fait dans un confortable autobus voyageur et ne prend qu'une vingtaine de minu-tes. Alexandra tombe de sommeil. Il fait nuit ici, mais elle aime quand même ce qu'elle voit du paysage de Cancun. Elle aime la vue de ces longs palmiers au feuillage très vert. Cela la change des plaines blanches du Canada !

Arrivés à l'hôtel, ils attrapent leurs bagages, puis vont chercher la clé de leur chambre à la réception. Ils ont choisi une grande chambre avec deux lits pour deux personnes. Dès que les deux clés de la chambre leur sont remises, ils se rendent directement à leur chambre au premier étage. Comme ils ont choisi un hôtel plutôt petit, il n'y a pas d'as-censeur.

À leur arrivée à leur chambre, ils utilisent une des clés électroniques qui leur a été remise pour ouvrir la porte de leur chambre d'hôtel, puis ils pénètrent à l'intérieur. Ils sont agréablement surpris par celle-ci, qui ressemble davantage à un luxueux trois pièces qu'à une chambre d'hôtel. Elle possède même une petite cuisine qui comprend une cuisinière, un lavabo et un réfrigérateur. Le salon est très grand et bien décoré. L'endroit est vraiment très bien et leur plaît beaucoup. Ils sont très contents de leur choix.

Malgré la fatigue qui les gagnent, ils poursuivent leur visite de la chambre, curieux de découvrir chaque coin de celle-ci. La salle de bain est en marbre, ce qui fait très sophistiqué et riche. Ils ont aussi le bonheur de constater que l'endroit est très propre.

Ils terminent la visite par la chambre. Celle-ci comprend deux grands lits pour deux personnes, ainsi qu'une porte-fenêtre qui semble mener sur un balcon. Ils n'ont pas à se plaindre de leur chambre, elle est parfaite.

Le père d'Alexandra ouvre la porte-fenêtre, celle qui semble mener vers un balcon et les invite à le rejoindre. Ils ont leur propre grand balcon recouvert de tuiles polies ! La vue y est d'ailleurs magnifique avec les quelques lumières d'ambiance de l'hôtel encore allumées. Ils remarquent immédiatement qu'il y a une jolie piscine extérieure, elle aussi éclairée. Cette charmante piscine creusée se situe au centre de leur complexe hôtelier, et épouse la forme d'un « U ». Un joli bar avec un toit en paille a été bâti au bout de la piscine. L'aménagement paysager semble être de bon goût, mais ils ne voient malheureusement pas tous les détails du paysage de l'hôtel, puisqu'il fait nuit.

Leur avion a atterri tard, autour de minuit, et Alexandra ne veut pas aller se coucher immédiatement, car elle est curieuse et a hâte d'en apprendre davantage sur cet endroit qui lui est totalement inconnu, mais elle tombe littéralement de sommeil. Le voyage et les émotions l'ont épuisée. Elle observe le paysage pendant encore une quinzaine de minutes et décide ensuite d'aller rejoindre ses parents dans la chambre et de se coucher à son tour.

L'idée de dormir dans le lit à côté de ses parents la fait un peu rire, mais elle est quand même contente de partager une chambre d'hôtel avec eux. Elle n'aurait pas aimé être seule dans sa chambre pendant toute la durée du voyage, étant donné qu'ils sont tout de même dans un pays étranger.

— Bonne nuit ma chérie! murmure sa mère qui est déjà prête à s'endormir.

— Bonne nuit maman, bonne nuit papa! ajoute-t-elle à son tour, dans un murmure.

Elle se dirige ensuite vers la salle de bain, enfile une camisole pour dormir, ainsi qu'un short boxer, puis se dirige vers son lit pour entamer une bonne nuit de sommeil bien mérité.

Le lendemain matin, elle se réveille de bonne heure, à sa grande surprise. Elle prend immédiatement une douche, puis s'habille. Elle prend soin d'enfiler son maillot de bain sous ses vêtements et part rejoindre ses parents qui l'attendent au charmant petit restaurant couvert d'une hutte. Celui-ci se trouve à quelques mètres seulement de la piscine.

Son père a d'ailleurs pris soin de réserver des chaises autour de la piscine avant d'aller déjeuner, car elles partent vite.

Alexandra se sert à même le buffet, avant d'aller s'asseoir avec ses parents. Il y a beaucoup de choix et tout semble assez santé et succulent. Elle prend un peu de tout, puis elle rejoint ses parents. Ceux-ci ont choisi un très bel emplacement qui donne une vue sur un petit lagon, à quelques pas seulement du restaurant. L'endroit est vraiment très différent de ce qu'Alexandra avait pu imaginer, mais elle l'adore !

— Bon matin ! leur dit alors Alexandra.

— Bon matin ma chérie ! As-tu bien dormi ? lui demande sa mère.

— Très bien et vous deux ?

— Très bien nous aussi.

— L'endroit est vraiment très beau hein ? s'exclame Alexandra en regardant autour d'elle.

— Oui, c'est vrai que l'endroit est bien et surtout très différent de la République Dominicaine, lui mentionne son père.

— C'est une bonne chose ? lui demande Alexandra.

— Absolument, nous voulions venir au Mexique pour faire changement, alors c'est parfait !

Alexandra trouve que le service de l'hôtel est aussi excellent. Le personnel de l'hôtel ainsi que les vacanciers sont tellement souriants qu'elle se sent un peu comme une princesse. Elle adore cela. De plus, leur table donne vue sur un joli petit lagon, le soleil brille déjà de mille feux, les oiseaux chantent… et il n'est que sept heures trente du matin ! La température de l'air est déjà très confortable. Vraiment, elle ne pourrait demander mieux ! Elle ne se souvient pas s'être déjà sentie aussi détendue et aussi bien de toute sa vie. Elle savoure chaque instant de cette magnifique journée qui débute.

Après le déjeuner, elle et ses parents s'installent sur les chaises longues que son père avait réservées plus tôt, afin de prendre un bon bain de soleil. Il est encore tôt dans l'avant-midi, mais le soleil est déjà suffisamment chaud.

Elle en profite pour jeter un coup d'œil autour d'elle et constate que l'aménagement paysager de l'hôtel a été fait avec bon goût, ce qui rend la vue et l'atmosphère encore plus agréable. De jolis palmiers sont distribués ici et là sur le terrain, ce qui donne une belle ambiance à ce paysage typique du Sud. De magnifiques petites fleurs roses, et d'autres blanches, ainsi qu'une multitude de plantes vertes ont été plantées à plusieurs endroits. Le décor de l'hôtel est vraiment parfait. Il est très vivant, chaleureux et fait très « été ». Alexandra est au septième ciel en ce moment !

Elle se fait bronzer pendant environ une demi-heure, puis décide de se jeter dans la piscine. Elle trouve très agréable de pouvoir se baigner aussi tôt dans la journée et de ne pas avoir froid. L'eau est très claire et très bonne. Il n'y a que deux autres personnes dans la piscine avec elle, alors elle en profite pour faire des longueurs.

— Ça c'est la vraie vie ! s'exclame Alexandra à voix basse.

L'avant-midi se déroule à merveille, sous le thème de la relaxation. Cela fait le plus grand bien à Alexandra, qui avait grand besoin de se détendre et, surtout, de s'éloigner de la neige et du froid.

Dans l'après-midi, Jessy vient la rejoindre à son hôtel comme il l'avait promis la veille. Il stationne la Jeep qu'il a louée à seulement un coin de rue de l'hôtel d'Alexandra.

— Es-tu prête pour l'aventure ? lui demande avec un brin d'humour et beaucoup d'enthousiasme Jessy.

— Oh que oui ! s'exclame Alexandra.

— Par où veux-tu commencer ? lui demande-t-il.

— J'aimerais beaucoup voir la mer de près, alors allons marcher à la plage ! Qu'en dis-tu ? lui demande Alexandra.

— C'est une excellente idée !

Les parents d'Alexandra décident de les laisser aller. Ils préfèrent rester tranquilles à l'hôtel pour le moment. Alexandra et Jessy partent donc en direction de la mer. Elle a très hâte de voir si la mer est aussi belle qu'à la télévision et que dans les magazines.

Ils marchent à peine cinq minutes temps avant d'arriver. La mer d'un bleu si beau et le sable si blanc et si propre éblouissent Alexandra ! C'est paradisiaque ! La mer qu'elle voit en ce moment est aussi belle que ce qu'elle voit dans les revues. Cela fait très romantique même.

Jessy admire lui aussi le paysage, mais il avait déjà vu la mer auparavant, alors il n'est pas aussi éblouie par le paysage qu'Alexandra.

— Wow, c'est vraiment très beau hein ? Je trouve le paysage absolument magnifique, surtout avec ce beau soleil ! dit Alexandra à l'intention de Jessy.

— C'est vrai que la vue est très belle, lui dit Jessy, petit sourire aux lèvres.

Il sourit car il trouve adorable de voir l'émerveillement d'Alexandra. Cela lui rappelle un peu ses premiers voyages. Il lui découvre une certaine innocence et de l'authenticité et il trouve cela très attirant.

Après avoir fait quelques pas sur la plage, elle enlève ses sandales afin de marcher pieds nus dans le sable. Elle aime la douce sensation du sable sous ses pieds et entre ses orteils, même s'il est plutôt brûlant. Ils décident donc de marcher les pieds dans l'eau afin de se rafraîchir un peu.

Ils marchent le long de la mer des Caraïbes pendant une bonne partie de l'après-midi, s'arrêtant ici et là pour se reposer ou pour regarder les différents objets que les gens de l'endroit ont à vendre. Ils ne se sentent pas du tout bousculés par le temps.

Alexandra trouve la situation extrêmement romantique, mais elle ne se sent pas malgré tout amoureuse de Jessy. Elle en conclut que c'est probablement parce qu'il n'est pas le bon gars pour elle, comme elle le pensait depuis le début. Elle apprécie néanmoins sa présence à ses côtés. Elle le trouve très gentil et d'excellente compagnie, bien qu'elle doive encore une fois converser toujours en anglais.

De retour à l'hôtel, Jessy propose à Alexandra :

— Que dirais-tu d'aller faire une balade dans la Jeep que j'ai louée, question de visiter un peu plus cette belle île ?

— Très bonne idée, lui répond Alexandra.

Elle aime beaucoup visiter et découvrir de nouveaux endroits. Elle aime cette sensation de découvrir le monde petit à petit.

Ils embarquent donc tous deux dans la Jeep, puis se baladent pendant un moment, découvrant cette belle île qu'est Cancun. Après un moment, ils s'arrêtent à un restaurant pour le souper, car ils commencent tous deux à avoir faim. Alexandra espère d'ailleurs y trouver quelque chose à son goût, car elle est assez sélective lorsqu'il s'agit de nourriture.

En entrant dans le restaurant, après avoir stationné le véhicule, Alexandra constate que le restaurant est très bien décoré et aussi très chaleureux. Il est tellement propre qu'elle a l'impression qu'elle pourrait manger par terre ! L'endroit est coloré et relativement simple. Il est très différent de ce qu'elle a l'habitude de voir et pense que c'est justement ce qui fait le charme de cet endroit.

— Désires-tu prendre une table à l'extérieur ou à l'intérieur ? lui demande Jessy.

— À l'extérieur serait très bien, qu'en penses-tu ?

— Moi aussi je préfère l'extérieur.

— Alors va pour l'extérieur ! s'exclame Alexandra.

Sur ces mots, la serveuse s'approche d'eux et leur demande s'ils ont une préférence pour le choix de la table.

— Oui, nous aimerions manger à l'extérieur, lui dit Jonathan.

Celle-ci leur choisit donc une très belle table sur le petit balcon extérieur du restaurant. La mezzanine donne vue sur un très grand lagon aux eaux plus vertes et plus foncées que la mer. Il s'agit du même lagon qui passe derrière l'hôtel d'Alexandra. Il y a plusieurs embarcations sur l'eau. Ils y voient beaucoup de bateaux et de motomarines y naviguer.

Alexandra trouve que la vue de leur table, sur le balcon du restaurant, est vraiment très belle. Certes, une vue sur un lagon n'est pas aussi spectaculaire que celle donnant sur la mer, mais c'est quand même très agréable, selon Alexandra. Jessy aussi aime bien la vue qu'ils partagent du haut de leur balcon. Le restaurant est assez élevé par rapport au lagon, ce qui fait en sorte qu'ils voient très loin. Cela rend le spectacle encore plus impressionnant et la situation encore une fois assez romantique. Malgré tout, elle ne sent pas encore attirée par Jessy au point de vouloir plus qu'une amitié, ce qui semble la soulager et la décevoir un peu aussi. Elle est soulagée, car elle ne veut pas de nouveau sortir avec un anglophone, entre autres, et déçue, car elle a hâte d'avoir à nouveau un petit ami dans sa vie.

Alexandra rit intérieurement en voyant les motomarines sur le lagon. Elle aime bien faire de la motomarine, mais jamais elle ne voudrait en faire sur ce lagon, ni sur la mer d'ailleurs. Elle aurait beaucoup trop peur. Elle aurait peur de tomber nez à nez avec des requins ou d'autres animaux marins qu'elle ne connaît pas ! Et s'il fallait que l'embarcation tombe en panne ou chavire elle paniquerait complètement, c'est certain !

— Le restaurant est vraiment bien, hein ? Très bon choix ! lance Alexandra à l'intention de Jessy.

— Je te remercie beaucoup. Je suis moi aussi très heureux de notre choix ! lui répond-il, heureux qu'elle aussi aime l'endroit.

L'atmosphère du restaurant est excellente. Il n'y a pas beaucoup de gens, ce qui le rend très agréable et calme. L'ambiance idéale pour des vacanciers en quête de détente comme Alexandra. Elle se dit qu'elle pourrait rester dans ce genre d'endroit très longtemps. « Tout est tellement beau et parfait ici ! » pense-t-elle dans son for intérieur.

— Je crois que je pourrais m'habituer à ce genre d'endroits ! s'exclame Alexandra en regardant le paysage qui l'entoure.

Jonathan rit du commentaire d'Alexandra puis lui répond :

— Oh ! moi aussi je crois que je pourrais assez vite m'y habituer ! La neige ne me manque pas du tout !

Ils regardent ensuite tous deux leur menu. Alexandra est heureuse d'y découvrir beaucoup de choix intéressants. Cela la rassure et lui fait bien plaisir de savoir qu'elle n'aura pas trop de difficulté à trouver quelque chose à son goût. Elle avait peur de devoir visiter plusieurs restaurants avant de trouver des plats qu'elle aime et surtout pas trop épicés. Ce scénario l'aurait certainement beaucoup embarrassée.

Alexandra arrête finalement son choix.

— Je vais prendre une poitrine de poulet, servie sur un lit de riz, ainsi qu'une bonne limonade s'il-vous-plaît, annonce Alexandra à la serveuse.

— Moi je vais prendre des *fajitas* au poulet, au bœuf et aux légumes ainsi qu'une de vos bières locales, ajoute Jessy.

En attendant que leur repas soit servi, Alexandra et Jessy jasent de tout et de rien, en profitant de la vue superbe qui s'offre à eux et en buvant leur boisson respective.

Alexandra trouve son assiette appétissante. Jessy aussi a bien hâte de déguster son plat de *fajitas*, qui lui paraît très alléchant.

— Wow ! ce poulet et ce riz sont vraiment bons ! s'exclame Alexandra après la première bouchée.

— Mes *fajitas* aussi sont succulents, veux-tu y goûter ?

— Pas tout de suite, je veux d'abord manger mon plat, mais j'y goûterai peut-être tantôt si j'ai encore un peu de place.

— Ne te gêne surtout pas, parce que j'en ai beaucoup trop ! s'exclame Jessy.

Le repas terminé, Jessy règle la facture et reconduit Alexandra à son hôtel. Il stationne la voiture temporairement devant celui-ci. Il étreint Alexandra, puis il lui souhaite une bonne soirée. Il affiche également un sourire de satisfaction sur son visage. De toute évidence, il a passé une belle journée.

— Je te remercie pour la belle journée que je viens de passer en ta compagnie. Merci également pour le succulent repas que tu as eu la gentillesse de me payer ! lui dit Alexandra.

Puis elle sort de la voiture. Il lui répond, avant qu'elle ne referme la portière :

— Non, c'est moi qui te remercie pour ta charmante compagnie ! Moi aussi j'ai passé une excellente journée !

Il repart dans sa Jeep, en direction de son hôtel, à quelques minutes de voiture plus loin.

Alexandra rejoint ses parents installés sur le petit balcon de leur chambre d'hôtel.

— As-tu passé une belle journée ? lui demande son père.

— Très belle et vous deux ? Qu'avez-vous fait de bon de votre journée ?

— Eh bien, nous sommes restés tranquilles à l'hôtel. Nous nous sommes fait bronzer, nous nous sommes baignés et nous avons fait une longue balade sur le bord de la mer, entre autres, lui répond son père.

— As-tu déjà soupé ? lui demande Brigitte

— Oui, Jessy et moi avons été à un très bon restaurant qui se trouvait sur notre chemin. Vous auriez dû voir la vue spectaculaire que nous avions sur le lagon !

— Ah oui ! répond sa mère pour montrer qu'elle est attentive à la conversation.

— Je crois que c'est le même lagon que celui-ci, dit Alexandra en pointant le petit ruisseau, mais en bien plus gros. C'était très impressionnant ! Le lagon avait l'air d'un gros lac ! Je ne croyais pas qu'un lagon pouvait être aussi gros ! Il y avait même plusieurs embarcations !

— Je l'ignorais moi aussi, ajoute Michel, j'ai toujours pensé qu'un lagon était relativement petit. Eh bien! On en apprend tous les jours!

— Et la nourriture était vraiment très bonne! J'ai d'ailleurs beaucoup trop mangé! Je crois qu'une grande marche me ferait le plus grand bien!

— Veux-tu de la compagnie? lui demande sa mère.

— Oui, j'aimerais bien! lui répond-elle en souriant.

Ils décident donc d'aller faire une marche sur le bord de la plage, en profitant du fait qu'il fait encore clair encore une bonne heure ou deux.

À leur retour de leur promenade, ils s'assoient tous les trois au petit bar extérieur de l'hôtel et y sirotent un ou deux verres. Que seraient les pays chauds sans un peu d'alcool! pensent-ils.

Ensuite, vers vingt-deux heures, ils retournent à leur chambre d'hôtel, prêts à entamer une autre nuit de sommeil. La journée avait commencé tôt et ils avaient fait plusieurs choses, alors ils étaient tous d'accord pour aller se coucher.

— Tu sais, ne te sens pas obligée de te coucher en même temps que nous ma chérie. Si tu n'es pas fatiguée, tu peux veiller plus tard, mais nous, nous tombons littéralement de sommeil en ce moment, alors nous allons nous coucher tôt.

— Je sais, mais moi aussi je me sens assez fatiguée avec la journée bien remplie que j'ai eue, dormir ne me fera pas de tort!

— D'accord, alors bonne nuit ! lui dit ensuite Brigitte.

— Bonne nuit maman, bonne nuit papa !

Le lendemain matin, Alexandra et ses parents décident de faire une excursion. Ils choisissent d'un commun accord de visiter les ruines mayas et d'aller ensuite au parc aquatique, où l'on peut nager avec les dauphins, moyennant un coût supplémentaire.

Alexandra et son père voulaient absolument voir les ruines mayas durant leur voyage au Mexique et sa mère, elle, tenait à tout prix à aller nager avec des dauphins. Ils ont eu la chance de trouver un kiosque, à quelques pas de leur hôtel, qui offre diverses excusions aux touristes, où ils ont pu acheter un forfait qui combine les deux activités. Celui-ci comprend la visite des ruines mayas et celle d'un parc aquatique ainsi que le transport en autobus voyageur. Le parc aquatique comprend cinq bassins, où les gens peuvent, pour un léger supplément, nager avec des dauphins.

Ils embarquent tous les trois dans l'autobus qui doit les amener à leur excursion. Celui-ci les prend devant leur hôtel puis arrête devant d'autres hôtels de Cancun pour embarquer d'autres vacanciers. Ils sont très excités par cette excursion et ont bien hâte d'arriver !

Le voyage en autobus se passe très bien. Deux heures de route plus tard, ils arrivent aux ruines Mayas.

— Vous devrez faire la suite à pied ! leur annonce le guide touristique. Cela devrait vous prendre environ quinze minutes. N'oubliez pas d'apporter de l'eau, car le soleil est très chaud aujourd'hui et il n'y a pas de boutique sur le site des ruines mayas.

Alexandra, Michel et Brigitte prennent à pied la route qui mène aux petits kiosques bordant le stationnement. Alexandra regarde rapidement les articles souvenirs. Elle ne trouve pas vraiment quelque chose qui lui plaît.

— Si tu achètes quelque chose tout de suite, tu vas devoir le traîner avec toi pour toute la durée de l'excursion, lui fait remarquer sa mère.

— Ah oui, c'est vrai! Je crois que je vais attendre et ne prendre qu'une bouteille d'eau pour l'instant!

Ils s'achètent donc une petite bouteille d'eau de source et se remettent à marcher vers les ruines mayas. Le chemin est bien indiqué et le sentier est large, alors ils n'auront pas de difficulté à s'y rendre. Par contre, le soleil est vraiment très chaud.

Une dizaine de minutes de marche plus tard, ils arrivent aux ruines mayas. Le paysage est absolument magnifique et ils en sont émerveillés. Ils en profitent pour prendre plusieurs photos de l'endroit.

D'un côté, ils peuvent apercevoir les ruines mayas, entourées de verdures et de l'autre, une vue superbe sur la mer. Celle-ci, à perte de vue, est d'un bleu absolument paradisiaque, où les vagues se fendent contre les rochers de la falaise sur laquelle sont situées les ruines. Ils peuvent aussi apercevoir une charmante plage de sable blanc, un peu plus bas, non loin d'où ils se trouvent. Le spectacle qu'offrent ces lieux est féerique. Alexandra en profite pour prendre plusieurs photos, dont une avec sa mère, puis une autre avec son père.

Ils se dirigent ensuite plus près des ruines.

— Regardez ce bel arbre aux fleurs rose foncé ! Il est vraiment beau, hein ? s'exclame Alexandra à l'intention de ses parents.

— C'est vrai qu'il est beau ! Viens Michel, on va se faire poser devant ! suggère Brigitte excitée à cette idée.

Alexandra les photographie devant ce magnifique arbre à fleurs qui fait environ deux mètres de haut et presque autant de large. Son feuillage commence à environ un demi-mètre du sol, et une partie des ruines d'une ancienne fondation se trouve juste derrière.

— C'est photo va être super ! leur annonce Alexandra.

— Merci ! lui dit Brigitte encore tout excitée.

Alexandra trouve cela plutôt comique de voir sa mère aussi surexcitée. Elle trouve qu'elle a un peu l'air d'une enfant, mais elle comprend très bien, car c'est exactement comme cela qu'Alexandra se sent en ce moment. Elle aussi est très excitée par cette excursion. Il y a plusieurs ruines à visiter, mais malheureusement personne n'a l'autorisation d'aller à l'intérieur des temples en pierres sur le site. Les ruines sont déjà très endommagées par le temps, entre autres, et les visiteurs ne feraient que les détériorer davantage. Alexandra pense que c'est la raison pour laquelle ils ont édifié des paramètres de sécurité autour des ruines afin d'empêcher les gens d'aller trop près, ce qui endommagerait le site.

Après avoir fait le tour de toutes les ruines, Alexandra et ses parents se dirigent vers la plage qu'ils avaient aperçue un peu plus tôt, du haut de la falaise. Il y a beaucoup de gens à la plage et certains d'entre eux se baignent. Ils n'ont qu'environ une heure pour visiter les ruines et les alentours, alors Alexandra et ses parents décident de demeurer au sec. Ils se disent qu'ils auront tout le temps de se baigner plus tard au parc aquatique.

Ils décident de se trouver un petit coin d'ombre et de s'y asseoir confortablement, en attendant le retour à l'autobus dans quinze minutes. La chaleur est un peu écrasante, mais ils sont quand même assez bien à l'ombre, à profiter de la belle vue des lieux.

Une heure après leur arrivée sur le site des ruines mayas, ils repartent vers l'autobus afin de se rendre au parc aquatique. Brigitte désire y nager avec les dauphins, car c'est le rêve de sa vie.

Le trajet pour s'y rendre est heureusement assez court. Cela prend environ trente minutes de route, ce qui n'est pas pour leur déplaire ! Ils auront donc tout le reste de l'après-midi pour visiter le parc, ce qui leur donne plusieurs heures devant eux.

— Nous y sommes ! As-tu hâte maman ? s'exclame Alexandra.

— Tu parles que j'ai hâte ! s'exclame sa mère.

— Tu vas pouvoir enfin réaliser ton rêve mon amour ! dit Michel à l'intention de sa femme.

— Oui ! parvient-elle à répondre, même si cette activité la rend un peu nerveuse.

Ils sont maintenant face à l'entrée du parc et Alexandra trouve le parc aquatique assez impressionnant. Il ne ressemble pas du tout à ce qu'elle a déjà vu au Canada. Il y a une énorme carte devant eux, qui indique toutes les choses à faire sur le site. Alexandra et ses parents sont agréablement surpris de constater qu'il y a beaucoup de choses à faire et à visiter au parc.

— Wow ! As-tu vu la liste d'activités qu'il y a à faire ici ! Par où commencer ? se demande Alexandra à voix haute.

— Par les dauphins ! s'exclame Brigitte.

— Bonne idée, s'exclament Alexandra et Michel en chœur.

Ils commencent donc par l'activité la plus désirée, la nage de Brigitte avec les dauphins ! Arrivés aux bassins des dauphins, Michel et Alexandra lui disent :

— Nous allons nous contenter de te regarder d'ici, O.K. ?

Ils n'ont pas vraiment envie de payer le coût supplémentaire de cent cinquante dollars, afin d'aller nager dans un bassin avec des dauphins. Alexandra aurait aimé tenter l'expérience, mais elle ne veut pas dépenser autant d'argent. Elle aurait préféré nager avec eux dans leur habitat naturel, la mer, et non dans des bassins.

— Parfais, je comprends que vous trouviez cela trop dispendieux. Assurez-vous de prendre plusieurs photos O.K ? leur demande-t-elle.

Elle se dirige ensuite vers le kiosque pour payer et se met en ligne. Heureusement, l'attente n'est pas bien longue. Environ quinze minutes plus tard, elle est dans l'eau avec sa veste de sauvetage, prête à nager avec les dauphins. Alexandra prend une première photo.

Une guide accompagne le groupe de dix personnes. Ils nagent jusqu'à une petite plateforme dans l'eau. Brigitte se tourne rapidement vers eux et leur fait un signe de la main. Elle semble vraiment excitée de pouvoir enfin bientôt nager avec les dauphins. Alexandra et son père prennent quelques clichés et se tiennent prêts à en prendre plusieurs autres, lorsque les dauphins vont s'approcher. Ils ont apporté chacun leur appareil photo. Elle est vraiment trop drôle ! s'exclame Michel en voyant sa femme aussi heureuse dans l'eau.

— Oui ! répond Alexandra en riant.

La guide leur donne quelques conseils et règlements à suivre, puis ils laissent entrer un dauphin dans le bassin avec eux. Brigitte se retourne immédiatement vers Alexandra et Michel, avec une expression d'étonnement voulant dire : « Avez-vous vu ça, je me baigne dans la même eau que le dauphin !» Michel immortalise ce moment avec l'appareil photo, pendant qu'Alexandra lève son pouce dans les airs comme pour lui dire : « Bravo, profites-en bien ! » Les gens dans le bassin caressent le dauphin et Brigitte semble au septième ciel. Alexandra et son père ne manquent pas de prendre plusieurs photos de ce moment. Quand chacun a eu la chance de caresser le dauphin, la guide leur fait tra-

verser une petite passerelle, hors de l'eau, pour les amener
à un autre bassin

Alexandra et Michel les suivent, bien au sec sur le bord
des bassins. Brigitte les regarde et soulève ses épaules, afin
de leur laisser savoir qu'elle n'a aucune idée de ce qu'ils vont
faire dans cet autre bassin. Une fois arrivée, tout le groupe
se jette à l'eau, et deux dauphins se joignent à eux. Brigitte
affiche à nouveau un grand sourire et paraît étonnée.

La guide semble donner à nouveau des consignes au
groupe. Peu de temps après, les membres du groupe se font
un à un pousser par les dauphins. Ils doivent se tenir bien
droit, les bras croisés devant eux, selon ce qu'Alexandra remarque. Les dauphins les poussent ainsi, à moitié hors de
l'eau, jusqu'à l'autre extrémité du bassin. Ce numéro est assez spectaculaire et plutôt impressionnant. Brigitte semble
avoir très hâte que son tour arrive. Elle passe la quatrième,
et, encore une fois, Alexandra et Michel ne manquent pas
de prendre plusieurs clichés.

Le numéro avec les dauphins terminé, Brigitte retourne
sur la passerelle, enlève sa veste de sauvetage et retourne
auprès de Michel et d'Alexandra.

— Eh puis maman ? lui demande Alexandra alors qu'elle
s'approche d'eux.

— C'était… c'était… Wow ! C'était vraiment génial et
très spécial ! J'ai adoré l'expérience ! Dommage que vous ne
soyez pas venus, c'était vraiment quelque chose… une expérience unique !

— Content que tu aies aimé l'expérience, lui dit Michel avec un sourire chaleureux aux lèvres.

— Avez-vous pris plusieurs photos ? leur demande-t-elle ensuite.

— Je crois que nous en avons pris au moins vingt-quatre, Alexandra et moi ! Est-ce suffisant ? lui demande Michel d'un air taquin.

— Wow ! Tant que ça… c'est super ! Merci !

— Ça nous a fait plaisir maman ! Tu avais tellement l'air de t'amuser ! ajoute Alexandra.

Ils poursuivent la visite du parc aquatique, pendant que Brigitte leur raconte à quel point elle a aimé son expérience. Ils marchent maintenant le long d'eaux sinueuses et étroites comme des rivières. L'eau, teintée de vert, est très belle et cristalline et ils peuvent facilement y voir le fond, les roches et les poissons. Il y en a de toutes les sortes et de toutes les couleurs. Alexandra, une amatrice de pêche, ne reconnaît toutefois aucun des poissons qui s'y trouvent. Même chose pour Michel qui connaît beaucoup de choses sur une variété de sujets.

Plusieurs petits sentiers, comme celui sur lequel ils marchent en ce moment, longent le cours d'eau. Ils ont donc la chance de marcher pendant un bon moment. À leur avis, le parc aquatique a une apparence très naturelle, même s'il est entièrement conçu à l'extérieur.

En ce bel après-midi sous le chaud soleil du Sud, les zones d'ombre sont particulièrement appréciées.

Un peu plus loin, ils découvrent un coin de repos, qui comprend une douzaine de hamacs. Ceux-ci sont bien disposés sous les palmiers, ce qui donne beaucoup d'ombre et une vue magnifique.

Alexandra en profite pour s'y reposer quelques instants. Elle s'étend donc dans un des hamacs et regarde le ciel. Ce qu'elle voit est très enchanteur : un ciel d'un bleu superbe, qui perce au travers de géantes feuilles vertes de palmiers. Les feuilles forment un genre de cercle, haut dans les airs, juste au-dessus de sa tête. Elle en profite pour prendre une photo et immortaliser ce moment. Elle ne veut pas oublier cette vue magnifique des palmiers.

Alexandra décide maintenant qu'il est temps de se lever du hamac et de rejoindre ses parents, afin de continuer la visite du parc aquatique. En se levant, son bouton de poche arrière de son short reste coincé dans le hamac. Elle retombe assise dans celui-ci, incapable de se lever, puisque son bouton arrière est pris entre les cordages. Alexandra réalise ce qui vient de se passer et éclate de rire. Elle remarque que d'autres gens, y compris ses parents, ont vu toute la scène et rient avec elle. Ils rient tous encore davantage lorsqu'Alexandra fait signe de la main à sa mère de la rejoindre, car elle est incapable de se déprendre.

— Tourne-toi sur le côté avec le hamac, lui demande Brigitte, morte de rire.

Elle parvient ainsi, au bout de quelques secondes, à la déprendre du filet du hamac.

Alexandra et ses parents en ont mal au ventre et aux joues tellement ils rient de ce qui vient de se passer. Il fallait voir l'expression des gens, lorsque Brigitte était à genoux dans le sable, afin de déprendre la poche arrière d'Alexandra, qui s'était entremêlée dans le hamac, c'était très drôle.

Ils vont se rappeler longtemps cet événement !

— Où sont les caméras vidéo quand on en a besoin ? s'exclame Michel.

Ils continuent ensuite tous les trois à explorer le parc aquatique. Dans un autre coin du parc, ils découvrent une dizaine de perroquets perchés sur des branches, à environ un mètre ou deux du sol. C'est assez bruyant ici à cause des cris des perroquets. Par contre, le spectacle des couleurs flamboyantes de leurs plumes est très beau à voir.

Un peu plus loin, un des employés du parc se dirige vers Alexandra et insiste pour que celle-ci se fasse prendre en photo avec un perroquet.

— Perroquet… photo ! insiste l'homme.

Alexandra n'est pas certaine de vouloir le faire. Elle est en maillot de bain et ces petites bêtes semblent avoir toute une paire de griffes, mais elle se laisse finalement convaincre. Elle se dit que cela va lui faire un beau souvenir.

— Un seul perroquet par exemple ! souligne Alexandra à l'intention du photographe, qui est également le gardien des perroquets.

L'homme s'avance vers une Alexandra un peu craintive, et y dépose le perroquet sur le bras de celle-ci. Alexandra se dit qu'il devait avoir peur qu'elle change d'idée, ce qui aurait très bien pu arriver d'ailleurs !

À peine l'oiseau installé sur son bras surélevé, celui-ci pousse un puissant cri. Alexandra sursaute et ferme les yeux. Elle fait une grimace, convaincue que c'était une mauvaise idée. Ses parents qui assistent à la scène sont de nouveau morts de rire, en voyant l'expression de son visage. Cependant, ni l'un ni l'autre ne voudrait être à sa place en ce moment !

Alors qu'Alexandra est en train de se dire qu'elle va sûrement être sourde d'une oreille pour un moment avec le cri puissant qu'a poussé l'oiseau, le gardien s'approche à nouveau d'elle, avec un deuxième perroquet cette fois-ci.

— Non, non… pas d'autres perroquets ! tente de lui dire Alexandra.

Cependant, le gardien n'en fait qu'à sa tête. Alexandra proteste lorsqu'elle réalise qu'il lui apporte tout de même un deuxième perroquet, mais sans succès. Il dépose, sur son épaule cette fois-ci, le deuxième perroquet.

Alexandra pense immédiatement : « Ça y est, je suis faite ». Elle réalise alors qu'elle a deux perroquets sur elle, dont un perché sur son épaule, encore plus près de ses oreilles. Ses parents rigolent à se rouler par terre à la vue effrayée et craintive d'Alexandra. Elle se dit alors en elle-même : « S'il peut prendre cette foutue photo au plus vite que je me débarrasse enfin de ces perroquets ». Heureusement, le gardien photographe prend rapidement la photographie et retire immédiatement les perroquets, au plus grand bonheur d'Alexandra.

Elle s'est donc fait photographier avec deux magnifiques perroquets rouges et multicolores. Elle se demande bien à quoi va ressembler la photo, puisqu'elle n'a pas eu l'impression d'avoir été naturelle, ne serait-ce qu'une seconde. Elle se dit que la photo sera surement très étrange, mais elle est malgré tout curieuse de la voir. Le gardien lui indique qu'elle pourra voir et acheter la photo qui vient d'être prise, à la sortie du parc, dans environ une demi-heure.

— Si tu avais vu la tête que tu faisais ! s'exclame Michel en riant de bon cœur.

— J'aurais bien voulu t'y voir ! lui réplique Alexandra. Leurs griffes sont très longues et ils crient à vous percer les tympans ! s'exclame-t-elle ensuite.

Alexandra et ses parents continuent leur visite du parc, sans manquer de taquiner un peu Alexandra, concernant toutes ces choses qui lui sont arrivées pendant leur visite. Surtout l'aventure avec les perroquets.

Finalement, vers quinze heures quarante-cinq, alors que leur visite du parc aquatique tire à sa fin, ils se dirigent vers la sortie pour aller chercher cette fameuse photo d'Alexandra avec les perroquets. Ils sont tout étonnés de voir à quel point la photo est belle. À son entière stupéfaction, Alexandra est très naturelle et souriante sur la photo. Elle la trouve vraiment très belle.

— Je ne sais pas comment c'est possible, mais la photo est vraiment très réussie ! Je crois que je vais l'acheter ! s'exclame Alexandra.

— Oui, c'est une très bonne idée ! Cela va te faire un très beau souvenir, lui dit sa mère.

Ils retournent ensuite rejoindre le groupe à l'autobus, car il est temps de partir. L'autobus doit quitter le parc à seize heures et ramener les gens à leurs hôtels respectifs. Le guide vérifie les présences et l'autobus se met en marche.

Le voyage du retour risque de prendre une bonne heure et demie, ce qui leur laisse le temps se reposer, avant de regagner leur hôtel à Cancun. Ils ont vraiment passé une très belle journée et sont très contents d'avoir choisi cette expédition. C'était une expérience unique et ils sont très heureux d'avoir eu le privilège de la vivre.

Ils sont de retour à l'hôtel, un peu plus d'une heure trente plus tard. Le souper aura lieu à l'extérieur ce soir, selon ce qui avait été prévu. Le personnel de l'hôtel a organisé une soirée spéciale pour leurs hôtes. Les chaises et les tables ont été posées directement dans le sable, face à une belle petite scène.

Alexandra, Brigitte et Michel se rendent à leur chambre d'hôtel immédiatement au retour de leur excursion, car ils n'ont plus beaucoup de temps pour se préparer avant le souper. Ils prennent une petite douche vite faite, puis s'habillent pour la soirée. Ils choisissent tous les trois de beaux vêtements propres et appropriés pour l'occasion. Michel opte pour une chemise à manches courtes et un pantalon long, tandis qu'Alexandra et Brigitte choisissent de porter des hauts sans manches assortis d'une jupe. Ils sont tous sur leur « trente-six » pour cette soirée !

Ils se préparent rapidement et se rendent dans la cour intérieure afin de se choisir une table pour leur repas. Malgré qu'ils aient été obligés de se dépêcher, ils sont parmi les premiers arrivés et en sont bien heureux, car ils ont le choix des tables.

— Où voulez-vous vous asseoir mesdames ? leur demande Michel.

D'un commun accord, ils s'assoient à une table située vers le centre de la scène, dans la deuxième rangée en avant. De cette façon, ils vont pouvoir profiter du spectacle organisé.

— J'ai bien hâte de voir de quoi aura l'air ce fameux spectacle ! s'exclame Alexandra.

— Oui, moi aussi ! ajoute Brigitte.

Peu de temps avant dix-neuf heures, le parterre est rempli et le repas leur est servi. Ils assistent alors à un magnifique spectacle de danse mettant en vedette quatre danseurs et quatre danseuses qui portent tous de jolis costumes colorés.

— Wow ! ils dansent vraiment bien, hein ? dit Alexandra en ne quittant pas le spectacle des yeux et en prenant une autre photo de la scène.

— Oui, c'est vrai qu'ils sont bons ! admet Michel.

— J'aime beaucoup leurs costumes colorés à l'allure très estivale, ajoute Brigitte.

Après deux numéros de danse, un responsable du spectacle de l'hôtel se rend au milieu de l'assistance dans le but de faire monter sur scène un spectateur. Alexandra espère qu'elle ne sera pas choisie, d'autant plus que le spectacle se déroule en anglais !

Le guide de l'hôtel se dirige vers leur table. Alexandra commence à être nerveuse et regarde ailleurs, afin de faire comme si elle ne le voyait pas. Puis, elle réalise tout à coup que c'est son père que le guide est venu chercher !

C'est maintenant au tour d'Alexandra et de Brigitte de rire un bon coup, lorsqu'elles réalisent que Michel doit maintenant monter sur scène ! Michel, qui n'est pas du tout dans son élément sur une scène, particulièrement lorsque les dialogues se déroulent en anglais, ne se fait pas trop prier et accepte de le suivre. Il décide d'être bon joueur et monte sur scène avec eux.

Alexandra et Brigitte sont littéralement tordues de rire ! Les membres du spectacle posent des questions à Michel, ils le font monter sur une chaise, le font danser et lui font faire toutes sortes de choses de ce genre.

— Vas-y Michel ! crient Alexandra et Brigitte de leur table pour l'encourager.

Le spectacle qu'offre Michel est vraiment à se tordre de rire. Vers la fin du numéro, ils le font même danser avec quatre magnifiques danseuses aux costumes flamboyants. Même s'il est manifestement un peu gêné d'être sur la scène et entouré de toutes ces jolies femmes, il ne semble pas se plaindre. À la fin du numéro, il retourne vers sa table, satisfait et fier d'avoir participé à ce numéro et d'avoir donné un bon spectacle.

— Wow ! Je ne peux pas croire que tu as fait ça ! lui dit Alexandra surprise.

— Tu étais très bon et surtout très drôle mon amour ! Nous avons d'ailleurs pris quelques photos pour immortaliser ce moment ! ajoute Brigitte.

— C'est vrai que je me suis bien débrouillé ! avoue fièrement Michel.

La troupe danse et interprète plusieurs styles musicaux de différentes cultures pendant toute la durée du repas et tout au long de la soirée. Le spectacle est très divertissant et même humoristique à plusieurs occasions. Quant au repas, tous s'entendent pour dire qu'il était succulent. Ils ont un peu trop mangé, mais cela ne fait que confirmer que le repas était excellent. Alexandra et ses parents profitent bien du spectacle et s'amusent beaucoup. La journée était réussie sur tous les plans.

Les jours suivants, Jessy emmène Alexandra et ses parents magasiner dans un centre commercial local. Alexandra adore faire les boutiques de souvenirs, et celles-ci sont nombreuses à Cancun !

Les parents d'Alexandra n'ont malheureusement pas beaucoup la chance de converser longuement avec Jessy, étant donné la barrière linguistique qui les séparent. Alexandra agit comme interprète la majeure partie du temps, afin que tous comprennent ce qui est dit. Contrairement à ce qu'elle aurait pu penser, cela ne la dérange pas trop de jouer à l'interprète. Cela l'amuse même, au contraire ! Elle se dit que c'est probablement à cause de l'atmosphère de détente de Cancun !

Pendant le magasinage, Alexandra en profite pour choisir quelques petits cadeaux qu'elle va offrir à quelques amis et à son frère, Félix.

— Regardez, je crois que j'ai trouvé un de mes cadeaux-souvenirs ! s'exclame Alexandra en pointant un petit paquet bien emballé.

Celui-ci comprend un mini sombrero avec un verre à *shooter* sur lequel est inscrit « Cancun », ainsi qu'une petite bouteille de tequila. Elle négocie le prix pour deux petits ensembles sombrero. Elle compte entre autres en donner un à son frère et va probablement garder l'autre pour elle. Elle se dit qu'elle a encore le temps de trouver d'autres cadeaux-souvenirs. Un peu plus tard, elle trouve des porte-clés, des coquillages dans un joli paquet cadeau, des cartes postales et des verres à *shooter* vendus à l'unité.

Jessy achète également des souvenirs, un pour lui-même et un autre à offrir à sa mère, à son retour.

— Moi je crois que vais rapporter ceci ! s'exclame Jessy à Alexandra, en pointant du doigt un des objets de la boutique.

Il s'agit d'un petit ensemble préfabriqué comprenant quatre différents verres à *shooter* avec différents motifs et dessins colorés, ainsi qu'une petite bouteille de Tequila. Un peu plus tard, il tombe sur un joli dauphin en améthyste, d'environ dix centimètres de haut, assis sur une magnifique pierre plate et ovale noire. Il décide alors de l'acheter pour sa mère. Il opte aussi pour un porte-clés et une carte postale.

Brigitte choisit un souvenir de Cancun pour Michel et elle, ainsi qu'un petit quelque chose pour ses parents et ses beaux-parents.

— Je crois que je vais choisir ceci pour mes parents et ceux de Michel, s'exclame Brigitte en désignant l'objet du doigt.

Elle pointe en direction d'une très jolie serviette représentant un magnifique paysage de Cancun, laquelle est bordée d'une bande noire. Elle négocie elle aussi les prix pour deux serviettes de plage identiques. On négocie toujours les prix au Mexique, car le montant inscrit sur un article est toujours plus haut que ce que celui-ci vaut en réalité. La plupart du temps les prix affichés sont quatre ou même cinq fois plus hauts que ce que les marchands espèrent recevoir.

Pendant sa semaine dans le Sud, Alexandra constate que Jessy est une personne très serviable. Ils semblent trouver plaisir à venir les chercher pour les emmener à différents endroits sur l'île, bien qu'il n'ait pas le meilleur sens d'orientation au monde! Il le fait sans même demander quoi que ce soit en retour. Il refuse d'ailleurs catégoriquement qu'Alexandra ou ses parents paient l'essence, en guise de remerciements.

Le reste de la semaine se déroule donc très bien. Alexandra et ses parents visitent un peu les alentours, mais la plupart du temps ils restent au bord de la piscine à siroter des boissons alcoolisées. Jessy vient faire son tour de temps à autre pour leur tenir compagnie.

Le vendredi, ils doivent se préparer pour leur retour à Ottawa.

— Déjà la dernière journée à Cancun… s'exclame Alexandra sur un ton maussade.

— Eh oui, il faut croire que toute bonne chose à une fin ! s'exclame sa mère, elle aussi un peu triste de devoir repartir.

Un autobus doit venir les chercher à l'hôtel, en début d'après-midi, pour les amener à l'aéroport, ce qui leur laisse encore un peu de temps devant eux. Ils commencent par un bon déjeuner dans le petit restaurant de l'hôtel, sur le bord du lagon. Ils devront toutefois manger à l'intérieur de celui-ci cette fois, car le temps est pluvieux.

À cause de la température, ils doivent s'habiller un peu plus chaudement. Alexandra se dit que dame nature leur envoie probablement ce temps maussade pour faciliter leur départ de cette île paradisiaque. Malgré tout, elle n'a pas le goût de rentrer chez elle, où la neige l'attend. Elle resterait bien dans ce pays chaud un mois ou deux de plus, mais cela n'est malheureusement pas possible.

— Notre dernier petit déjeuner ici ! fait remarquer Alexandra, arborant de nouveau un ton un peu triste à cette idée.

— J'allais oublier… je vais en profiter pour laisser un bon pourboire à notre serveur pour le remercier de ses services cette semaine, ajoute Michel.

Le petit déjeuner terminé, ils retournent à leur chambre d'hôtel afin de ramasser tous leurs effets personnels. Leurs valises faites, ils se promènent ensuite dans l'hôtel, pour passer le temps avant leur départ. Ils en profitent également pour remettre leurs clés de chambre.

Vers midi, Michel leur demande :

— Est-ce qu'il y en a qui commence à avoir faim ?

— Moi oui, lui répond calmement Alexandra.

— Nous pourrions aller manger, qu'en dites-vous ?

— Bonne idée, répond Brigitte.

Ils se dirigent alors vers le petit restaurant de l'hôtel, afin d'y prendre leur dernier repas. Ils sont tous d'humeur tranquilles, à cause de la température un peu maussade et aussi parce qu'ils doivent retourner dans le froid, à Ottawa dans quelques heures. Ils prennent leur temps pour dîner, car l'autobus ne doit arriver qu'à treize heures quarante-cinq.

Après le repas, ils retournent s'asseoir dans le hall d'entrée de l'hôtel, pour attendre l'autobus

Fidèle à son horaire, l'autobus voyageur se gare devant leur hôtel à l'heure annoncée. Ils installent leurs valises dans la soute à bagages, puis montent dans l'autobus, accompagnés de quelques autres vacanciers. Certains étaient à l'hôtel depuis une semaine, comme eux, et d'autres depuis deux semaines. Alexandra et ses parents auraient bien aimé être de cette deuxième catégorie et profiter de ce voyage pour une autre semaine !

Le voyage jusqu'à l'aéroport se fait dans la tranquillité. Alexandra est assise calmement dans son siège et regarde le paysage par la fenêtre, une dernière fois. Elle emmagasine le plus d'images possible avant de quitter le Mexique. Michel et Brigitte sont eux aussi tranquilles.

Ils arrivent à l'aéroport de Cancun vers quatorze heures trente. Ils sortent leurs bagages de l'autobus et se dirige immédiatement vers les douanes. Heureusement, la ligne des douanes est plus courte que celle qu'il y avait à Ottawa, et ils avancent assez rapidement. En un rien de temps, ils se trouvent tous les trois devant un douanier. À Cancun, les bagages sont vérifiés à la main, contrairement à Ottawa.

Le passage à la douane se déroule bien. Les douaniers ne fouillent pratiquement pas leurs bagages, ce qu'Alexandra trouve surprenant et pas particulièrement sécuritaire. Elle se dit qu'elle ne doit pas avoir le profil d'une terroriste, ou que les douaniers, étant donné qu'elle quitte le pays, se fichent de ce que contiennent ses valises.

— Je trouve ça curieux qu'ils n'aient pas fouillé davantage nos bagages, dit Alexandra à ses parents, lorsqu'ils se trouvent dans la zone d'embarquement.

— Moi aussi ! s'exclame Brigitte. Ils ont à peine jeté un coup d'œil dans mes bagages ! Je trouve ça très étonnant.

— Et pas particulièrement sécuritaire ! ajoute Alexandra.

— J'imagine qu'ils ont trouvé que nous avions l'air d'honnête gens... ou peut-être bien que la sécurité n'est pas prioritaire pour eux ! réplique Michel.

— C'est probablement ça ! répond Brigitte en ricanant.

Environ deux heures plus tard, ils prennent place dans l'avion. Jessy s'assoit de nouveau aux côtés d'Alexandra.

— Re-bonjour cher voisin! s'exclame Alexandra en riant.

— Re-bonjour! lui répond-il en souriant.

L'humour d'Alexandra l'amuse toujours. Il la trouve très divertissante et très différente des autres femmes qu'il a rencontrées dans le passé. Pour lui, elle est une bouffée d'air frais, mais il n'ose pas lui dire, car elle lui a clairement dit, cette semaine, qu'elle ne souhaitait qu'une relation d'amitié entre eux.

Au décollage de l'avion, elle ne peut s'empêcher d'éclater de rire à nouveau en voyant l'expression sur le visage de Jessy. Il semble beaucoup plus détendu que la dernière fois, mais il est quand même rigolo à voir. Il a toujours ce petit air très nerveux quand l'avion décolle.

Quelques minutes à peine plus tard, Alexandra tombe endormie. Elle a été tranquille toute la journée et cela semble l'avoir épuisé. Il y a aussi très peu de divertissements dans l'avion. Heureusement, Jessy a la gentillesse de la réveiller au moment du service pour le souper.

— Alexandra, le souper est servi, lui dit doucement Jessy.

Elle ouvre les yeux et se prépare à recevoir son plateau de nourriture, apporté par l'hôtesse de l'air.

— Merci beaucoup de m'avoir réveillée! lui dit-elle avec un petit sourire, en se réveillant tranquillement.

Après le repas, elle décide de regarder un des films projeté dans l'avion. Jessy en fait de même.

Ils arrivent à Ottawa vers vingt heures et ont tous très hâte de retrouver leur chez-soi, car cette journée de voyage a été assez fatigante. Ils sortent un à un de l'avion et se dirigent vers les douanes. Alexandra n'était pas au courant qu'ils devaient de nouveau passer devant les douanes, lorsqu'ils rentrent au pays. Une fois de plus, la ligne d'attente est plutôt longue et n'avance pas très rapidement.

— Est-ce que ça va être encore long ? demande Alexandra à ses parents, après une vingtaine de minutes d'attente.

— J'espère bien que non... lui répond Michel, fatigué lui aussi.

Jessy se trouve un peu plus loin. Quatre lignes ont été créées pour passer les douanes et Jessy se trouve dans une de ces quatre rangées, un peu plus loin. Il n'avance cependant pas plus rapidement qu'Alexandra et ses parents. Finalement, ils parviennent tous les trois à passer les douanes, une dizaine de minutes plus tard. Ils ont attendu près d'une demi-heure en ligne. Heureusement, aucun problème ne surgit lors de leur passage aux douanes. Ils peuvent maintenant aller prendre leurs bagages sur le tapis roulant, qui se trouve à quelques pas plus loin. Ils trouvent leurs bagages rapidement, les mettent sur un chariot, puis se dirigent vers le stationnement. Ils sont enfin prêts à rentrer à la maison.

Juste avant de sortir de l'aéroport, Alexandra repère Jessy et s'avance vers lui.

— Hey ! lui dit-elle, j'ai pensé que je pourrais te remettre mon numéro de téléphone avant de partir, si ça t'intéresse !

— Mais oui ! s'exclame-t-il surpris.

— Je me suis bien amusée en ta compagnie à Cancun et je me suis dit que ça serait bien que l'on se voit encore, de temps à autre, à Ottawa… en amis ! dit-elle pour s'assurer qu'il n'y a pas de malentendu.

Elle ne désire pas entreprendre une relation amoureuse avec lui, mais elle aimerait bien le revoir, en ami, de temps à autre. Jessy est bien au courant de ses intentions et semble s'en contenter.

— Bien sûr ! répond-il simplement, comme si c'était une évidence.

Il s'attendait à cette précision de la part d'Alexandra, car ils en avaient discuté pendant la semaine. Jessy avait alors fait semblant que cette situation lui convenait, alors qu'il aurait préféré qu'il en soit autrement. Il n'avait pas tenté de la convaincre de sortir avec lui, car il savait que cela n'aurait pas fonctionné. Mais il l'avait malgré tout courtisé à quelques reprises. Alexandra, pour sa part, avait mentionné le mot amitié, car elle avait bien sentie qu'il s'intéressait à elle et qu'il n'aurait probablement pas refusé d'être son petit ami.

En lui remettant son numéro de téléphone, elle lui dit :

— Tiens ! Ne le perd pas là ! s'exclame-t-elle.

— Ne t'inquiète pas ! Bon retour à la maison !

— Toi aussi !

— Dis bonsoir à tes parents de ma part ! ajoute-t-il alors qu'elle s'éloigne.

— Je n'y manquerai pas ! Bonsoir !

Puis elle se dirige vers ses parents, qui sont en train de mettre les bagages dans la voiture.

Cinq minutes plus tard, Alexandra et ses parents se retrouvent confortablement assis dans leur voiture, en route pour la maison. Alexandra devrait être un peu déprimée à la vue de ce paysage tout blanc, mais elle est trop fatiguée pour s'en rendre compte. Il faut dire que ce qu'elle n'aime pas de l'hiver, c'est le froid, car la neige, elle, offre de magnifiques paysages. Elle trouve un certain charme à voir les arbres gelés et enneigés quand elle se promène en forêt, ce qui est plutôt rare depuis qu'elle habite la ville.

Lorsqu'ils arrivent à Gatineau, ses parents la déposent chez elle, puis ils repartent en direction de leur maison à Buckingham, située à une demi-heure de route de l'appartement d'Alexandra.

Aussitôt arrivée dans son appartement, Alexandra dépose ses bagages dans l'entrée, enlève ses souliers, accroche son manteau sur le dossier de la chaise de cuisine et se dirige immédiatement vers sa chambre à coucher.

Dès qu'elle franchit le seuil de sa chambre, elle enlève ses vêtements et se glisse sous les couvertures, prête pour une bonne nuit de sommeil. Elle s'endort rapidement.

Le reste de la fin de semaine est assez calme pour Alexandra. C'est le retour à la bonne vieille routine ! Elle en profite pour défaire ses bagages, faire un peu de ménage et quelques courses ici et là. Rien de très excitant, mais essentiel. Elle profite de ses dernières heures de congé pour relaxer devant un bon programme télévisé.

Lundi matin, le dur retour au travail s'impose. Elle trouve particulièrement difficile de devoir attendre l'autobus dans la neige, et ce, à − 28 degrés Celsius, afin de se rendre au travail. Le fait qu'elle n'aime pas particulièrement son emploi n'aide en rien, mais elle ne s'en plaint pas vraiment non plus. Bien que celui-ci soit très routinier et facile, elle est tout à fait consciente qu'il y a pire comme emploi. Elle se dit qu'au moins elle est bien rémunérée ! Elle se console aussi en se disant que son emploi n'est pas stressant, ou, du moins, ne l'est que très rarement. De plus, cette situation est temporaire. Elle compte bien trouver un autre travail qui lui convienne davantage très bientôt. Elle a besoin de nouveaux défis et désire trouver un emploi qui la passionne.

Sa journée se passe comme à l'habitude, même si elle très occupée avec tout le travail qui s'est accumulé sur son bureau pendant son absence. Elle prévoit faire le travail en retard d'ici la fin de semaine, peut-être même avant.

— Et puis, comment étaient tes vacances ? lui demande une de ses collègues, en entrant dans son bureau.

— C'était super ! J'ai vraiment beaucoup aimé ! lui répond Alexandra. Je vais t'apporter quelques photos un peu plus tard si tu veux ! lui propose-t-elle.

— Oui, j'aimerais bien les voir ! lui répond sa collègue contente de la suggestion.

Elles discutent pendant environ une dizaine de minutes du voyage d'Alexandra à Cancun. Alexandra lui raconte, entre autres, les aventures cocasses de son excursion, avec ses parents, aux ruines mayas et au parc aquatique, puis après quelques bons rires, elles se remettent au travail.

À la fin de sa journée de travail bien remplie, Alexandra brave de nouveau la température glaciale, afin de rentrer chez elle. Cela lui rappelle d'ailleurs à quel point elle était bien dans le Sud !

Vers dix-neuf heures, le téléphone sonne alors qu'Alexandra est confortablement assise dans son divan. C'est Chloé, sa meilleure amie.

— Hey ! Hey ! La vacancière ! Comment était ton voyage à Cancun, lui demande Chloé.

— C'était vraiment très bien, dommage que tu n'y étais pas !

— Je sais, j'aurais vraiment aimé y être, crois-moi ! Mais financièrement et à cause de mon travail aussi, je ne pouvais vraiment pas. Alors, raconte-moi ce qui s'est passé !

— Eh bien, le voyage a très bien commencé ! dit Alexandra.

Elle avait très hâte de lui raconter son voyage dans les moindre détails et surtout sa rencontre surprise avec Jessy !

Elles discutent donc pendant une bonne heure, car elles ne sont pas parlées depuis quelques semaines déjà, et Alexandra en a long à lui raconter. Puis, vers la fin de la discussion, Chloé lui dit :

— J'ai l'intention de faire une sortie de filles, avec quelques unes de mes amies, que tu connais d'ailleurs. Je pensais l'organiser pour ce vendredi et je me demandais si tu serais intéressée à venir fêter avec nous ?

— Ça pourrait être intéressant, oui, où prévoyez-vous aller ?

— Je pensais aller à un des bars de la rue Elgin, à Ottawa, qu'en penses-tu ?

— C'est une bonne idée ! Ça fait un bon moment déjà que nous n'y sommes pas allées.

Elles essaient habituellement de changer régulièrement d'endroits où sortir, afin d'éviter la monotonie. Chloé se dit que c'est une façon de sortir de la routine, car elle ne veut pas que leurs soirées deviennent ennuyantes après un certain temps !

Alexandra aime d'ailleurs bien sortir avec Chloé, car elles s'amusent toujours. Chaque fois qu'elles sortent entre filles, elles dansent une bonne partie de la nuit et rient beaucoup. Sans hésitation, elle lui confirme :

— Parfait, j'y serai !

— Super ! Je vais t'appeler ou t'envoyer un courriel un peu plus tard cette semaine, afin de te confirmer l'heure et l'emplacement exact. Je dois appeler mes amies pour confirmer à quel endroit et à quelle heure nous devons nous rencontrer, et je te laisse savoir ensuite ! Ça va être super !

— Oui, je n'en doute pas ! J'ai bien hâte !

— Bon, je te souhaite une bonne soirée... parce que je commence à avoir l'oreille en feu d'avoir autant parlé au téléphone ! s'exclame Chloé.

— Oui, moi aussi ! Ha ! Ha ! Alors, bonne soirée !

Puis elles raccrochent le combiné.

Le reste de la semaine se passe comme à l'habitude. Alexandra est relativement occupée pendant le jour au travail, en raison du travail accumulé et de la fin de l'année financière qui arrive à grands pas. Comme son métier est relié aux finances, la période des fins d'années financières est toujours très occupée.

Le soir, elle en profite pour se détendre. La plupart du temps, elle occupe ses soirées à écouter de la musique, à regarder la télévision et à faire une bonne marche de santé dans les rues de son quartier.

Fidèle à ses dires, Chloé appelle Alexandra, mardi soir.

— Bonjour Alexandra !

— Bonjour Chloé ! Pis ?

— C'est confirmé, nous sortons vendredi soir sur la rue Elgin, à Ottawa.

— Super ! J'aime bien ce bar. J'aime son ambiance et la catégorie d'âge aussi !

— Nous avons convenu de nous y rencontrer à vingt-deux heures. Es-tu toujours partante ?

— Oh oui ! Tu peux compter sur moi, j'y serai sans faute à vingt-deux heures !

— Super, à vendredi alors ! Moi je dois raccrocher, car il y a quelqu'un qui arrive chez-moi !

— O. K. Bonne soirée et à vendredi alors !

Une des choses qu'Alexandra apprécie le plus chez Chloé, c'est qu'elle tient toujours parole et qu'elle peut toujours compter sur elle.

Le vendredi, à vingt heures, Alexandra commence à se préparer pour leur soirée entre filles. Comme chaque fois, elle est très excitée. Elle commence par jeter un coup d'œil dans sa garde-robe, afin d'y choisir ce qu'elle va porter.

Après plusieurs essais, elle opte pour un pantalon noir ajusté au tissu extensible. Elle aime ce pantalon confortable et élégant, qui lui permettra de danser à son aise toute la soirée, sans pour autant compromettre son *look*. Elle choisit un petit haut moulant, de style tube, couleur turquoise, pour compléter l'ensemble.

Elle aime porter ce type de haut, dans les bars, lequel attire généralement les regards et la fait se sentir belle et désirable. Cela la rassure et lui fait généralement un petit velours, en plus de lui remonter le moral. De plus, elle justifie le port de son haut en se disant qu'il est très confortable et qu'il a son utilité, puisqu'il fait très chaud dans les bars lorsque c'est bondé de gens.

Elle choisi un collier turquoise et noir, ce qui ajoute une belle touche de finition à l'ensemble, puis elle se maquille. Son maquillage est lumineux. Le mascara et le crayon qu'elle applique accentuent le vert de ses yeux et lui donne un regard accrocheur. Elle attache ses cheveux pour faire une demi-queue de cheval, se fait une torsade, y met une pince et laisse quelques mèches de cheveux tomber à des endroits précis. Cette coiffure lui donne une belle allure et ne ressemble pas aux coiffures qu'optent la plupart des femmes lorsqu'elles sortent dans les bars. Elle aime se sentir unique, surtout dans les bars. Elle est maintenant prête à partir. Elles ont rendez-vous au bar Inferno, sur Elgin, à vingt-deux heures, ce qui lui donne vingt-cinq minutes avant de partir. Alexandra décide de partir tout de suite, même si le trajet ne lui prend qu'une dizaine de minutes, car elle veut être certaine de trouver du stationnement et de ne pas être en retard.

Elle aime sortir au bar Inferno, mais ce qu'elle aime moins, par contre, est le fait de devoir tourner en rond pendant plusieurs minutes, dans les rues avoisinantes, afin de trouver du stationnement. Cela est causé par le fait que la rue Elgin se situe au centre-ville d'Ottawa, ce qui rend souvent le stationnement ardu à trouver.

Comme prévu, une dizaine de minutes plus tard, Alexandra arrive au centre-ville, sur la rue Elgin. Heureusement, cette fois-ci, elle trouve du stationnement dans la première rue où elle tourne, non loin du bar où elle doit se rendre. Cela est une bonne chose, car elle n'aime pas particulièrement se promener toute seule dans les rues d'Ottawa le soir.

Comme la soirée est encore jeune, elle a de la facilité à trouver du stationnement. Si elle était arrivée une demi-heure ou trois quarts d'heure plus tard, il en aurait été bien autrement ! L'hiver et la neige compliquent toutefois un peu les choses pour le stationnement.

Elle stationne donc sa voiture, puis marche ensuite d'un pas décidé, mais tout de même prudent, afin de ne pas se rompre le cou sur de la glace, en direction du bar Inferno.

Lorsqu'elle se trouve à quelques pas de l'endroit, elle aperçoit Chloé, accompagnée d'une de ses amies, qui sont déjà sur place et qui l'attendent près de l'entrée. Alexandra accélère un peu le pas pour les y rejoindre.

— Bonjour ! Ça fait longtemps que vous êtes arrivées ? leur demande Alexandra.

— Non, nous venons tout juste d'arriver, lui répond Chloé.

— Cathy et Nancy devraient être là d'une minute à l'autre, lui dit Sonia, une autre amie de Chloé.

— Super, on les attend dehors ou dedans ? demande Alexandra.

— Je leur ai dit que nous serions dehors, lui répond Chloé.

— Aucun problème, ajoute Alexandra, mais avec cette température, moi je n'attends pas plus de cinq minutes par exemple !

— Moi non plus ! ajoute Sonia.

— Non, moi non plus ! répond aussi Chloé, qui est d'ailleurs la plus frileuse du groupe.

Heureusement, Cathy et Nancy arrivent à peine deux minutes plus tard.

— Bonjour Nancy ! Bonjour Cathy ! s'exclame Chloé.

— Bonjour ! répondent-elles en chœur.

— Prêtes à entrer ? demande Chloé.

— Oui ! disent-elles enthousiastes à l'idée de la soirée qui se prépare.

Les filles rentrent immédiatement à l'intérieur. Elles se débarrassent ensuite de leur manteau, puis se dirigent vers le bar central, afin d'y commander quelque chose à boire. Lorsque chacune a sa boisson, elles font le tour de l'endroit, dans le but de voir les hommes présents ce soir. Elles savent toutes très bien que ce n'est pas l'endroit recherché pour trouver l'homme de leurs rêves, mais elles se disent que rien ne les empêche d'en profiter pour se rincer l'œil et *flirter* un peu.

— Wow ! regardez-moi ce beau bonhomme ! s'exclame Nancy juste avant de passer devant un grand blond aux yeux bleus et à l'allure sportive.

À vrai dire, il a l'air d'un joueur de hockey, ce qui attire immédiatement l'attention de toutes. Il ne semble toutefois pas avoir entendu le commentaire de Nancy, avec tout le bruit autour. Il est probablement anglophone, ce qui n'a rien d'étonnant puisqu'ils sont présentement à Ottawa.

Elles continuent leur tournée du bar, puis s'arrêtent devant un des petits bars sans bancs. Elles s'y installent et discutent, en buvant leur boisson, tout en prenant quelques *shooters* à l'occasion. Elles ne manquent évidemment pas de jeter régulièrement des coups d'œil autour d'elles, afin d'observer les hommes qui les entourent.

La soirée se déroule très bien. Les filles se font draguer, de temps à autre, par des hommes qui ont vite remarqué qu'aucun homme ne semble les accompagner. Cela les fait d'ailleurs ricaner et les amuse. Dès leur approche, elles ne savent que trop bien ce que doivent se dire ces messieurs !

Il y a fort à parier que la plupart d'entre eux disent quelque chose du genre : « Wow ! cinq femmes non accompagnées… moi je tente ma chance ». Ce qu'ils doivent aussi se dire dans des termes un peu moins polis !

D'ailleurs, ce ne sont pas des Don Juan non plus. Même que certains d'entre eux ne sont pas très subtils dans leur approche, à la limite de la vulgarité. Alexandra et ses amies n'en font toutefois pas trop de cas, car elles savent que c'est souvent comme cela dans les bars. Le sexe et les histoires sans lendemain sont de nos jours très à la mode, et elles en sont bien conscientes !

Les filles s'amusent quand même toute la soirée. Elles passent beaucoup de temps sur le plancher de danse. Elles attirent l'attention, étant donné qu'elles sont entre filles et que plusieurs d'entre elles sont assez jolies, mais elles n'y portent pas vraiment attention. Elles veulent maintenant tout simplement s'amuser, boire et danser à leur guise, alors elles choisissent d'ignorer les hommes qui sont trop insistants ou de mauvaises compagnies.

À deux heures du matin les filles décident de rentrer, puisque la soirée est maintenant terminée et que le bar ferme ses portes. Celles qui conduisent une voiture ont cessé de boire depuis déjà plusieurs heures, et sont maintenant aptes à conduire.

Elles attrapent donc leur manteau, puis sortent à l'extérieur. Elles se séparent ensuite en deux groupes, pour se rendre aux voitures. C'est une règle qu'elles ont établie par souci de sécurité. Aucune fille ne marche seule le soir, à la sortie des bars. Cathy et Nancy repartent donc ensemble. Chloé et Sonia, quant à elles, vont reconduire Alexandra jusqu'à sa voiture, avant de se rendre à la leur.

— Bonsoir Chloé et Sonia ! Et encore merci de m'avoir reconduite jusqu'à ma voiture !

— Aucun problème, ça nous a fait plaisir ! répond Chloé. Bonne soirée à toi aussi et sois prudente !

— Oui, vous autres aussi !

Ce soir, elles retournent chacune chez elle, contentes de s'être encore bien amusées.

Dix minutes plus tard, Alexandra arrive à son appartement. Elle enlève rapidement ses vêtements et saute tout de suite sous ses couvertures. La tête à peine sur l'oreiller, elle tombe endormie.

Trois semaines plus tard, Alexandra reçoit un appel.

— Hello Alexandra ! dit la voix.

— Hi Jessy ! lui répond-elle immédiatement.

Elle a toute de suite reconnue la voix de Jessy. Il est aussi vrai qu'il n'y a pour ainsi dire aucun autre homme anglophone qui pourrait lui téléphoner !

— Comment vas-tu ? lui demande-t-il ensuite en anglais, comme à l'habitude.

— Je vais très bien et toi ?

— Moi aussi !

— Comment a été ta semaine de travail ? Pas trop occupée j'espère ?

— Ça c'est assez bien passé. J'étais beaucoup moins occupée cette semaine que les deux dernières semaines, alors c'est bien. Et toi, comment était la tienne ? lui demande Alexandra par politesse.

— Excellente ! lui répond-il. Puis il ajoute :

— Je me demandais si ça te dirait d'aller faire une partie de billard avec moi ce soir ?

— Ce soir ? Mais pourquoi pas ! Vers quelle heure ?

— Vers vingt heures, qu'en dis-tu ?

— C'est parfait pour moi ! Où allons-nous jouer ?

— Où aimerais-tu aller ? lui demande-t-il en retournant la question.

— Eh bien, j'aime assez le bar billard Le Terminus à Gatineau, secteur Hull. Qu'en penses-tu ? Est-ce que tu préfères aller à Ottawa ?

— Non, Le Terminus c'est parfait avec moi ! s'exclame-t-il heureux qu'elle accepte son offre.

— Donc on dit vingt heures au Terminus de Hull ?

— Oui, c'est parfait ! À plus tard, s'exclame Jessy d'un ton enthousiaste.

Ils ne se sont pas vus depuis leur retour de Cancun, alors il est bien content d'avoir de ses nouvelles. Alexandra aussi est bien heureuse qu'il lui ait téléphoné, car elle tient sincèrement à cette nouvelle amitié et elle est ravie de constater qu'il semble lui aussi y tenir.

Ils se rencontrent, en début de soirée, au bar billard Le Terminus.

— Bonsoir ! dit gentiment Alexandra, en s'approchant de Jessy.

— Bonsoir ! lui répond-il sur un ton très joyeux.

Ils se font ensuite une accolade amicale, puis Jessy glisse sur chaque joue d'Alexandra un léger baiser. Ce qui est très correct dans les circonstances et ne dérange pas du tout Alexandra.

— Prête à aller jouer au billard ? lui demande Jessy, en souriant de fierté.

— Oh oui ! Je suis même prête à te battre au billard ! s'exclame-t-elle en ricanant.

— Tu crois ça hein ? C'est ce que l'on va voir ! s'exclame Jessy, en riant et en arborant un regard rempli de confiance.

Ils s'installent donc à une table de billard et commencent une première partie. Celle-ci est d'ailleurs plutôt serrée, ce qui la rend encore plus intéressante.

La soirée se déroule très bien. Ils discutent et jouent au billard pendant une bonne heure. Ils ont beaucoup de choses à se raconter et le temps passe rapidement. Ils ne tiennent finalement pas compte du pointage final, car ils ont tous les deux gagnés et perdus quelques parties.

Au bout d'un peu plus d'une heure de jeu, ils décident de rendre les balles de billard, pour aller prendre un bon café et ainsi continuer leur conversation.

Alexandra réalise à quel point elle apprécie l'amitié de Jessy. Elle trouve que c'est un homme tout simplement génial. Il réussit bien dans la vie, il a un beau style vestimentaire, il est très gentil et généreux. Par contre, malgré toutes ces belles qualités, il ne l'attire pas physiquement. Le déclic ne se fait tout simplement pas. Elle trouve cela bien dommage, surtout qu'elle réalise que Jessy est un bon parti, mais elle ne peut pas ignorer ce qu'elle ressent ou plutôt ce qu'elle ne ressent pas pour lui.

CHAPITRE 4

Le printemps est enfin arrivé ! Alexandra se sent revivre, tout comme la nature qui s'éveille. Le mois de mai vient à peine de commencer que déjà l'herbe verdie à vue d'œil, les fleurs éclatent de mille couleurs et les feuilles ne tarderont pas à sortir. La nature revient tranquillement à la vie et c'est un spectacle auquel Alexandra ne se lasse jamais d'assister. Elle adore ce temps de l'année, car en même temps que la belle température fait son apparition, les gens refont eux aussi surface. Les voitures sport sortent peu à peu de leurs cachettes, ce qui signifie également qu'Alexandra va commencer à revoir des gens qu'elle connaît et qu'elle n'a pas vus depuis la saison passée.

Elle va pouvoir de nouveau se promener les vitres baissées et la musique à fond la caisse. Elle va aussi pouvoir recommencer à laver sa belle Mustang GT noire à la main et la faire lustrer, pour ensuite se promener fièrement dans les rues de la région.

Elle a d'ailleurs très hâte à la première course de la saison à Luskville, qui est prévue pour la dernière semaine de mai. Elle connaît plusieurs hommes qui ont fait d'importantes modifications sur leur voiture pendant l'hiver. Elle a bien hâte de voir sur la piste le résultat de leurs efforts et de leur investissement. Leurs voitures étaient déjà très rapides l'an passé, alors elle peut imaginer ce que cela va être cette année !

Une autre journée de travail vient de s'achever. Alexandra rentre chez elle en autobus, comme à l'habitude. En passant devant son ordinateur, elle constate que son ami Benoît lui a envoyé un message. Il lui rappelle qu'il se marie avec Sonia en fin de semaine et désire s'assurer qu'Alexandra sera au mariage, tel que promis. Alexandra rit en lisant ce message. Elle possède une excellente mémoire et ce n'est pas le genre d'événement qu'elle pourrait oublier ! Elle lui écrit un message disant :

Bonjour vous deux!

Je vous confirme ma présence… comme si je pouvais vous oublier! J'ai bien hâte de vous voir! Alors, je vous dis à samedi les tourtereaux!

Gros becs,

Alexandra

xox

La cérémonie doit avoir lieu ce samedi, dans une église d'Orléans, vers quinze heures. Il y aura ensuite une fête, dans une salle de réception d'un club de golf, située à environ dix minutes de l'église. Cela signifie que le voyage du retour, après la réception, devrait prendre à Alexandra près de quarante-cinq minutes, mais cela ne la gêne pas du tout. Elle se dit que ce n'est pas tous les jours que deux des amis se marient et, de toute façon, elle aime bien conduire. Elle sait qu'elle devra éviter les boissons alcoolisées ce soir-là, puisqu'elle conduit, mais cela n'est pas vraiment un inconvénient pour elle, car elle n'a jamais eu besoin de l'alcool pour s'amuser.

Alexandra a très hâte d'assister au mariage et doit s'avouer qu'elle les envie. Ils sont tellement charmants ensemble et ils semblent si heureux. De plus, ils n'ont que vingt-quatre ans, et ils viennent tout juste de s'acheter, il y a à peine quatre mois, une superbe grande maison neuve à Orléans, valant trois cent mille dollars à Orléans.

Sur cette pensée, Alexandra se dit que certaines personnes ont décidément tout pour eux. Elle aimerait bien vivre une histoire d'amour comme la leur très bientôt. Même si elle est très envieuse, elle est sincèrement très heureuse que les choses aillent aussi bien pour eux. Elle ne leur souhaite que du bonheur pendant toute la durée de leur mariage !

Le reste de la semaine se passe comme à l'habitude pour Alexandra. Elle travaille, fait des marches de santé et quelques exercices pour rester en forme. Elle s'occupe aussi à faire du ménage et quelques courses, puis le soir, regarde un peu la télévision. Elle en profite aussi pour faire l'achat de la robe qu'elle va porter au mariage : une magnifique robe longue, avec le bas ondulé qui donne un style latin, fabriquée dans un tissu léger. Cette robe paraît très chic et arbore merveilleusement les chaudes couleurs de l'été dans des teintes de mauve et de rose foncées, et est aussi ornée de beaux imprimés délicats un peu plus pâles, mais dans les mêmes teintes.

À l'achat de sa robe pour le mariage, Alexandra s'est souvenue qu'elle avait une superbe paire de sandales à talons hauts en velours noir. Celles-ci sont munies de plusieurs petites ganses, également en velours noir, et possédant aussi un talon haut délicat, ainsi qu'une petite ganse qui retient le soulier à la hauteur de la cheville, qui ira à merveille avec cette robe. Elle se rappelle, par ailleurs, qu'elle possède aussi un luxueux petit sac à main noir, qui complétera parfaitement l'ensemble. Elle est donc fin prête pour le mariage ou du moins elle a maintenant tout ce qu'il lui faut à la maison… sauf peut-être un cavalier !

Samedi matin. Le jour du mariage de Benoît et Sonia est enfin arrivé. Alexandra enfile sa belle robe aux couleurs estivales, ainsi que ses souliers à talons hauts, puis se dirige vers la salle de bain afin de se maquiller convenablement pour l'occasion. Elle opte pour un maquillage assez léger. Un peu d'ombre à paupières, du crayon contour des yeux, un peu de fard à joues et, pour la touche finale, un rouge à lèvres discret. Elle attrape ensuite son sac à main, qui va à ravir avec sa robe et ses sandales, verrouille la porte de son appartement, puis se dirige vers sa voiture pour se rendre à son rendez-vous chez la coiffeuse.

Environ trois quarts d'heure plus tard, elle ressort du salon de coiffure. Sa nouvelle coiffure est ravissante. Alexandra constate, une fois de plus, à quel point sa coif-

feuse a des doigts de fée ! Elle est toujours satisfaite du résultat lorsqu'elle est entre les bonnes mains de celle-ci.

Elle saute de nouveau dans sa voiture et se rend chez
une esthéticienne, non loin de là. Elle se dit que celle-ci
pourra peut-être lui poser de faux ongles pour les noces.
Elle a déjà une idée bien en tête de ce qu'elle veut. Elle désire
une manucure française. Elle adore ce style.

La pose d'ongles est une idée qu'elle a eue pendant
qu'elle se faisait coiffer, quelques minutes plus tôt. En règle
générale, elle ne se fait pas poser de faux ongles, car elle
trouve que de longs ongles ne sont pas très pratiques dans
la vie de tous les jours, mais pour un mariage, cela est tout
à fait approprié, pense-t-elle.

— Bonjour madame. Je me demandais, si vous auriez le
temps de me faire une pose d'ongles avec manucure française ? demande Alexandra à la technicienne en pose d'ongles.

— Bien sûr, quand la voulez-vous ?

— Eh bien, à vrai dire, ce serait pour tout de suite... sinon
je devrai abandonner l'idée. Voyez-vous, je dois être à l'église dans environ une heure quinze, alors c'est maintenant ou
jamais... ajoute Alexandra avec un air un peu coupable.

— Aucun problème ! lui répond la technicienne avec le
sourire. C'est ton jour de chance, nous allons pouvoir te
prendre tout de suite et ça ne devrait pas prendre plus de
trente minutes !

— Wow ! c'est super ! ajoute Alexandra. Je suis prête !

— Parfait, assis-toi ici et nous allons commencer ! lui répond la technicienne en lui désignant un banc devant sa table de travail.

Tel que promis, une demi-heure plus tard, la pose d'ongles artificiels avec manucure française est terminée. Alexandra paie cette dernière, en observant avec émerveillement ses ongles, puis sort pour se rendre à sa voiture.

Il est maintenant temps de se rendre à l'église pour la cérémonie de mariage. La majeure partie du trajet, Alexandra ne peut s'empêcher d'observer ses ongles. Elle les trouve vraiment magnifiques ! Elle regarde aussi de temps à autre sa coiffure, qui est elle aussi très réussie. Elle est vraiment très fière de son *look* aujourd'hui et elle se sent resplendissante !

Arrivée à l'église, Alexandra s'assoit dans un des bancs du milieu, à côté de gens qu'elle connaît.
— Bonjour, leur murmure-t-elle.

Ils lui répondent d'un signe de tête accompagné d'un large sourire. Elle regarde ensuite à l'avant et voit Benoit, dans un superbe et classique complet noir. Il porte en dessous de son habit une jolie chemise en soie argent foncé ainsi qu'un foulard en soie blanc cassé, lequel ressort de la poche de son veston. Le port de cet ensemble est inhabituel pour Benoît, mais Alexandra trouve qu'il lui va à ravir et qu'il lui donne l'air d'un vrai petit prince charmant ! Elle remarque aussi qu'il semble un peu nerveux et surtout très excité à l'idée de voir sa magnifique fiancée franchir les portes de l'église, qui viendra le rejoindre dans quelques instants.

En effet, quelques minutes plus tard, la mariée fait son entrée. Alexandra ne peut que constater à quel point Sonia est superbe dans sa magnifique robe blanche sans manches, qui est ornée de quelques perles et de broderie. Sa robe longue est très ajustée du buste jusqu'aux hanches, ce qui met en évidence sa très belle silhouette.

Alexandra trouve que Sonia a l'air d'une vraie princesse dans son exquise robe blanche, avec ses jolis cheveux blonds bouclés remontés à l'arrière et munis d'un joli et long voile blanc. Son maquillage est absolument parfait; elle a l'air d'une vraie petite poupée de porcelaine. Alexandra se dit qu'avec cette allure aussi époustouflante, son fiancé va à coup sûr répondre « je le veux » !

Pendant la cérémonie, Alexandra laisse couler quelques larmes. Tout particulièrement quand elle entend les vœux de Benoît et de Sonia. Tout cela est tellement beau et romantique Et ils semblent tellement heureux. De plus, ils sont entourés de leurs familles et de plusieurs amis.

Elle ne peut s'empêcher de s'imaginer à la place de Sonia. Elle se sent un peu triste à l'idée d'être encore célibataire et de ne pas avoir de cavalier pour l'accompagner en ce moment. Puis elle se ressaisit et se rassure en se disant que son tour va venir, qu'elle doit seulement être un peu plus patiente.

— Je vous déclare mari et femme. Vous pouvez embrasser la mariée ! dit maintenant le curé.

Sonia et Benoit se donnent un baiser passionné, puis ils se dirigent ensuite vers la sortie. Leur famille, amis et connaissances se tiennent tous en rangée, afin de faire un passage pour les mariés et de les féliciter en leur lançant des confettis.

La cérémonie du mariage terminée, Alexandra suit les invités jusqu'au lieu de la salle de réception. À son arrivée, elle stationne et se dirige à l'intérieur avec son carton d'invitation et son cadeau en main.

Elle est épatée par la décoration de la salle. Celle-ci est superbement décorée de blanc, d'un peu de verdure et de longs rideaux de soie ivoire ici et là. Il y a aussi de magnifiques roses blanches aux tables et à différents endroits.

— Wow! la salle est vraiment bien décorée! dit Alexandra à l'intention d'un des invités qu'elle connaît, qui se trouve présentement à ses côtés.

— Oui, c'est vrai qu'ils ont fait du bon travail, est-il forcé d'admettre, bien qu'il n'aime généralement pas beaucoup parler déco.

Alexandra se sent un peu comme une princesse dans cet endroit magnifique, tout spécialement avec sa robe, ses jolis ongles et ses sandales à talons hauts. Elle se dirige donc vers la table des cadeaux pour les mariés, afin d'y déposer le sien. Elle en profite pour continuer d'admirer le décor sur son chemin, et ensuite discuter avec les différentes personnes qu'elle connaît.

Un peu plus tard après le souper, Alexandra aperçoit Pascal. Il est lui aussi un ami de Benoit et de Sonia. Elle a déjà rencontré Pascal, il y a quelques mois de cela. Benoit l'avait invité à se joindre à eux, lors d'une sortie dans un pub d'Ottawa. Alexandra et Pascal s'étaient un peu parlé à ce moment-là, mais sans plus. Il faut dire que Pascal avait alors une copine. Alexandra l'avait trouvé néanmoins sympathique et bel homme.

Elle observe autour et constate qu'il ne semble pas être accompagné. Alors elle s'approche de lui.

— Bonjour Pascal ! Est-ce que tu me reconnais ?

— Et comment ! Tu es Alexandra... et nous nous étions rencontrés dans un pub il y a quelques mois de cela, lui répond-il avec des yeux coquins

— C'est bien moi ! lui répond-elle avec le sourire.

Elle est bien heureuse qu'il se souvienne d'elle et qu'il ait une aussi belle réaction. Le sourire qu'il affiche dénote qu'il est bien content de la voir, ce qui est réciproque. Alexandra l'avait trouvé plutôt beau garçon quand elle l'avait vu quelques mois plus tôt, mais n'avait pas tenté une approche pour le connaître davantage, puisqu'il n'était pas libre, car elle ne voulait pas risquer de tomber amoureuse de lui.

— Joins-toi à moi ! lui dit-il en parfait gentleman, en lui faisant signe de s'asseoir sur la chaise à côté de lui. Ce qu'elle fait d'ailleurs avec plaisir.

— Je te remercie ! lui répond-elle poliment, par réflexe.

— Et puis, où est ta copine ce soir ? Tu ne l'as pas emmené ? lui demande-t-elle spontanément par curiosité, pour sonder le terrain.

— Non. Nous ne sommes plus ensemble depuis quelques mois déjà, lui répond-il simplement, sans avoir l'air offensé.

Alexandra sourit intérieurement, puis décide de s'excuser par politesse.

— Oh, je suis désolée ! lui dit-elle d'une voix compatissante.

— Aucun problème ! C'est pour le mieux ainsi, lui dit-il avec un large sourire.

Ils changent ensuite de sujet. Alexandra ne tient pas à lui poser des questions personnelles et le moment est plutôt mal choisi pour parler de rupture. Il s'agit d'un mariage, alors l'heure est à la fête !

Ils discutent ainsi une bonne partie de la soirée. Ils profitent du moment pour apprendre à mieux se connaître. De temps à autre, des amis se joignent à eux et la conversation devient très intéressante et très instructive à la fois.

Alexandra et Pascal échangent des regards doux et complices, au cours de leurs longues conversations. Alexandra sourit aussi parfois timidement pendant leur discussion. Pascal, quant à lui, semble très sûr de lui, ce qu'Alexandra apprécie chez un homme. Elle constate qu'il semble être très franc et direct également. Il ne passe pas par quatre chemins lorsqu'il a quelque chose à dire, mais il n'est pas impoli pour autant. Alexandra aime ce trait de caractère.

— Quels sont tes passe-temps favoris ? demande-t-il à Alexandra.

— Eh bien, j'aime faire un peu de tout, j'ai plusieurs centres d'intérêt, mais pour le moment, je dirais les voitures, le billard, la danse, la musique, les films, le sport… lui dit-elle en rougissant légèrement.

— Wow ! c'est *cool* que tu aimes autant de choses différentes ! Moi c'est la musique mon passe-temps préféré. J'adore aller à des concerts et écouter de la musique.

— Quel genre de groupes écoutes-tu ?

— Je doute fort que tu les connaisses ! J'écoute surtout de la musique punk, mais j'écoute aussi d'autres styles à l'occasion… c'est juste que ma préférence va pour le punk.

— Ah ! dit-elle tout simplement.

Le punk n'est pas du tout son style musical !

— Tu n'aimes pas trop le punk, hein ? lui demande-t-il en devinant immédiatement que ce n'est pas le cas.

— Pour être honnête… pas plus qu'il faut ! Mais ça reste à voir parce que j'écoute plusieurs styles musicaux ! lui dit-elle avec le sourire.

— Ce n'est pas grave, tu n'es pas obligé d'aimer ça non plus ! Je sais que ce n'est pas donné à tout le monde d'aimer ça et je ne le retiendrai pas contre toi ! lui dit-il en lui faisant un clin d'œil enjôleur.

Ce clin d'œil vient d'ailleurs chercher Alexandra. Elle réalise qu'elle essaie en effet de le séduire et qu'elle est de plus en plus intéressée par lui. Surtout que le pantalon noir et la chemise bleue royale assortie d'une cravate noire et bleue qu'il porte en ce moment lui vont à ravir ! Ce style est très différent de ce qu'il portait la dernière fois et cela lui va très bien aussi !

— J'aime pas mal toutes les autres activités que tu as nommées, sauf la danse et les voitures. Je danse de temps à autre, mais cela ne compte plus parmi mes passe-temps favoris.

— Dommage ! réplique Alexandra.

— Oui je sais, les femmes adorent la danse ! répond-il en riant.

— Je dois aussi t'avouer que je ne raffole plus autant des voitures qu'avant non plus…

— Ah non ? lui demande Alexandra sur un ton exclamatif et interrogateur, car elle est bien curieuse de savoir ce qu'il veut dire par là.

— Eh bien, avant j'aimais beaucoup les voitures et, pour être honnête, j'ai investi beaucoup d'argent dans ma Civic afin qu'elle reste belle, originale et performante, mais maintenant je n'ai plus cette passion. Aujourd'hui, tant que ma voiture m'amène du point A au point B, c'est tout ce que je demande !

— Ah ! O.K. dit simplement Alexandra, ne sachant trop que lui répondre.

— Je peux comprendre et je respecte ça, lui dit-elle ensuite.

Elle est malgré tout un peu déçue qu'il ne partage pas sa passion pour les voitures. Puis elle se dit que c'est un détail après tout ! Ils n'ont pas à aimer exactement les mêmes choses… d'ailleurs, c'est ce qui rend les relations de couple si intéressantes, se convainc-t-elle.

— Je ne *tripe* plus autant sur les voitures qu'avant, mais j'adore toutefois faire de longues balades en voiture. J'aime aussi beaucoup voyager, que ce soit en véhicule, en avion ou en train !

— *Cool* ! lui répond Alexandra. Moi aussi j'adore voyager et faire de longues balades en voiture !

Ce dernier commentaire la rend très joyeuse. Elle est vraiment très contente de constater qu'ils ont au moins ce point en commun. « Je me suis peut-être trouvé quelqu'un avec qui voyager ! » pense-t-elle en son for intérieur.

— Tu vois, nous avons un tas de choses en commun ! lui dit-il avec un sourire et des yeux charmeurs.

— Mais oui ! lui répond-elle, en entrant dans le jeu de séduction qui se passe entre eux depuis un petit moment.

Au fil de la soirée, elle apprend aussi que Pascal reste encore chez ses parents ou plutôt avec sa mère. Il a la maison pour lui tout seul la plupart du temps, puisque sa mère s'absente souvent pour le travail. Alexandra préfère généralement les hommes qui ont leur propre appartement ou leur propre maison, mais elle décide malgré tout que cette dernière découverte au sujet de Pascal ne lui enlève rien. Elle se dit que c'est un détail après tout, et que c'est sûrement temporaire. Il y a peu de chances qu'il veuille vivre éternellement chez ses parents !

Quelques secondes plus tard, la chanson *All for Love*, un *slow* chanté par Brian Adams, Rod Stewart et Sting se met à jouer. L'estomac d'Alexandra fait un tour. Elle regarde le plancher de danse et voit les nouveaux mariés danser amoureusement sur cette chanson. Elle se demande immédiatement si Pascal va l'inviter à danser ou s'il va continuer leur conversation, comme si de rien n'était. Elle n'a pas à s'interroger bien longtemps.

— Veux-tu m'accorder cette danse ? lui demande-t-il en parfait gentleman.

— Absolument ! lui répond-elle.

Alors qu'ils s'installent pour danser, elle lui dit doucement :

— Je croyais que la danse n'était pas trop ta tasse de thé !

— Ah, mais je n'ai rien contre les danses collées par exemple ! ajoute-t-il avec ses yeux et son sourire charmeur.

Ce qui fait sourire Alexandra. Il la prend ensuite par la taille pour la rapprocher un peu de lui. Alexandra, quant à elle, place un de ses bras derrière l'épaule de Pascal et l'autre à la hauteur de l'un de ses biceps. Elle doit se placer ainsi, car il est très grand. Elle évalue qu'il doit mesurer environ six pieds et deux pouces, et cela lui va très bien, pense-t-elle.

Elle est un peu gênée, mais malgré tout enchantée d'être sur le plancher de danse avec Pascal. Elle aime bien danser un *slow* quand l'occasion se présente, mais cela la rend généralement nerveuse. Surtout lorsqu'il s'agit d'une personne qu'elle vient tout juste de rencontrer et qu'elle connaît à peine.

Néanmoins, elle compte bien profiter du moment. Elle n'a pas eu l'occasion de danser un *slow* avec un homme qui lui plaît depuis fort longtemps. De plus, l'ambiance d'un mariage est de loin préférable aux bars pour ce type de danse.

Pascal la tient doucement et tendrement au creux de ses bras, ce qu'elle trouve absolument charmant et rassurant.

Elle en profite pour poser sa tête dans le creux de l'épaule, afin d'être encore plus à l'aise et surtout plus près de lui.

Elle est heureuse de constater que ses cinq pieds et cinq pouces ne lui nuisent en rien. Elle aime qu'il soit grand, car elle se sent plus enveloppée d'affection et de tendresse. En général, elle n'est pas attirée par les hommes qui ont plusieurs livres en trop ou une silhouette imposante ou même qui sont trop musclés, ce qui n'est heureusement pas du tout le cas de Pascal.

Alexandra se souvient de son style vestimentaire jeune et branché, lequel était bien différent la fois où elle l'a rencontré, mais qu'elle aimait bien aussi. Elle apprécie généralement les hommes qui ont un style soit « monsieur », soit « jeune », pourvu qu'ils soient à leur aise dans leurs vêtements.

En appuyant sa tête contre l'épaule de Pascal, elle sent l'eau de Cologne qu'il porte. Elle ressent immédiatement de petits papillons dans son estomac. Elle trouve qu'il sent très bon et cela lui donne de délicieuses sensations. Cette odeur très propre et masculine l'attire beaucoup.

Elle ne s'était pas sentie aussi bien depuis un bon moment. Les beaux grands bras de Pascal sont délicatement placés dans le bas du dos d'Alexandra, prenant aussi appui sur les côtés de la taille de cette dernière. Cette position est très réconfortante et surtout très agréable. Elle se sent légère et en sécurité.

Puis elle met ses bras dans le creux des épaules de Pascal, laissant ses mains contre le haut du dos de celui-ci, à la limite de sa nuque. Elle a également les yeux fermés depuis quelques secondes, et se laisse emporter autant par la musique que par Pascal.

Les dernières notes de la chanson se font entendre, ce qui veut dire qu'ils doivent interrompre ce beau moment. Ils retournent s'asseoir à la même table, encore un peu sur un nuage, et continuent de discuter.

— Merci beaucoup pour cette danse ! lui dit doucement Alexandra. C'était vraiment bien !

— Merci à toi, charmante demoiselle ! lui répond Pascal avec un sourire au regard charmeur.

Alexandra sent ses joues rosir légèrement. Elle craque chaque fois que Pascal lui fait ce sourire et lui jette ce regard !

— J'adore cette chanson en plus… même si elle est un peu quétaine ! avoue-t-elle.

— C'est vrai que les paroles sont jolies et que la chanson est très romantique, lui confie-t-il pour la rassurer.

Peu de temps après, Benoît et Sonia s'assoient avec eux pour prendre de leurs nouvelles, car ils ne les ont pratiquement pas vus de la soirée.

— Hey ! On ne vous a pas vus de la soirée ! Comment allez-vous vous deux ? leur demande Benoit.

— Très bien et vous deux ? Vous aimez votre soirée jusqu'à maintenant ? réplique Alexandra.

— C'est vraiment super, rien à redire ! ajoute Sonia.

— Justement, j'en profite pour vous remercier d'être venus à notre mariage ! Nous vous en sommes très reconnaissants ! avoue sincèrement Benoit.

— C'est un plaisir ! répond Pascal.

— Franchement, nous nous amusons vraiment beaucoup ce soir et nous espérons que tout le monde s'amuse autant que nous ! ajoute Benoit.

— Je crois que vous n'avez pas à vous inquiéter pour ça ! Tout le monde semble bien s'amuser ce soir ! le rassure Pascal.

— Ah oui ! Vous étiez très mignons tout à l'heure sur le plancher de danse ! leur confie Alexandra.

— Il semblerait que nous n'étions pas les seuls ! ajoute Sonia en ricanant et en leur jetant un regard plein de sous-entendus.

Benoit sourit lui aussi. Il semble exactement savoir ce qu'elle entend par là. De toute évidence, ils les ont vus danser un peu plus tôt !

Peu de temps après, des amis de Pascal et d'Alexandra se joignent à eux et leur tiennent compagnie. Ils discutent de tout et de rien pendant tout le reste de la soirée.

Les femmes se lèvent régulièrement pour aller danser de façon énergique avec un plaisir évident. Puis, lorsqu'elles sont fatiguées ou qu'elles n'aiment pas la chanson, elles retournent s'asseoir pour se reposer et se mêler à la conversation des hommes. Ceux-ci choisissent de rester à leur table et de discuter la plupart du temps. À de rares occasions, les femmes réussissent à les convaincre de venir danser avec elles.

La soirée tire maintenant à sa fin. Pascal se tourne vers Alexandra qui se prépare à partir, et, avec son petit air sûr de lui, lui demande :
— Vais-je te revoir bientôt ma belle ?
— Peut-être bien ! lui répond-elle en tentant d'être mystérieuse et de se faire désirer un peu.
— Ah oui, hein ? lui dit-il en riant.
— Sérieusement, j'ai bien aimé la soirée passée à tes côtés et j'aimerais te revoir, si tu es d'accord, ajoute-t-il sur un ton très doux et sincère.
— Absolument ! Je vais te laisser mon numéro de téléphone.

Pascal inscrit ce numéro dans son téléphone.
— De cette façon, je ne risque pas de le perdre ! précise Pascal.

Alexandra trouve que c'est une excellente idée. Elle aussi aimerait bien le revoir sous peu. Elle est tout particulièrement ravie à l'idée d'espérer enfin avoir une belle relation amoureuse dans sa vie.
— Je suis libre presque tous les soirs, alors ne te gêne pas pour me téléphoner ! ajoute Alexandra.
— Ah oui ? Je vais te téléphoner dans un avenir rapproché ! lui dit Pascal de ses yeux charmeurs.

Alexandra le trouve craquant et cette discussion la rend très heureuse.

Elle est vraiment contente des répliques de Pascal à ses commentaires, ainsi que du déroulement de la soirée.

Pascal se penche ensuite vers Alexandra et l'étreint chaleureusement. Elle est touchée de cette délicate attention et lui rend son étreinte, puis il glisse lentement un doux baiser sur sa joue, ce qui la fait sourire et un peu rougir par la même occasion.

— Bonne nuit Pascal ! Sois prudent sur la route ! lui dit tendrement Alexandra, encore sous l'emprise de ses charmes.

— Bonne nuit ma belle ! lui répond-il lui aussi tendrement.

Puis elle attrape son sac à main et décide d'aller embrasser les mariés avant de partir.

Elle se dirige ensuite vers la sortie d'un pas léger. Il est tard et la route risque d'être un peu longue, car elle a presque une heure de route à faire, mais cela ne la dérange pas, car elle est bien réveillée malgré tout.

Arrivée à son appartement, elle s'étend sur son lit et fait jouer quelques chansons très romantiques, en repensant à la soirée qu'elle vient de passer. Tout était absolument parfait. Elle se sent légère, elle se sent bien.

Quelque quinze minutes plus tard à peine, elle s'endort paisiblement au doux refrain de *When a man loves a woman* de Brian Adams.

Le lendemain matin, Alexandra ne tient plus en place. Elle est heureuse, excitée et pleine d'énergie. Elle a surtout très hâte de revoir Pascal. Elle espère qu'il va la rappeler très bientôt et que leur deuxième ou plutôt leur troisième rencontre se déroulera tout aussi bien que la dernière. Il faut dire que l'ambiance d'un mariage est vraiment très romantique.

Trois jours s'écoulent sans aucune nouvelle de Pascal. Alexandra se dit que c'est probablement normal. Il doit penser que s'il appelle trop rapidement, il va paraître anxieux. Alors, il a probablement préféré attendre un peu. Sauf que, pendant ce temps, c'est elle qui a de la difficulté à contenir ce trop-plein d'émotion !

— J'ai vraiment hâte de le revoir, confie Alexandra à Chloé, sa meilleure amie.

— Crois-tu qu'il va réellement me téléphoner ? Peut-être m'a-t-il déjà oublié ! ajoute-t-elle en pensant à tous les scénarios possibles qui expliqueraient pourquoi il n'a pas encore téléphoné.

— Je suis certaine qu'il va bientôt te téléphoner ! Ne t'inquiète plus. Il veut probablement se faire désirer… ou peut-être était-il simplement trop occupé, mais une chose est certaine, avec la soirée que vous avez passée aux noces de Benoit et Sonia… il ne t'a pas déjà oubliée ! Garantie !

— Tu as probablement raison. Il était peut-être occupé ou peut-être veut-il en effet se faire désirer. Je vais tenter d'être patiente et de ne plus y penser autant… ce qui ne risque cependant pas d'être facile !

— Wow ! Il t'a fait vraiment tout un effet hein ? ajoute Chloé surprise.

Elle ne se souvient pas l'avoir déjà vue dans cet état pour un homme auparavant et surtout pas pour un homme qu'elle n'a vu que deux fois !

— Oui... est-elle forcée d'admettre. J'ai vraiment l'impression que ça pourrait fonctionner entre nous, qu'il est peut-être l'homme qu'il me faut, alors je ne veux pas laisser passer cette opportunité de le connaître, tu vois ? dit-elle sur un ton plus exclamatif qu'interrogateur.

— Je comprends tout à fait ! Bon bien, ce n'est pas tout, je dois y aller moi ! Bonne soirée Alexandra et essaie de ne pas trop y penser... il va t'appeler, tu vas voir !

— Merci Chloé ! Tu es une amie formidable, comme toujours ! Bonne nuit à toi aussi !

Alexandra raccroche le combiné. Que ferait-elle sans Chloé ? se dit-elle. Elle vaque ensuite à ses occupations quotidiennes, comme à l'habitude, en tentant de se tenir occupée afin d'éviter de trop penser à Pascal.

Malgré tous ses efforts pour se distraire, chaque fois que le téléphone sonne, son rythme cardiaque s'accélère et son estomac semble faire trois tours ! Elle aimerait bien parvenir à mieux maîtriser ses émotions, mais peine perdue. Ses réactions émotionnelles lui semblent un peu excessives depuis quelques jours, surtout étant donné qu'elle connaît à peine Pascal, mais elle n'arrive pas à faire autrement.

Alexandra s'assoit confortablement sur son lit et écoute de la musique, enfin détendue. Puis, quelques minutes plus tard, le téléphone sonne à nouveau. Elle jette un coup d'œil à l'horloge, il est vingt heures. Elle répond en se demandant de qui il peut bien s'agir cette fois-ci. À sa grande surprise et à son grand bonheur, c'est lui. Pascal est au bout du fil ! Il semble d'ailleurs être d'excellente humeur.

— Bonjour Alexandra, c'est Pascal ! Comment vas-tu ?

— Je vais très bien, merci, et toi ? lui répond-elle.

Elle ne tient déjà plus en place maintenant qu'elle sait qu'il s'agit de Pascal. Elle meurt de savoir ce qu'il a à lui dire !

— Qu'as-tu fait de bon depuis le mariage ?

— Rien de bien excitant à vrai dire ! Le train-train quotidien. Et toi, qu'as-tu fait depuis ?

— Eh bien, dimanche soir, j'ai assisté à un spectacle punk avec un de mes amis. C'était super !

— Il y a des spectacles le dimanche... et des gens qui y assistent ! ajoute-t-elle en ricanant, un peu surprise.

— Eh oui ! Il y avait d'ailleurs pas mal de monde pour un petit groupe underground.

— Wow ! C'est cool ça ! Je ne savais même pas qu'il y avait de tels spectacles dans le coin, c'est bon à savoir, même si ce n'est pas trop mon style.

— Y'a pas de problème, la plupart des gens l'ignorent et ne s'y intéressent pas. Ce n'est pas tout le monde qui aime ce style musical. La plupart des gens préfèrent la musique pop commerciale, et c'est bien correct aussi.

— Ouin, je fais d'ailleurs partie de cette catégorie ! admet Alexandra un peu gênée.

— Je sais ! lui répond-il en soupirant sur un ton léger, indi-
quant que ce n'est pas du tout un problème pour lui et qu'il
l'avait d'ailleurs déjà deviné.

— Et puis, comment était ta journée au travail aujourd'hui ?
demande Pascal pour changer de sujet et continuer de faire
la conversation.

— Bien, comme à l'habitude. Et la tienne ?

— Très bien moi aussi, quoique j'étais un peu fatigué.

— Ha ! Ha ! Rien d'étonnant si tu t'es couché aussi tard
hier que dimanche !

— Ha ! Ha ! Non, je me suis couché assez tôt hier, mais
quand même pas assez. Des amis sont passés me voir, alors
nous sommes restés debout jusqu'à une heure du matin…

— Eh bien, ça explique pourquoi tu étais fatigué ! Ha !
Ha ! Tu te couches bien tard la semaine dis donc !

— À vrai dire, je ne me couche pas toujours aussi tard,
mais c'est vrai que ça m'arrive souvent de veiller, même la
semaine.

— Je ne sais pas comment tu fais ! s'exclame Alexandra.

— Moi non plus ! réplique Pascal sur un ton expressif.

Ils discutent ainsi de tout et de rien un certain moment,
puis Pascal lui demande finalement :

— Je me demandais si tu étais libre jeudi soir.

— Oui, lui répond-elle sur un ton interrogateur, car elle
est bien curieuse de savoir ce qu'il a en tête.

— J'avais pensé t'emmener au restaurant pour le souper
et ensuite aller voir un bon film au cinéma ! Qu'en penses-
tu ?

— Je trouve que c'est une excellente idée ! ajoute Alexandra folle de joie à cette idée.

Pascal est lui aussi très heureux qu'elle accepte son invitation avec autant d'enthousiasme. Il le cache cependant un peu mieux qu'Alexandra, sans toutefois le cacher complètement, car il veut qu'elle sache que cela lui plaît. C'est d'ailleurs une chose qu'il apprécie déjà chez elle, cette énergie positive et cette joie de vivre qu'elle dégage. Il trouve cela très attirant.

— Où avais-tu pensé aller manger ? lui demande Alexandra.

— J'avais pensé au East Side Marios, puisque c'est à deux pas du cinéma Silvercity à Ottawa, qu'en penses-tu ?

— Je trouve que c'est une excellente idée ! J'adore ce restaurant et je n'y suis pas allée depuis un bon moment déjà ! lui dit-elle sur un ton passionné. Vers quelle heure veux-tu que nous nous y retrouvions ?

— J'ai pensé à dix-huit heures trente. Je peux même aller te chercher si tu veux ! lui dit-il sur un ton très gentil et galant.

— C'est parfait, mais tu n'as pas besoin de venir me chercher, surtout que c'est un grand détour pour toi ! Je vais prendre ma voiture ! lui dit-elle en faisant attention au message non verbal qu'elle pourrait envoyer par inadvertance.

— Je sais que c'est un détour, mais ça ne me dérange pas du tout ! Ça va me faire plaisir d'aller te chercher quand même ! J'aime conduire de toute façon ! ajoute-t-il sur un ton convaincant et sympathique.

— C'est bien gentil, mais je préfère prendre ma voiture et te rejoindre là-bas. Comme ça, ça va te laisser plus de temps pour te préparer en arrivant du travail, lui dit-elle afin de le rassurer.

Elle sait bien que c'est un grand détour pour lui, alors elle trouve que c'est inutile qu'il vienne la chercher. Cela la mettrait mal à l'aise, surtout qu'il habite tout près du cinéma et du restaurant en question.

Ils continuent à discuter un petit moment par la suite, car ils ont plein de choses à se raconter. Puis ils raccrochent finalement au bout de quelques minutes.

Alexandra a très hâte de le voir, mais ne peut s'empêcher d'être malgré tout un peu nerveuse. Ce genre de rencontre a souvent cet effet sur elle. Elle ne peut se retenir d'avoir peur que cela ne fonctionne pas ou qu'il y ait un malaise entre eux. Elle entretient aussi la peur que son prétendant ne soit pas l'homme qui lui convient, ce qui la décevrait énormément, car cela est souvent arrivé dans le passé.

Elle chasse vite cette idée négative de sa tête et se dit que tout va très bien aller cette fois-ci ! Elle veut absolument conserver une attitude positive, mais cela ne lui est pas toujours facile. Ses peurs ne sont jamais bien loin dans son esprit et menacent à tout moment de faire surface ici et là.

À son travail, elle essaie du mieux qu'elle peut de se concentrer, mais elle pense beaucoup à sa rencontre de demain avec Pascal. Il faut dire que ses collègues la taquinent régulièrement lorsqu'elle passe devant leurs bureaux, ce qui n'aide en rien à lui faire penser à autre chose.

— Puis Alexandra, as-tu hâte à demain ? lui demandent-elles régulièrement pour la taquiner.

— Oui, mais c'est la dernière fois que je vous confie quelque chose ! leur répond-elle pour tenter de les faire taire, même si elle n'est pas réellement fâchée.

Alexandra essaie de se garder occupée autant qu'il est possible. De cette façon, elle n'a pas le temps de penser à autre chose qu'à son travail actuel. Elle a tendance à beaucoup trop analyser les situations et les gens et à se poser trop de questions, alors elle doit garder son esprit occupé à autre chose.

De retour à la maison, elle prend une bouchée, puis elle décide d'aller se balader en voiture dans le parc de la Gatineau. Elle a besoin de prendre une bonne bouffée d'air frais et de faire un peu d'exercice, mais elle veut surtout être loin de la maison ! Elle sait pertinemment qu'elle ferait les cents pas dans son appartement, si elle y restait trop longtemps ce soir.

Elle se rend jusqu'au belvédère Champlain dans le parc de la Gatineau et y stationne sa voiture. Elle marche ensuite jusqu'au belvédère érigé en pierre, qui n'est qu'à quelques pas seulement d'où elle est stationnée. De là, elle admire la vue magnifique.

Le belvédère est très élevé et permet de voir des kilomètres à la ronde. On y voit une multitude d'arbres, de champs agricoles, d'animaux, de maisons de campagne, ainsi que la rivière des Outaouais.

De plus, c'est une journée idéale pour être à l'extérieur ; le soleil brille de mille feux et le vent souffle une douce et légère brise rafraîchissante. Alexandra adore les températures comme celle-ci. Elle se sent très bien, lorsqu'il y a un beau soleil et une douce brise comme c'est le cas aujourd'hui. En plus de la ressourcer, cela lui donne de l'énergie.

Dans de tels moments, elle est emplie d'un immense sentiment de bien-être et de légèreté. Elle trouve de plus que la nature environnante est relaxante et très romantique.

Romantique... ce mot lui fait encore une fois penser à son rendez-vous de demain avec son beau Pascal. Elle essaie de chasser cette idée, en ce concentrant sur la beauté de la nature qui l'entoure. Pour mettre toutes les chances de son côté, elle décide de faire une petite marche de santé, dans le sentier pédestre, situé tout près d'où elle est. Le sentier fait trois kilomètres de long et est un peu montagneux. C'est un excellent exercice physique aérobique !

Alexandra aime d'ailleurs faire ce parcours à l'occasion. Il faut dire qu'elle s'ennuie parfois des beaux paysages de sa région natale, le Témiscamingue, et le fait de se promener dans les bois lui procure la sensation d'y être. Un retour aux sources quoi !

Elle marche une dizaine de minutes, puis s'arrête à un autre magnifique petit belvédère. Elle aime bien s'arrêter à celui-ci quand elle emprunte ce sentier. Plus petit que l'autre, il est fait en bois, et donne lui aussi une vue sublime de la rivière, des champs agricoles et de la forêt. Un des avantages qu'offre ce petit belvédère est qu'il est beaucoup moins fréquenté que l'autre. De plus, comme les arbres sont plus nombreux et qu'aucune route ou voiture ne se trouve à proximité, la sensation d'être dans la nature est plus forte.

Elle reste environ cinq minutes à apprécier le paysage et à se détendre, puis elle continue sa promenade dans le sentier. Elle s'arrête ici et là, pendant sa balade, pour contempler l'harmonieux spectacle de la nature qui l'entoure.

Arrivée au bout du sentier une vingtaine de minutes plus tard, elle se dirige vers son véhicule, afin de retourner chez elle. Elle aime bien conduire dans le parc de la Gatineau. Le chemin est asphalté et le parc est très bien entretenu. L'herbe sur le bord de la route est toujours verte et les arbres sont très près du chemin, sans pour autant être nuisibles, ce qui offre un panorama enchanteur.

La seule chose qu'elle aime moins, par contre, ce sont les cyclistes qui empruntent la route, car il n'est pas particulièrement aisé de dépasser les cyclistes dans le parc, la vue étant très restreinte. Un face à face avec un cycliste pourrait se produire, si les automobilistes ne sont pas prudents. Par contre, rouler à vingt ou à trente kilomètres à l'heure n'est pas agréable, d'autant plus que le parc fait une bonne trentaine de kilomètres !

De retour à la maison, elle s'installe sur son divan et regarde quelques programmes télévisés, afin de faire passer le temps qu'il lui reste avant d'aller se coucher.

Au bout d'une heure trente, elle se lève et se dirige dans la salle de bain. Elle prend une bonne douche rafraîchissante, se rase, se lave les cheveux et se fait toute belle pour demain. Elle se dirige ensuite vers sa chambre, en souriant de satisfaction à la pensée de sa sortie de demain. Elle sent qu'elle va avoir de la difficulté à dormir ce soir !

Pour l'aider à se détendre et à s'endormir, elle fait jouer un de ses disques favoris. Elle s'étend ensuite sur son lit et imagine son rendez-vous de demain avec Pascal. Elle laisse aller ses pensées. Elle finit par s'endormir au son de la musique qui joue encore doucement dans sa chambre, au bout d'une quarantaine de minutes.

Le lendemain matin, elle se réveille et se prépare pour aller travailler, comme à l'habitude. Pascal occupe encore une très grande partie de ses pensées.

Une grosse journée de travail l'attend au bureau. Elle se dit que cela est une bonne chose, car la journée passera ainsi beaucoup plus rapidement. Elle n'aime pas rester assise à ne rien faire, à cause d'un manque de travail, ce qui est malheureusement régulièrement le cas. Elle trouve qu'elle a trop souvent de temps libre à son travail. Certaines personnes pourraient être tentées de dire qu'elle est chanceuse, mais Alexandra ne partage pas du tout cette opinion. Elle trouve le temps long lorsqu'il n'y a pas grand-chose à faire et qu'elle doit quand même rester à son bureau, au cas où il y aurait du travail.

Heureusement, ce n'est pas le cas aujourd'hui. En effet, sa journée de travail passe en un clin d'œil. À seize heures, elle ramasse son sac à main, prend les ascenseurs, et sort de l'édifice. Elle se dirige ensuite vers l'autobus afin de retourner chez elle.

Elle n'attend que quelques cinq minutes son autobus. Maintenant assise sur l'un des bancs à l'arrière de celui-ci, elle y rencontre des gens qu'elle connaît, ce qui la distrait et garde son esprit occupé. Le voyage du retour passe donc lui aussi rapidement.

Arrivée dans son appartement, elle jette un coup d'œil dans sa garde-robe, afin de trouver ce qu'elle pourrait bien mettre ce soir, pour son rendez-vous galant. Elle essaie au moins douze agencements différents, avant de trouver celui qui lui convient.

Elle saute ensuite dans la douche où elle chantonne tellement elle est d'excellente humeur. Elle est vraiment très excitée de sortir avec Pascal ce soir. Enfin un vrai rendez-vous entre eux !

Sa douche terminée, elle enfile l'ensemble qu'elle a choisi quelques minutes plus tôt. Celui-ci consiste en une paire de jeans bleu pâle à taille basse, un peu délavés au niveau des cuisses et des fesses, avec de belles poches à l'arrière qui l'avantage. Ce jeans est aussi moulant au niveau de ses cuisses et de ses fesses, et s'élargit graduellement vers le bas à partir de ses genoux. Comme petit haut, elle a choisi un chandail noir moulant à manches courtes ajustées, avec un joli, mais léger décolleté. Ce chandail est aussi muni d'un capuchon noir et de lacets assortis, qui tombe à l'avant. Le chandail arbore aussi un dessin plutôt artistique en blanc à l'avant, à la hauteur de sa magnifique poitrine ronde et ferme de jeune femme. Cet imprimé présente un beau contraste avec le noir.

Il est maintenant temps de se coiffer, ce qui n'est pas une tâche facile. Elle essaie plusieurs coiffures, pour finalement décider de laisser ses cheveux détachés, car ils tombent plutôt bien aujourd'hui. Elle met un peu de produits coiffants pour qu'ils gardent une apparence un peu bouclée, puis le tour est joué ! Elle ajoute une petite touche de maquillage, un peu de parfum léger à la vanille, de jolies boucles d'oreilles bien rondes en argent, et un collier argenté et noir assorti. Elle est maintenant prête !

Elle enfile ses jolies chaussures noires à talons hauts, ramasse son sac à main, puis saute dans sa voiture.

Au volant de sa Mustang, elle met le volume de la musique assez haut et chante comme à son habitude Elle arrête généralement de chanter lorsque la lumière tombe rouge ou lorsqu'elle doit ralentir ou dès qu'elle a l'impression qu'on la regarde, car elle ne tient pas à ce qu'on la voit donner un concert privé !

Le sourire aux lèvres, elle conduit fièrement sa belle Mustang GT noire. Elle a très hâte de voir Pascal et espère qu'il est ponctuel. Les hommes qu'elle a fréquentés dans le passé avaient souvent la mauvaise habitude d'arriver en retard, chose qu'elle n'arrive pas à comprendre et qu'elle ne tolère pas.

Une vingtaine de minutes plus tard elle arrive au restaurant. En se dirigeant vers l'entrée, son cœur bat un peu plus rapidement qu'à l'habitude. Puis elle l'aperçoit debout devant l'entrée.

Il est habillé de manière décontractée, ce qui lui va très bien. Elle le trouve très séduisant ainsi vêtu. Il porte un pantalon beige simple et ample, avec des poches à la hauteur des hanches et une de chaque côté, un peu au-dessus de ses genoux, accompagné d'une jolie chemise à carreaux. Elle ne raffole normalement pas des chemises à carreaux, mais elle doit avouer que ce style convient parfaitement à Pascal. Il la porte très bien.

— Bonjour Alexandra ! lui dit Pascal lorsqu'elle n'est plus qu'à quelques pas de lui.

— Bonjour Pascal ! lui répond-elle avec le sourire.

Puis il lui fait une accolade, suivie d'un léger baiser sur chaque joue. Elle est heureuse d'avoir mis ses talons hauts ! De cette façon, elle se sent un peu plus à sa hauteur, bien qu'elle soit encore considérablement plus petite que lui, et ce, de plusieurs pouces. Pascal quant à lui semble habitué de côtoyer des femmes de sa grandeur, car il est très à l'aise. Cela la rassure.

— On entre ? lui demande Pascal.

— Oui ! répond simplement Alexandra.

— Après vous mademoiselle ! s'exclame Pascal en ouvrant la porte d'entrée du restaurant et en lui faisant signe de la main.

— Merci bien ! lui répond-elle avec le sourire.

Elle trouve que c'est une délicate attention et que c'est très gentleman de sa part.

Ils entrent dans le restaurant et demandent une table pour deux.

— Parfait, veuillez me suivre, leur dit la serveuse en anglais, puisqu'ils sont à Ottawa.

Ils s'assoient l'un en face de l'autre sur la banquette sélectionnée par la serveuse. Alexandra est bien heureuse de ce choix, car elle aime être assise près d'une fenêtre et sur une banquette.

— Je te trouve ravissante ce soir ! Comme toujours d'ailleurs !

Il est vrai qu'Alexandra s'est habillée assez sexy, mais avec goût. Elle ne veut pas donner l'image d'une fille facile, mais elle veut quand même qu'il la trouve jolie et séduisante. Comme la plupart des gens, elle aime plaire et se sentir belle.

— Wow ! Et bien je te remercie beaucoup pour le compliment, c'est très gentil ! Je te retourne d'ailleurs ce compliment.

— Ah bien, merci ! répond Pascal.

Puis ils observent le menu et au bout de quelques minutes, ils sont prêts à commander.

— Je vais prendre des *linguini tetrazzini* au poulet, dit Alexandra à la serveuse.

— Parfait, et vous monsieur ? demande la serveuse en se tournant vers Pascal.

— Je vais prendre une assiette de spaghetti à la bolognaise.

— Parfait ! Je vous apporte du pain et une salade César dans un instant.

— Merci, répondent Alexandra et Pascal en chœur.

Le souper se déroule à merveille. Alexandra et Pascal jasent, rient et apprennent à mieux se connaître, tout au long du repas. Il lui arrive de parler de sa dernière petite amie, de temps à autre, mais sans y mettre trop d'accent. Alexandra est très compréhensive à ce sujet, car elle parle aussi de ses ex-petits amis de temps à autre, alors elle comprend ce besoin ou plutôt ce réflexe.

— J'aimerais beaucoup avoir ma propre entreprise, lui confie Alexandra pendant le souper.

— Ah oui ? Justement, mon ex-copine, Tania, a démarré sa propre entreprise lorsque nous étions ensemble. Cela prenait beaucoup de son temps, mais son entreprise marchait très bien !

— Ah oui ? C'est bien ! dit Alexandra, ne sachant trop que répliquer à ce dernier commentaire.

Alexandra change ensuite de sujet de conversation, car elle ne désire pas en savoir trop sur l'ex-amie de Pascal. Elle note également qu'elle doit être prudente à l'avenir et ne pas trop mentionner ses ex-amis de cœur. Même si auparavant elle croyait que cela avait peu d'importance d'en parler, puisqu'il était clair pour elle qu'elle n'avait plus de sentiments à leurs égards, elle réalise ce soir que cela est plus dérangeant qu'elle le croyait.

Cependant, plus le dîner avance, plus elle a l'impression que Pascal s'attend à beaucoup de cette rencontre, ce qui la rend un peu nerveuse. Elle tente de se rassurer en se disant qu'elle interprète peut-être mal les signaux qu'il lui envoie et qu'elle s'en fait probablement pour rien. Elle se rappelle aussi qu'elle doit arrêter d'avoir peur de décevoir.

Après le repas, ils se dirigent tous deux vers le cinéma, qui est situé à quelques pas à peine du restaurant où ils ont mangé.

— Que désires-tu voir ? lui demande Pascal.

— Je ne sais pas trop là… que dirais-tu d'une comédie ?

— C'est une excellente idée ! Une comédie *it is* !

Ils décident donc de visionner une comédie. Il s'agit d'un choix prudent pour une première rencontre, puisque la plupart des gens, hommes comme femmes, aiment les comédies.

Assise confortablement au creux de son banc de cinéma, Alexandra pense de temps à autre à se coller un peu contre Pascal, mais elle n'ose pas. Elle ne parvient pas à trouver une excuse ou un prétexte pour le faire, puisqu'ils regardent une comédie. Il n'y a rien d'épeurant à l'écran, alors elle ne peut pas utiliser ce prétexte. Elle n'ose pas non plus le faire sans prétexte, car pour une raison ou une autre, elle a un peu peur d'être trop entreprenante. Elle ne veut pas que les choses évoluent trop vite entre eux non plus. Elle veut d'abord apprendre à mieux le connaître, voir si leurs personnalités et leurs goûts s'accordent.

Ils écoutent donc le film, sans que rien de spécial ne se passe. Ils rient ici et là, car le film est excellent et vraiment très drôle. Alexandra jette régulièrement des coups d'œil dans la direction de Pascal, à la recherche de signes pour se rapprocher et aussi parce qu'elle aime particulièrement l'expression de son visage quand il rit.

À la fin de la séance, Pascal, en parfait gentleman, la raccompagne jusqu'à sa voiture.

— Je te remercie pour cette charmante soirée, lui dit-il sincèrement.

— Non, merci à toi! C'était une excellente idée. Merci aussi de m'avoir offert le souper et le cinéma! Tu n'avais pas à le faire, tu sais, j'aurais quand même bien aimé ma soirée!

— Je sais et ce n'était pas par obligation! Je l'ai fait parce que j'en avais envie! lui dit-il en lui faisant un sourire.

Il reste près d'Alexandra un moment à la regarder droit dans les yeux. Alexandra n'est pas trop certaine comment elle doit réagir. Pendant ce bref instant, elle se souvient pourquoi elle n'aime pas vraiment les premiers rendez-vous. À vrai dire, ce qu'elle n'aime pas c'est de ne pas pouvoir deviner l'autre personne. Elle aime quand la relation est au stade où ils n'ont qu'à regarder l'autre personne dans les yeux pour deviner ce qu'elle pense ou veut, ce qui n'est manifestement pas le cas ce soir.

Quelques secondes plus tard, qui semblent durer une éternité pour Alexandra, Pascal se penche vers elle et l'embrasse. Alexandra choisit, un peu par réflexe, de répondre à son baiser, puis elle le prolonge de quelques secondes. Elle est agréablement surprise de constater que ce premier baiser avec Pascal est fort agréable. Il n'est pas question ici d'un baiser passionné comme dans les films, surtout qu'ils ne se connaissent pas beaucoup et qu'ils sont au beau milieu d'un stationnement rempli de gens, mais ce baiser est tout de même suffisamment intense pour qu'Alexandra sente de petits chatouillis dans son estomac. Ses joues aussi deviennent un peu plus chaudes et probablement un peu plus rosées.

— Bonsoir ma belle ! lui dit simplement Pascal avant de partir vers sa propre voiture.

— Bonsoir Pascal ! lui souhaite également Alexandra.

Alexandra s'en retourne ensuite à Gatineau.

Étendue dans son lit, bien installée sous les couvertures, elle se remémore les événements de la soirée. Elle en conclut que ce premier rendez-vous officiel s'est quand même bien déroulé ! Sur cette pensée réconfortante, elle ferme les yeux et s'endort paisiblement, quelques minutes plus tard.

Chapitre 5

Pascal et Alexandra conversent sur MSN et s'envoient des courriels tous les jours de la semaine qui suivent. Ils se racontent leur journée, parlent un peu plus d'eux-mêmes et de ce qu'ils aiment.

Vers la fin de la semaine, Alexandra n'a plus beaucoup de choses à lui écrire, puisqu'ils se parlent et s'écrivent tous les jours depuis plus d'une semaine. Par ailleurs, il ne se passe rien de vraiment particulier dans sa vie ces jours-ci, alors elle sent qu'elle n'a pas grand-chose d'intéressant à raconter, mais Pascal insiste pour qu'elle lui écrive tous les jours.

À l'arrivée de la fin de semaine, Pascal appelle Alexandra, un peu après le souper.

— Bonjour ! dit Pascal sur un ton jovial.

— Bonjour, lui répond Alexandra.

— Ça va ?

— Très bien et toi ?

— Moi aussi, rétorque Pascal. Puis il ajoute :

— Est-ce que ça te dit de venir prendre un verre avec moi et quelques-uns de mes amis, ce soir, dans un pub irlandais ?

— Oui, ça pourrait être agréable. C'est où exactement ?

— Eh bien si tu veux, je peux venir te chercher dans environ une heure et nous pourrons ainsi y aller ensemble. Comme ça tu n'auras pas de difficulté à le trouver et tu n'arriveras pas seule !

— Ah oui, c'est une bonne idée et puis une heure me donne suffisamment de temps pour me préparer, c'est parfait !

— D'accord, alors je te vois dans une heure ma belle !

— Oui, à tantôt !

Puis ils raccrochent.

Elle est bien contente que Pascal l'invite à sortir avec ses amis. Elle trouve que c'est un bon signe. Elle a bien hâte de rencontrer les gens qu'il fréquente. De cette façon, elle va pouvoir observer comment il est dans la vie de tous les jours et voir les personnes qu'il côtoie et apprécie.

Tel que promis, Pascal se présente chez Alexandra environ une heure plus tard. Comme elle vient tout juste de terminer de se préparer, il arrive vraiment au bon moment. Il lui fait une étreinte chaleureuse dès qu'il la voit et lui dit un beau bonjour. Il semble affectueux. Alexandra aime bien cette attitude, pourvu qu'il n'essaie pas, par contre, d'aller trop vite en affaires, bien entendu.

— Es-tu prête à y aller ? lui demande Pascal.

— Oui, on peut y aller ! lui dit-elle en enfilant ses souliers à talons hauts.

Ils sortent ensuite de l'appartement. Elle verrouille à clé sa porte, puis suit Pascal jusqu'à sa voiture.

Il s'arrête devant une Honda Civic argent, quatre portes. Il déverrouille la porte du côté du passager pour Alexandra.

— Je sais que ce n'est pas une voiture aussi sophistiqué et *cool* que la tienne, mais bon, j'espère que ça ne te dérange pas trop !

— Ben voyons ! Je ne suis pas comme ça ! Je ne m'attends pas à ce que tout le monde conduise une voiture sport… et la tienne est très bien !

— Bien content de te l'entendre dire, répond Pascal en s'installant lui aussi dans sa voiture.

— Tu sais, j'avais une voiture sport modifiée avant, mais je l'ai vendue car elle me coûtait trop cher. Je ne voulais plus investir tout mon argent dans une voiture, comme je le faisais !

— Je comprends, lui répond Alexandra avec un léger sourire pour le rassurer.

Alexandra accorde peu d'importance au genre de voiture que possèdent ses prétendants. Tant qu'elle possède sa propre voiture dont elle est fière, les autres peuvent conduire les véhicules qui leur plaisent et jamais elle ne sera gênée d'en être la passagère non plus. Elle n'est pas ce genre de fille. Il est vrai qu'elle aime les belles voitures et les voitures rapides, mais elle ne choisirait jamais un homme en fonction de ses biens ou de ses avoirs.

Ils partent donc en voiture, en direction du pub irlandais où ils doivent rejoindre les amis de Pascal, à Ottawa.

Décidément, depuis un certain temps, elle sort souvent à Ottawa ! Cela ne la dérange toutefois aucunement.

Pascal profite de la balade pour faire jouer un peu de musique punk. Il commente les différents groupes qui jouent sur son lecteur MP3, car il les a tous vus en spectacle au moins une fois.

— Ce groupe était sensationnel en spectacle ! Tu aurais dû les voir… et il y avait une de ces ambiances dans la place… c'était débile ! s'exclame Pascal lorsqu'une des chansons se met à jouer.

— Écoute ça, leur chanson est trop géniale, ajoute-t-il.

Puis il monte le son. Alexandra se contente de sourire. Comme elle n'aime pas vraiment ce style musical, elle ne trouve rien à dire. Elle constate à quel point il est vraiment un passionné de musique punk.

Lorsqu'ils arrivent au pub, Pascal jette un coup d'œil rapide pour trouver ses amis. Cela ne devrait pas être trop difficile, car le bar est très petit.

En effet, quelques secondes plus tard, il les aperçoit. Ils sont assis autour des tables, à l'autre bout du bar. Il prend alors la main d'Alexandra spontanément, et aussi pour s'assurer qu'il ne va pas la perdre en chemin, puis il se dirige vers eux.

Cela ne gêne pas du tout Alexandra qu'il lui tienne la main, bien au contraire, elle trouve que cela est une belle marque d'affection et une délicate attention.

— Hey, hey ! Comment allez-vous ! s'exclame Pascal à son groupe d'amis.

— Hey ! Bien, et toi ? répondent certains d'entre eux.

Puis Alexandra et Pascal s'assoient l'un à côté de l'autre et Pascal fait les présentations.

— Je vous présente Alexandra ! Alexandra, voici Jason, David, Sabrina, Simon…

Il continue ainsi de la présenter au groupe. Il y a environ une dizaine de personnes en tout, dont quelques couples.

Alexandra constate qu'il semble avoir un bon groupe d'amis. De toute évidence, ils aiment rigoler et avoir du plaisir autour d'un verre de bière, ce qui fait bien rire Alexandra et la divertit.

Alexandra ne se mêle toutefois pas beaucoup aux conversations parce qu'ils parlent beaucoup de musique. De toute façon, elle aurait du mal à placer un mot, puisque les conversations partent dans tous les sens, mais cela lui convient, car elle préfère être observatrice ce soir. Ils ont tout de même de bons sujets de conversations et sont intéressants à écouter.

Pascal semble lui aussi bien s'amuser, ce qui est quand même normal, puisqu'il s'agit de ses amis. Il lui demande de temps à autre :

— Est-ce que ça va ?

— Très bien, merci.

— Veux-tu quelque chose ? Un autre verre ?

— Non, je te remercie. Ça va pour le moment… mais merci de le demander !

Puis elle lui sourit, pour lui montrer sa sincérité.

— Si jamais tu t'ennuies et que tu veux partir, tu me le dis hein ?

— D'accord ! Merci !

Ils restent au pub pendant un peu plus de trois heures, puis ils décident de partir. Alexandra doit avouer qu'elle commençait à être fatiguée d'être assise sur sa chaise de bois qui n'est pas des plus confortables.

— Est-ce que tu veux que je te reconduise chez toi ou veux-tu faire quelque chose d'autre avant ?

— Je ne sais pas, que voudrais-tu faire ?

— Euh, je ne sais pas trop là, c'est comme tu veux, je suis ouvert aux suggestions.

Alexandra pense à ce qu'ils pourraient bien faire à cette heure-ci et n'a pas vraiment d'idée. Pascal n'a pas vraiment de suggestions lui non plus, alors elle lui dit qu'elle aimerait bien rentrer chez elle.

— Aucun problème ! On se reprendra une autre fois ! dit Pascal.

Ils embarquent ensuite dans sa voiture, puis il la raccompagne chez elle.

Le voyage du retour se fait un peu plus silencieux cette fois. Ils n'ont pas beaucoup de choses à se dire et sa musique punk joue toujours. Alexandra sourit de temps à autre, en voyant Pascal chanter au son de la musique. De toute évidence, il adore ce style musical ! Elle trouve comique et mignon de le voir chanter et bouger sur le rythme des différentes chansons. Il les connaît toutes par cœur.

En arrivant chez elle, il stationne sa voiture.

— Bon bien, bonne nuit ! lui dit Alexandra.

— Attends, je vais au moins aller te reconduire jusqu'à ta porte ! propose Pascal.

— Ah, O.K. C'est gentil ! lui répond-elle surprise par son offre.

Elle trouve que c'est un geste gentil de sa part, même si cela la rend un peu nerveuse. Elle se demande quelles sont ses intentions, car elle n'est pas certaine que celles-ci sont régies seulement par la galanterie.

Lorsqu'elle se trouve devant chez elle, elle déverrouille sa porte d'appartement, avec Pascal à ses côtés. Elle se tourne ensuite pour lui souhaiter une bonne nuit, en évitant de trop le regarder dans les yeux. Elle veut à tout prix éviter son regard, car elle ne tient pas à l'encourager à vouloir entrer.

— Bon bien, bonne nuit ! lui dit Alexandra, en se tournant vers la porte de son appartement, prête à entrer.

— Bonne nuit ! lui répond Pascal, sans toutefois bouger de l'endroit où il se trouve.

Alexandra se retourne, par curiosité, et surtout par réflexe, pour voir ce qu'il fait. Il fait un pas vers elle, glisse sa main le long de son visage et l'embrasse. Alexandra, un peu par automatisme et en même temps surprise, répond à son baiser. Tout se fait très naturellement. Ils s'embrassent pendant environ dix secondes, puis il commence à la faire reculer vers l'intérieur de son appartement, tout doucement. Alexandra cesse de l'embrasser et pose sa main sur ses pectoraux pour lui faire signe d'arrêter d'avancer.

Pascal la regarde, l'air un peu surpris.

— Qu'y a-t-il ? lui demande Pascal confus.

— Eh bien…je ne veux pas que les choses aillent trop vite entre nous. Je veux prendre le temps de mieux te connaître, avant que les choses aillent plus loin, tu comprends ?

Elle n'arrive pas à savoir ce que le regard de Pascal veut dire. Elle se demande s'il en est choqué ou s'il comprend, mais il lui répond quand même qu'il n'y a pas de problème.

— Aucun problème… bonsoir ! Je t'appelle demain !

Puis il repart vers sa voiture.

— D'accord, à demain ! lui lance Alexandra.

Elle referme immédiatement la porte derrière elle et verrouille à clé. Elle a l'estomac de nouveau à l'envers. Elle déteste ce genre de situation. Elle n'aime pas avoir eu à refuser ses avances, mais il allait beaucoup trop vite en affaires pour elle ! Elle ne veut pas foncer dans une relation tête baissée. Elle tient vraiment à mieux le connaître et qu'ils s'apprivoisent davantage avant que les choses évoluent dans ce sens. Elle veut aussi sortir avec lui, si elle juge qu'ils sont compatibles. Après cela, il sera toujours temps d'avoir des relations sexuelles s'il le veut, mais pas avant ! Sur cette pensée, elle se dirige tranquillement dans le noir, vers sa chambre, puis met de la musique pour se détendre et s'aider à s'endormir.

Le lendemain après-midi, tel que promis, Pascal lui donne un coup de fil.

— Bonjour ! Ça va ? lui demande-t-il.

— Très bien et toi ?

— Moi aussi, très bien ! Je me demandais, as-tu envie d'aller faire quelques parties de billards, à un endroit qui se nomme Le Terminus ?

— Wow ! C'est drôle que tu suggères cet endroit, parce que c'est celui que je préfère dans la région pour jouer au billard !

— Alors, je prends ça comme un oui ?

— Absolument !

Elle se sent un peu mal à l'aise à cause d'hier, mais elle se dit qu'il n'a quand même pas fait une erreur capitale, qu'elle ne doit pas refuser de le voir pour cela. Il était attiré par elle et il a tenté de la séduire. Elle se dit que c'était un réflexe plutôt normal, surtout pour un homme. De plus, elle doit le rencontrer dans un endroit public, elle va avoir sa voiture et elle aime bien jouer au billard, alors, quel est le risque ? se dit-elle.

— Vers quelle heure veux-tu y aller ? s'enquiert Alexandra.

— J'ai pensé à dix-neuf heures trente. Qu'en dis-tu ?

— C'est parfait pour moi ! Alors, je te vois là-bas ! À tantôt !

— Oui, à tantôt ! répond Pascal en raccrochant.

En plus d'aimer le billard, Alexandra s'y débrouille plutôt bien. Elle a aussi hâte de voir comment sera Pascal avec elle ce soir. Elle se dit qu'au moins l'atmosphère du Terminus est agréable, alors ils devraient avoir du plaisir.

Vers dix-huit heures, elle commence à se préparer pour sa soirée. Comme le trajet jusqu'au Terminus ne prend que dix à quinze minutes, elle a suffisamment de temps pour se préparer. Elle choisit un style assez simple. Elle veut être jolie, sans nécessairement le séduire. Elle met sa paire de pantalon noir un peu ajusté, style cargo, et un chandail blanc en coton à manches trois quarts, avec une encolure en « V » qui n'est pas trop décolletée.

Vers dix-neuf heures quinze, elle saute dans sa voiture pour se rendre au Terminus. Elle part à la dernière minute, car elle ne veut pas l'attendre seule devant l'endroit pendant trop longtemps. Elle a l'habitude d'arriver toujours cinq à dix minutes d'avance à ses rendez-vous et, comme la plupart des gens ne sont pas très ponctuels, elle attend souvent pendant une quinzaine de minutes, ce qu'elle n'apprécie pas tellement.

Elle arrive devant le Terminus deux minutes à l'avance ! Elle remarque cependant que Pascal est déjà devant l'entrée. Ils se disent bonjour, se font l'accolade, et entrent à l'intérieur.

— Une table de billard s.v.p. ! demande Pascal à l'employé responsable d'attitrer les tables.

— Oui, voici les boules ! Vous avez la table numéro 15, au fond là-bas, près des fenêtres, leur indique l'employé d'une voix très sympathique.

— Merci beaucoup ! ajoute Alexandra avec le sourire.

Puis ils se dirigent tous deux vers la table qui leur a été attitrée. Alexandra aime bien d'ailleurs l'emplacement de leur table dans le fond de la place et près des fenêtres. De cette façon, il y a moins de gens autour d'eux, donc il est plus facile de jouer et les discussions sont ainsi plus privées.

— C'est cool, nous avons une bonne table !

— Oui, c'est vrai. On est pas mal gâtés, ajoute Pascal sur un ton plus sérieux qu'à l'habitude.

Ils commencent ensuite une première partie de billard et discutent en même temps. Alexandra trouve l'attitude de Pascal un peu différente aujourd'hui. Il est un peu plus froid, plus tranquille, plus distant qu'à l'habitude et il parle régulièrement de son ex-copine, Tania. Alexandra décide alors de lui demander ce qui n'a pas fonctionné entre eux.

— Pourquoi as-tu rompu au juste ? Qu'est-ce qui n'allait pas entre vous ?

— Je n'arrivais tout simplement plus à lui faire confiance.

— Ah, c'est dommage ! répond Alexandra. La confiance est primordiale dans un couple à mon avis.

— Oui, exactement ! Tania est une très belle femme, elle réussit bien, elle a sa propre maison et tout... c'est vraiment une femme intelligente, mais notre relation ne fonctionnait plus, car elle a trahie ma confiance !

— Ah, c'est dommage... dit à nouveau Alexandra ne sachant trop que répondre d'autre.

— Et comme tu l'as dit, une relation sans la confiance ne peut pas fonctionner ! Elle a voulu ce qu'il lui arrive ! ajoute Pascal.

Il est maintenant clair pour Alexandra que Pascal ne s'est pas encore remis de cette séparation ! Elle a rarement dans le passé entendu un homme parler de son ex de la sorte ! À vrai dire, les hommes qu'elle a fréquentés n'ont pratiquement jamais parlé de leur ex-amie, ce qui était aussi bien, en conclut Alexandra !

Plus la soirée avance, plus elle est convaincue qu'il a encore des sentiments pour son ancienne copine, Tania, et qu'il y a des risques qu'il retourne avec elle. Il met son ex-copine sur un piédestal, ce qui n'est pas bon signe aux yeux d'Alexandra. Elle veut en avoir le cœur net et elle décide de lui en parler. Elle ne sait pas trop comment aborder le sujet, puis elle décide d'y aller avec une approche directe.

— Pardonne-moi, mais je vais être directe, parce que je ne sais pas comment te le demander autrement…

— Pas de problème ! J'apprécie l'honnêteté et la franchise chez une personne ! répond Pascal.

— Est-ce que tout est bel et bien terminé avec Tania ?

L'air surpris par sa question, il lui répond :

— Bien évidemment ! Je n'ai vraiment pas l'intention de retourner avec elle un jour ! Ma relation avec elle est bel et bien terminée et puis ça n'a jamais vraiment bien fonctionné entre nous de toute façon… nous n'arrêtions pas de rompre et de reprendre, alors tu n'as pas à t'inquiéter à ce sujet-là ! lui dit-il en souriant pour la convaincre.

— Si tu le dis ! ajoute Alexandra.

— Oui, tout est bien fini entre elle et moi ! insiste-t-il

Étrangement, ses paroles ne rassurent pas du tout Alexandra. Elle réalise trop bien qu'il y a de fortes chances qu'il retourne avec Tania, même s'il ne semble pas en être conscient pour le moment. Elle trouve que la façon qu'il a de parler d'elle en dit long. Alexandra n'aime pas la possibilité qu'il puisse la laisser et décider de retourner avec son ex dès que quelque chose ira moins bien entre eux, par exemple.

Elle ne sait trop comment réagir. Devrait-elle faire semblant qu'elle le croit? Elle affiche un sourire forcé quand Pascal la regarde plus intensément. Elle ne veut pas qu'il se doute de ce qu'elle pense en ce moment. Elle fait semblant, tant bien que mal, que tout va bien, mais en réalité, c'est très loin d'être le cas. Elle ne va pas bien du tout. Elle a enfin trouvé un homme qui lui plaît, mais elle n'est pas certaine de vouloir courir le risque qu'il lui brise le cœur.

Ils jouent deux ou trois autres parties de billard après cela, puis décident ensuite de partir.

— Je commence à être fatigué de jouer, avoue Pascal.

— Oui, moi aussi. Nous pouvons arrêter, j'ai assez joué moi aussi pour ce soir!

— D'accord. Je vais rapporter les boules de billard et régler la facture.

— Mais non, je peux payer! C'est à mon tour! insiste Alexandra.

— D'accord, c'est comme tu veux… moi ça me dérange pas du tout de payer encore si tu veux!

— C'est gentil, mais j'insiste.

Alexandra règle donc la facture de billard. Avec toutes les sorties que Pascal lui a payées et aussi à cause de la discussion qu'ils ont eue un peu plus tôt au sujet de Tania, elle tenait absolument à payer. De plus, elle ne veut pas trop profiter de sa générosité.

Pascal la reconduit ensuite jusqu'à sa voiture. Il lui demande en chemin :

— Est-ce que tout va bien ?

Alexandra ment, contrairement à son habitude, et lui répond :

— Oui, tout va bien, merci ! lui dit-elle en se forçant pour lui faire un sourire.

— Alexandra, je vois bien que quelque chose te dérange… tu es plus distante tout à coup et surtout très songeuse. Qu'est-ce qui ne va pas ?

— Bien, puisque tu insistes, je t'avouerai que j'ai peur que tu retournes avec ta Tania et j'ai un peu peur de m'engager dans une relation sachant que tu risques de me laisser pour retourner avec elle.

Pascal semble frustré par ce qu'Alexandra vient de lui dire et il lui répond, d'un ton sec :

— Eh bien, tu as tort de penser ainsi !

Alexandra est très mal à l'aise face à sa réaction. Elle ne pensait pas le choquer et se dit qu'après tout, c'est lui qui a insisté pour savoir à quoi elle songeait !

Pascal ne semble pas vouloir en discuter davantage, tout au moins pas pour le moment. Il lui souhaite une bonne fin de soirée, sans lui faire une accolade cette fois-ci et se dirige vers son véhicule, d'un pas décidé.

Arrivée chez elle, Alexandra s'étend sur son lit et repense à ce qui vient de se passer. Elle ne sait trop quoi penser de cette soirée. Elle revoit tout ce qui s'est passé entre eux depuis la dernière semaine et en conclut que c'est probablement mieux ainsi. Elle se dit qu'ils ne sont probablement pas faits pour être ensemble après tout, et qu'elle ne désire pas être avec un homme au caractère explosif. Déçue et triste que les choses aient pris une telle tournure, une larme coule sur ses yeux. Elle aurait bien aimé que cela fonctionne entre eux. Elle se demande si Pascal va la rappeler. Peut-être qu'il ne désire plus du tout la revoir à présent.

La semaine se déroule comme à l'habitude pour Alexandra et elle ne reçoit aucune nouvelle de Pascal. Elle n'est cependant pas vraiment surprise qu'il ne l'appelle pas, surtout après la façon dont il a réagi à leur soirée de billard.

La fin de semaine qui suit, Alexandra décide tout de même d'envoyer un message à Benoît et Sonia, le couple de jeunes mariés, pour tenter d'en savoir plus. Dans ce message, elle leur demande des nouvelles de Pascal, en prétextant une simple curiosité. Ce que lui répond Sonia surprend énormément Alexandra, même si elle ne devrait pas être surprise puisqu'elle l'avait prédit.

Sonia lui annonce que Pascal est retourné avec Tania, son ancienne copine, pas plus tard que mardi passé. Il n'a pas perdu de temps avant d'aller se jeter dans ses bras! pense immédiatement Alexandra.

Ce qui la surprend n'est pas tant le fait qu'ils soient de nouveau ensemble, mais bien qu'il soit retourné avec elle, à peine quelques jours après leur dernier rendez-vous. Quelques jours après qu'il se soit fâché parce qu'elle a osé douter de sa parole quand il lui avait dit que tout était fini entre Tania et lui. Elle trouve cette réaction étrange pour un homme qui était certain de ne plus avoir de sentiments pour son ex-amie. Elle se dit aussi qu'elle a bien fait de se fier à ses intuitions et de se méfier.

Alexandra se sent tout à coup très triste. Des larmes lui montent aux yeux. Elle est à la fois triste, frustrée, choquée et déçue. Elle ne peut s'empêcher de penser que les hommes sont bien tous pareils, des sans-cœurs ! Elle en a assez qu'ils jouent avec ses sentiments comme ils le font ! Elle se jure à elle-même qu'elle n'est pas près d'avoir un autre rendez-vous amoureux, elle en est d'ailleurs intimement convaincue.

Alexandra se remémore à nouveau toutes ses relations amoureuses précédentes, les larmes aux yeux. Elle n'a jamais été chanceuse en amour. Elle se rappelle les deux petits amis qu'elle a eus quand elle avait dix-huit ans. Ils l'ont tous les deux trompée pendant qu'elle avait le dos tourné, ce qu'elle avait très mal pris à l'époque. Le premier de ses deux petits amis l'avait trompée deux fois pendant qu'elle visitait ses parents au cours d'une semaine, alors qu'ils ne sortaient ensemble que depuis deux mois. Elle avait attendu tout ce temps avant de faire l'amour avec lui parce qu'elle avait peur qu'il la quitte dès qu'ils auraient couché ensemble. Elle était incapable de lui faire totalement confiance.

Elle avait tout de suite eu des soupçons quand elle était revenue de son séjour chez ses parents. Elle ne l'avait pas vu depuis une semaine et s'était beaucoup ennuyée de lui. Ce voyage lui avait fait réaliser qu'elle tenait à lui, beaucoup plus qu'elle le croyait. Elle avait même acheté un paquet de condoms, pendant le trajet du retour, car elle se sentait enfin prête. Elle avait commencé à avoir des soupçons lorsqu'ils s'étaient couchés, l'un à côté de l'autre, et qu'il avait repoussé ses avances. Il avait prétexté qu'il voulait dormir, lorsqu'elle avait commencé à le coller et à lui donner des becs dans le cou. C'est précisément à ce moment qu'elle avait réalisé que quelque chose n'allait pas. Normalement, c'est lui qui aurait commencé à lui faire des avances et elle qui l'aurait arrêté, avant que les choses n'aillent plus loin entre eux et non l'inverse... jamais l'inverse. Quelques jours plus tard, alors qu'elle discutait avec des amis, elle avait eu la confirmation de ses soupçons. Ses amis avaient fini par lui avouer que ses intuitions étaient justes, et que son petit ami, qui avait fait une fête chez lui, l'avait trompée pendant son absence.

Son deuxième copain l'avait trompée après seulement deux semaines de fréquentation, un record. Il trouvait, apparemment, qu'elle prenait trop de temps avant de se décider à avoir des rapports sexuels avec lui. Alexandra en était restée bouche bée. Elle ne croyait pas que quelqu'un pouvait réellement agir de la sorte et être aussi stupide. Fort heureusement, elle n'avait pas eu le temps de s'attacher à lui, certes, mais son attitude l'avait néanmoins beaucoup blessée malgré tout. De plus, en agissant de la sorte, il ne l'avait en rien aidé à faire confiance aux hommes.

Ces deux événements s'étaient produits à seulement deux mois d'intervalle. Après ces deux incidents, Alexandra était restée célibataire pendant plus d'une année. Elle ne faisait plus confiance aux hommes et ne voulait plus s'engager. Elle préférait minimiser les risques que cela se reproduise et attendre que les hommes mûrissent. Elle ne se sentait pas prête à accorder sa confiance à un homme à nouveau. Elle était convaincue que les hommes de son âge étaient tous pareils, et était alors persuadée qu'ils ne pensaient tous qu'au sexe et étaient incapables d'être fidèles, alors elle préférait s'abstenir de les fréquenter.

À cette époque, elle songeait aussi à fréquenter des hommes plus âgés qu'elle de quelques années, mais malheureusement les hommes plus âgés ne l'intéressaient pas et ne l'attiraient pas non plus. Elle était probablement un peu intimidée par la différence d'âge et surtout par le fait qu'elle en connaissait moins sur la vie qu'eux. De ce fait, elle pouvait donc moins bien deviner ce qu'ils voulaient et pensaient, ce qui l'insécurisait beaucoup.

Par la suite, elle avait rencontré un homme avec lequel elle croyait qu'elle pourrait passer le restant de ses jours, mais pour une raison qu'elle ignore encore, ce ne fut pas le cas. Au cours des premiers deux mois de leur relation, tout allait à merveille entre eux. Ils étaient constamment ensemble à faire des activités très intéressantes avec des amis ou d'autres couples ou ils restaient tout simplement tranquilles, à se coller, à s'embrasser et à se caresser. Alexandra trouvait de plus qu'il était un très bon amant. Il était tellement délicat et passionné, elle ne pouvait qu'en redemander. Elle était vraiment contente d'avoir attendu de sortir avec un homme comme lui avant de faire l'amour pour la première fois. Il était très à l'écoute et semblait deviner ses moindre désirs secrets. Il pouvait aussi passer des heures à la tenir contre lui, à caresser délicatement ses bras, son visage, à lui donner des baisers dans le coup ou sur son front et à lui jouer tendrement dans les cheveux. Elle n'avait jamais pensé vivre des moments aussi beaux, aussi romantiques et magiques avec un homme ! Elle était comblée !

Peu de temps après leur anniversaire de deux mois de fréquentation, alors qu'elle était manifestement toujours follement amoureuse de lui, il trouvait des prétextes pour la voir de moins en moins souvent, ce qu'elle avait beaucoup de difficulté à accepter et à comprendre, puisque pour elle, ils étaient le couple parfait. Il s'éloignait de plus en plus d'elle et elle ignorait complètement pourquoi. Elle voyait bien que quelque chose n'allait pas, qu'elle était en train de le perdre, mais il continuait à nier et à la rassurer en lui disant qu'il l'aimait et que tout allait bien, cela en la regardant dans les yeux. Il semblait si sincère qu'Alexandra ne pouvait que le croire.

Lorsqu'il était à ses côtés, il paraissait l'homme le plus heureux et le plus amoureux sur la terre. Il semblait vraiment très bien avec elle et elle était au septième ciel avec lui. Elle se sentait aimée et en sécurité lorsqu'elle se retrouvait dans ses bras. Elle ne pouvait toutefois s'empêcher d'être triste, car dès qu'il la reconduisait chez elle, il semblait ne plus désirer la revoir. Il n'avait plus de temps pour elle et trouvait des prétextes afin de ne pas aller la voir ou de venir la chercher. Elle serait bien allée le rejoindre, mais elle n'avait malheureusement pas de véhicule à ce moment et demeurait à la campagne, alors elle ne pouvait pas se déplacer comme bon lui semblait.

À cette période, il pouvait se passer une semaine avant qu'il vienne la voir, et elle devait insister pour enfin réussir à passer du temps avec lui, parce qu'il préférait aller voir son meilleur ami plutôt que de passer du temps avec elle. Alexandra en avait le cœur déchiré chaque fois. Plus le temps passait, plus les visites de son amoureux se distançaient. Cependant, dès lors qu'il venait la chercher, il semblait à nouveau très amoureux et très heureux d'être avec elle. Alexandra n'y comprenait plus rien.

Un jour, elle en eut assez de sentir qu'un mur les séparait et qu'elle était obligée de le supplier pour qu'il s'occupe d'elle. Elle prit alors son courage à deux mains et rompit, après environ cinq mois de fréquentation. Elle eut beaucoup de difficulté à le quitter, car elle en était toujours très amoureuse, mais elle sentait bien que cela n'était pas réciproque. Elle avait l'intuition qu'il avait commencé à regarder autour et que dès qu'il aurait trouvé une autre femme, il la quitterait pour sa nouvelle conquête, comme il l'avait déjà fait dans le passé.

Deux jours seulement après cette rupture, alors que l'idée de retourner avec lui la hantait, elle apprit qu'il sortait déjà avec une autre femme. Alexandra connaissait cette femme et ne l'aimait pas, car celle-ci avait un très mauvais caractère et une attitude extrêmement négative la plupart du temps. Cela fut un autre grand choc pour Alexandra. Elle n'aurait jamais pensé être remplacée aussi rapidement. Comme elle l'aimait toujours, cela l'avait très blessée. De plus, elle avait toujours douté d'avoir eu raison de le quitter et avait songé très sérieusement à retourner avec lui.

Environ quatre mois plus tard, alors qu'elle trouvait qu'il était encore un peu tôt pour s'engager dans une nouvelle relation amoureuse, elle avait rencontré Joshua. Tout un palmarès amoureux !

En fin de semaine aura lieu la première course de la saison à Luskville. En tant normal, Alexandra aurait été très excitée et enthousiaste à cette idée, mais ce n'était pas le cas cette fois-ci.

Normalement, elle aime ces courses parce qu'il y a plein de gens, que la bonne humeur règne et qu'il fait généralement très beau, mais pas trop chaud comme en plein cœur de l'été. Les hommes sont gonflés à bloc et fiers de leur voiture, ce qui est un spectacle agréable. De plus, c'est l'occasion pour elle de revoir des connaissances qu'elle n'a pas vues depuis des mois. Cela veut aussi dire qu'elle sera entourée d'hommes, si elle décide d'y aller. En temps ordinaire, cela ne l'aurait pas dérangé, mais cette semaine, c'est bien la dernière chose dont elle a envie !

C'est pour cette raison qu'elle choisit de ne pas aller à l'ouverture de la piste de un quart de milles à Luskville et de rester tranquille chez elle. Elle se dit qu'elle aura bien le temps d'y aller plus tard dans la saison, quand elle sera de meilleure humeur et d'une compagnie plus agréable !

Chapitre 6

Un mois s'est écoulé depuis qu'elle a appris que Pascal sortait de nouveau avec Tania et Alexandra se sent un peu mieux. Elle a passé le dernier mois tranquille chez elle. Ses parents ont été un bon soutien moral pendant cette période. Malgré le fait qu'elle n'avait pas vraiment le goût de voir des gens, la présence de ses parents lui a fait du bien. Elle n'avait pas le moral ni envie de sortir et se disait que de toute façon, c'était très bien pour son portefeuille aussi.

Elle a commencé à mettre, chaque mois, de l'argent de côté dans un compte épargne, dans le but de s'acheter une jolie maison, d'ici un an ou deux. C'est vrai qu'elle est encore jeune, elle n'a que vingt-quatre ans, mais elle désire posséder une maison depuis déjà plusieurs années. Alors, le fait de ne plus sortir pendant quelque temps lui permet d'en mettre davantage de côté, afin de réaliser son projet.

Elle se dit souvent que lorsqu'elle va avoir sa belle maison et sa belle voiture sport dans son stationnement elle va être très heureuse. Elle sait toutefois très bien que ce petit bonheur ne durera pas très longtemps, qu'il s'agit d'un bonheur matériel et éphémère. Cela devrait tout de même lui apporter un peu de bonheur, le temps qu'elle trouve son homme.

Elle sait très bien que ce dont elle a réellement besoin, c'est d'un homme qui va l'aimer sincèrement et prendre soin d'elle. Il est cependant bien difficile à trouver cet homme. Elle veut pouvoir se donner corps et âme dans cette relation, sans avoir peur de le perdre et surtout sans avoir peur qu'il ne la blesse, comme plusieurs l'ont fait dans le passé.

Elle s'interroge souvent et se pose beaucoup de questions. Pourquoi une femme comme elle, si généreuse et qui a tant à offrir, n'arrive-t-elle pas à trouver la personne qui lui convient ? Elle ne comprend pas comment certaines personnes peuvent trouver l'amour si vite, alors que d'autres le cherchent pendant si longtemps.

Le mois passé, Alexandra a loué plusieurs films d'amour, ce qui ne l'a pas aidée à retrouver le moral et la rendre à nouveau positive. Elle louait des films comme Le prince et moi. Elle adore ce genre de films remplis d'histoires d'amour et de romantisme. Cela la faisait rêver et lui redonnait momentanément espoir qu'elle allait, elle aussi, trouver le grand amour.

En effet, aussitôt le film terminé, elle se remémorait les plus beaux passages et se demandait si ce genre d'amour existait vraiment dans la vraie vie, ce qui la déprimait davantage. Alexandra est comme cela, quand elle est triste, elle choisit souvent des chansons d'amour très tristes, ce qui l'aide à faire passer sa tristesse. Elle écoute des chansons tristes, pleure et déprime un bon petit coup, et elle se sent généralement beaucoup mieux le lendemain.

Alexandra n'aime pas être déprimée ou déprimante, c'est pourquoi elle se terre généralement chez elle quand son humeur n'est pas très bonne. Elle ne sort que lorsqu'elle se sent mieux et qu'elle a retrouvé sa joie de vivre. Ce qui est maintenant le cas.

Elle a été tranquille pendant plus d'un mois, maintenant elle est prête à sortir et à s'amuser ! Elle a le goût de charmer et de se faire séduire, mais elle ne recherche rien de sérieux. Elle ne se sent pas encore assez forte émotionnellement pour bâtir une relation sérieuse en ce moment.

Elle décide donc de décrocher le téléphone et d'appeler Chloé, sa meilleure amie, pour prendre de ses nouvelles et pour organiser une de leurs fameuses sorties de filles, ce dont elle a précisément besoin en ce moment !

— Bonjour Chloé ! Comment vas-tu ?

— Je vais très bien et toi ?

— Je vais beaucoup mieux merci. Justement, que dirais-tu de faire une bonne sortie entre filles en fin de semaine ?

— Je crois que ça peut se faire oui et ça va te faire le plus grand bien ma belle de sortir un peu ! Que penses-tu de ce vendredi ?

— Vendredi… c'est parfait ! s'exclame Alexandra enthousiaste à cette idée.

— J'appelle les filles pour organiser une bonne petite virée dans les bars ! ajoute Chloé pour encourager Alexandra.

— Tu es géniale Chloé !

L'attitude de Chloé réconforte Alexandra. Elle peut toujours compter sur elle dans les moments difficiles et elle l'apprécie beaucoup.

Chloé est évidemment au courant de ce qui s'est passé entre Alexandra et Pascal. Alexandra lui avait rendu visite quelques jours plus tard, afin de lui raconter ce qui venait de se passer.

Chloé sait d'ailleurs toujours comment lui remonter le moral. Il faut dire que cette amitié est réciproque. Alexandra est elle aussi toujours là pour elle, lorsqu'elle en a besoin, ce qui est selon elle la définition d'une vraie amitié.

Deux jours plus tard, Alexandra constate qu'elle avait bien raison d'être optimiste, car elle vient tout juste de recevoir un courriel de Chloé, qui lui confirme une sortie au Whiskey bar demain, vendredi. Le courriel précise qu'elles doivent être à l'entrée du bar à vingt et une heures trente, afin d'éviter une file d'attente. Alexandra lui répond qu'elle y sera sans faute à l'heure convenue.

Comme cela fait un bon moment qu'elles n'ont pas fait ce genre de sortie, Alexandra est très excitée. La soirée promet d'être intéressante et amusante. Elles ne passeront probablement pas inaperçues non plus, ce qui est parfait. Quatre ou cinq belles femmes habillées et coiffées pour plaire ont tendance à attirer l'attention des hommes autour, tout particulièrement dans un bar !

Alexandra décide de se coucher tôt, afin d'être en forme demain. Sa journée de travail n'a pas été trop chargée aujourd'hui et elle prévoit aussi une autre journée tranquille demain, mais elle veut tout de même se coucher de bonne heure pour être en forme à leur soirée. Elle se couche donc peu avant dix heures.

Le lendemain matin, Alexandra prend l'autobus pour se rendre au travail, comme à l'habitude. Elle avait bien raison, sa journée est assez tranquille. Elle en profite pour naviguer sur le Web un peu. Elle envoie également quelques courriels à Chloé, afin de s'assurer que les plans de ce soir n'ont pas changé. Chloé confirme l'heure du rendez-vous au Whiskey Bar.

Alexandra termine sa journée de travail et rentre chez elle. Elle commence tout de suite à regarder ce qu'elle va porter ce soir. Elle veut quelque chose de sexy qui ne soit pas trop provocant.

Elle essaie plusieurs combinaisons de vêtements, comme à l'habitude, pour finalement choisir un pantalon noir qui épouse particulièrement bien les courbes de son corps et qui tombe en s'élargissant un peu vers le bas. Elle assortit celui-ci d'un chandail blanc plutôt moulant, qui s'attache avec un délicat nœud sur son épaule droite, ce qui fait retomber un morceau de la bretelle sur un côté et le deuxième morceau de l'autre comme de délicates voiles. Ce chandail passe aussi sous son bras gauche, épousant ainsi les courbes de sa poitrine, pour finir en pointe sur sa cuisse gauche, environ à moitié chemin entre son genou et sa hanche. Cet ensemble lui donne du style et lui va à ravir. Les hommes en général aiment bien ce chandail qui en montre juste assez, mais qui laisse aussi place à l'imagination, ainsi que ce pantalon qui s'agence merveilleusement bien avec celui-ci.

Alexandra a bien l'intention de briser des cœurs ce soir ! Elle veut danser, s'amuser et flirter un peu aussi. Après tout, se dit-elle, c'est à cela que servent les bars et les sorties entre filles !

Juste avant l'heure du rendez-vous, Alexandra arrive au stationnement payant situé à quelques pas seulement du Whiskey Bar et se dirige vers l'entrée, afin d'y rejoindre ses amies. Elle est la première arrivée sur les lieux et, heureusement, il n'y a pas encore de file d'attente. Elle s'accote légèrement le dos le long du mur de brique extérieur du bar et attend Chloé et ses amies, tel que convenu.

Environ cinq minutes plus tard, Chloé et deux de ses amies arrivent.

— Bonjour les filles ! leur lance Alexandra.

— Bonjour Alexandra ! Es-tu là depuis longtemps ? lui demande Chloé.

— Non, je suis arrivée il y a cinq minutes ! Prêtes à entrer ? leur demande-t-elle.

— Oh oui ! répondent-elles.

— Après toi ! s'exclame Chloé en montrant l'entrée à Alexandra.

Elles entrent dans le bar. Elles sont chanceuses, car étant donné qu'elles sont arrivées très tôt, l'entrée est libre. Elles montent donc directement l'escalier pour se rendre au bar.

Arrivées en haut, elles constatent que l'endroit est assez tranquille pour le moment. Il est encore relativement tôt, mais elles savent que d'ici vingt-deux heures trente, le bar devrait être presque plein.

Les filles se dirigent vers le bar principal pour commander quelque chose à boire. Elles se regardent toutes avec un air complice, lorsqu'elles aperçoivent l'homme qui sert les cocktails, derrière le bar.

— As-tu vu le mec derrière le bar ! s'exclame Nancy en apercevant le barman.

— Oh oui ! s'exclame Alexandra. Il est plutôt difficile à manquer ! ajoute-t-elle en se tournant vers les filles.

Il mesure environ cinq pieds et dix pouces, il a les cheveux brun foncé, coiffés en brosse à l'aide de gel et il porte un chandail à manches courtes ajusté noir, qui met en valeur ses biceps très musclés. Le logo et le nom du bar, dessiné en blanc, sont imprimés sur son chandail. Les filles ne manquent pas de remarquer aussi qu'il a de jolis tatous sur le haut de ses bras et qu'il est très bien bâti, ce qu'elles trouvent très excitant.

— J'adore les tatous ! ajoute Cathy en le dévisageant.

Elles trouvent de toute évidence qu'il est vraiment sexy. Il n'a peut-être pas entendu leurs commentaires, mais il a certes remarqué qu'elles ont les yeux rivés sur lui depuis plusieurs secondes déjà, ce qui ne semble pas du tout lui déplaire.

En s'approchant du bar, Alexandra remarque aussi qu'il a un regard très charmeur derrière ses beaux yeux verts ! Il doit recevoir beaucoup de pourboire et surtout beaucoup de numéros de téléphone chaque soir, c'est certain ! se dit-elle.

Néanmoins, les filles lui font leur plus beau sourire et ne peuvent s'empêcher de flirter un peu avec lui, lorsqu'elles commandent leur boisson.

Il n'est pas le genre d'homme qu'Alexandra voudrait comme petit ami, mais elle aimerait bien malgré tout avoir son attention le temps d'une soirée. Elle le trouve très agréable à regarder et constate qu'il a beaucoup de charme. D'ailleurs, toutes les filles qui accompagnent Alexandra ce soir sont d'accord sur ce point.

C'est maintenant au tour d'Alexandra de commander son verre.

— Que veux-tu boire *darling* ? lui demande-t-il en anglais, puisqu'ils sont à Ottawa.

Il lui demande cette simple question d'un regard confiant et séducteur qui la fait fondre sur place.

— Euh… je vais prendre un « Sex on the Beach », lui répond-elle un peu déstabilisée.

— Un « Sex on the beach » hein ? lui demande-t-il avec un petit sourire en coin. Je t'apporte ça tout de suite !

Les filles pouffent de rire !

— Est-ce que c'est moi qui me fais des idées ou y avait-il des sous-entendus dans cette phrase ? leur demande Alexandra, alors qu'il est trop loin derrière le bar pour entendre.

— Oh non ma chérie… il flirte vraiment avec toi ! lui répond Chloé en riant.

— Wow ! s'exclame simplement Alexandra, alors qu'il se rapproche d'elle avec son verre.

— *Here you go sexy!* Un joli cocktail exotique pour une bien jolie femme ! Autre chose que je peux faire pour toi ce soir ? lui demande-t-il de son air confiant et séducteur.

Rapidement, Chloé lui donne un coup de coude, afin qu'elle réponde quelque chose. Alexandra reprend ses idées et lui fait donc elle aussi son sourire séducteur, puis lui dit :

— Ça va aller pour le moment... mais merci beaucoup ! Je te dis « à tout à l'heure ! »

Elle lui laisse un généreux pourboire, puis s'éloigne fièrement. Les filles choisissent ensuite une banquette et s'y installent pour jaser. Elles veulent attendre qu'il y ait quelques personnes sur le plancher de danse et surtout de meilleures pièces de musique, avant d'aller danser.

— Je peux pas le croire ! s'exclame Cathy. « Un sex on the beach, hein ?» Non mais y avait tellement de sous-entendus là-dessous !

— Maudite chanceuse ! ajoute Nancy.

Alexandra rougit légèrement.

— Ha ! Ha ! Je l'ai même pas fais exprès en plus ! C'est le seul nom de boisson qui m'est venu en tête... mais c'est vrai qu'il est plutôt approprié dans ce cas-ci ! ajoute Alexandra en riant.

— Il te faisait de l'œil à cent milles à l'heure... maudite chanceuse ! ajoute Nancy.

— C'était bien répondu ça Alexandra ! « Ça va aller pour le moment… mais je te dis à tout à l'heure » ! lui lance Chloé en lui présentant son verre pour porter un toast.

— Merci, mais arrêtez… vous me gênez là ! Et il nous regarde en plus, alors vous pourriez être plus discrètes ! s'exclame Alexandra en essayant de paraître à l'aise.

Les filles continuent à parler, notamment du barman pendant plusieurs minutes, puis le bar commence à se remplir peu à peu. Le remix *Heaven* de l'animateur de musique Sammy se fait entendre. Sur ces premières notes, les filles se lèvent et se dirigent rapidement vers le plancher de danse. Elles sont très excitées, car elles adorent cette chanson ! Chloé et Alexandra dansent avec leur complicité habituelle.

Le plancher de danse se remplit tranquillement de gens. Les hommes se font rares en ce moment sur le plancher de danse, mais Alexandra décide de s'en ficher. Elle est là pour s'amuser et c'est exactement ce qu'elle fait en ce moment ! Elle danse, sourire aux lèvres, et se laisse porter par la musique qui joue à pleine puissance.

Alexandra, Chloé et ses amies dansent déjà depuis un bon moment. Chloé et Alexandra s'amusent à fond. Elles dansent de façon *sexy* ensemble à l'occasion, juste pour s'amuser et pour taquiner un peu les hommes autour. Elles s'accotent l'une sur l'autre et se déhanchent un peu. Dans les bars, elles se fichent de ce que les autres peuvent penser d'elles. Elles s'amusent, se sentent *sexy* et c'est tout ce qui compte pour elles ce soir. Les hommes autour ne semblent d'ailleurs pas s'en plaindre, bien au contraire !

L'animateur de musique fait jouer quelques chansons un peu moins populaires, alors le plancher de danse se vide un peu. Les filles ont donc enfin beaucoup de place pour danser. Cela ne dure malheureusement qu'un court instant.

La chanson *Pour some sugar on me* de Def Leppard se fait entendre. Chloé, qui est maintenant pompette, après les trois ou quatre boissons alcoolisées qu'elle a bues pendant la soirée, se dirige vers les haut-parleurs, là où il y a constamment des gens qui dansent, car ils y sont bien en vue.

— Tu viens ? lui demande Chloé.

Ce n'est généralement pas le style de Chloé ou d'Alexandra d'aller danser à cette place, mais Alexandra accepte. Elle se dit que ça va être drôle et pour une fois il n'y a personne, ce qui ne durera pas si elles ne se dépêchent pas à y aller.

— Eh bien pourquoi pas ! s'exclame-t-elle.

Les deux filles montent donc sur les deux caisses haut-parleurs et commencent à danser. Elles laissent les deux amies de Chloé danser ensemble où elles étaient, sur le plancher. Chloé, quant à elle, danse comme si personne ne la voyait. Alexandra rit un peu en constatant à quel point elle est vraiment dans sa bulle ! Elle ne semble pas réaliser que tout le monde les voit de là-haut.

Alexandra danse elle aussi, mais cette fois-ci de façon un peu plus timide que tout à l'heure, car elle sent plusieurs regards dirigés vers elles. Elle décide donc de changer de place avec Chloé, afin d'être un peu moins à la vue de tous.

À peine une minute plus tard, Alexandra se remet à se déhancher et à danser comme tout à l'heure. Elle s'amuse à nouveau. Elle aime cette énergie et se sent très séduisante. Elle adore ce sentiment.

Alexandra, emportée par la musique et l'ambiance, décide d'en mettre un peu plus. Elle jette un regard complice à son acolyte, Chloé, puis elles appuient leurs épaules ensemble et se déhanchent en se dirigeant vers le bas, puis remontent. Elles aperçoivent quelques hommes qui semblent apprécier le spectacle et cela les amuse. Alexandra en rougit un peu, mais elle trouve quand même ce jeu amusant.

À peine quelques minutes plus tard, Chloé descend vers le plancher de danse.

— Vois-tu le pétard là-bas ? lui demande Chloé.

Elle vient d'apercevoir un homme très à son goût. Elle ne peut malheureusement rien tenter, car elle n'est pas célibataire. Sa relation de couple ne fonctionne pas très bien et cela depuis longtemps, mais elle n'est malgré tout pas célibataire, donc pas libre pour le moment. Alexandra tente de voir de qui elle parle, mais elle ne voit pour le moment aucun homme séduisant dans cette foule. Elle n'a donc aucune idée de qui il s'agit.

— Non, je ne le vois pas ! lui répond Alexandra, après avoir observé la foule sur le plancher de danse.

Environ cinq minutes plus tard, deux hommes dansent sur le plancher de danse devant Chloé et Alexandra, alors qu'elles sont toujours sur les caisses haut-parleurs. Alexandra remarque que l'un d'eux est vraiment séduisant et fait signe à Chloé.

— C'est de lui dont je te parlais tout à l'heure! s'exclame Chloé.

— Eh bien... tu avais bien raison, il est vraiment *sexy*!

Alexandra l'observe un moment, du haut des haut-parleurs. Elle constate qu'il ne semble pas être accompagné d'une fille, ce qui plaît davantage.

Elle fait signe à Chloé de descendre pour aller danser plus près de ce sexe-symbole. Chloé est immédiatement d'accord avec cette suggestion et elles retournent donc sur le plancher de danse, non loin de l'apollon en question.

Alexandra essaie d'attirer son attention, mais il ne semble même pas la remarquer. À vrai dire, il ne semble même pas remarquer qu'il y a des gens autour de lui. Il n'est de toute évidence pas ici pour trouver une fille, se dit Alexandra, ce qui l'attire et pique sa curiosité encore davantage.

Une dizaine de minutes plus tard, Alexandra le perd de vue, ce qui est bien dommage. Elle se dit que c'est probablement mieux et surtout plus simple ainsi. Elle ne veut pas rencontrer quelqu'un qui l'intéresse vraiment dans un bar, elle veut simplement s'amuser, flirter un peu et passer une belle soirée.

Au bout d'un moment, Alexandra commence à être fatiguée et son énergie est à la baisse. Il est passé minuit et elles dansent déjà depuis une bonne heure et demie.

— Moi je pense que je vais aller m'asseoir ! dit Alexandra. Je commence à être épuisée à force de danser comme ça !

— Moi, je suis encore en pleine forme ! s'exclame Chloé.

Alexandra constate que Chloé ne semble toutefois pas vouloir quitter le plancher de danse. Heureusement, une de ses amies est fatiguée elle aussi.

— Moi aussi j'ai besoin d'une pause, dit Cathy.

Elles se dirigent donc toutes les deux vers le bar, pour commander un autre verre et se reposer un peu. Alexandra commande une boisson gazeuse, car elle conduit ce soir. Cathy en fait de même.

Cathy et Alexandra se reposent pendant environ une demi-heure, avant de rejoindre à nouveau Chloé et son amie sur le plancher de danse. Chloé semble avoir de l'énergie à revendre ce soir ! Alexandra n'en revient pas qu'elle danse encore. Elle se demande où elle peut bien aller chercher toute cette énergie.

Elles dansent toutes les quatre, pendant une vingtaine de minutes, puis soudain Alexandra aperçoit de nouveau son beau mec, du coin de l'œil. Il est difficile à manquer, surtout étant donné qu'il est juste derrière elle. Elle est aussi heureuse de constater qu'il n'est toujours pas accompagné d'une femme et qu'il ne semble pas à la recherche d'une femme à courtiser non plus.

Alexandra se tourne de temps à autre pour le regarder. Elle doit avouer qu'il pique réellement sa curiosité. Il est physiquement parfait ! Elle trouve cela ahurissant ! Il mesure environ cinq pieds et dix pouces, a des cheveux noirs assez longs, et est coiffé avec beaucoup de style. Il a un beau teint bronzé, des yeux perçants bleu pâle et une belle posture fière, sans pour autant paraître arrogant. Il est de plus vêtu d'un pantalon noir, juste assez ajusté pour lui donner un look sexy et très masculin, assorti d'un chandail moulant à manches courtes également noir, lequel montre parfaitement ses beaux muscles ainsi que son corps sculpté à la perfection.

Elle trouve que sa silhouette ressemble à celle du barman qu'elle a vu en début de soirée, mais celui-ci est encore plus beau. Elle n'a jamais vu un corps aussi bien sculpté et parfait, sauf dans certains magazines. Il semble tout droit sorti d'une de ces revues où l'on voit de beaux modèles masculins, posant dans des sous-vêtements Calvin Klein ou pour une marque d'eau de Cologne très branchée !

Le plancher de danse est tellement plein qu'ils peuvent à peine bouger. Alexandra accroche son bel inconnu à plusieurs reprises. La plupart du temps elle le fait exprès, dans le but de se rapprocher et pour le simple plaisir de l'effleurer.

Après quelques fois, elle commence à avoir quelques remords parce qu'elle a l'impression qu'il est coincé et qu'elle le retient près d'elle contre son gré. Le pauvre est accoté sur la rampe, qui délimite le plancher de danse, et ne peut pas vraiment se tasser, même s'il le voulait. Sur cette pensée, Alexandra se sent coupable et décide de s'excuser auprès de lui, pour son attitude possiblement un peu déplacée. Elle s'avance vers lui et lui dit, en anglais :

— Excuse-moi si je t'accroche tout le temps comme cela… je vais faire davantage attention !

À sa grande surprise, il lui répond en anglais :

— Aucun problème ! Tu peux m'accrocher aussi souvent que tu le veux !

Cela dit avec un sourire des plus charmeurs.

Alexandra, qui ne s'attendait pas du tout à ce genre de commentaire de sa part, en reste bouche bée. Elle lui sourit un peu bêtement et retourne danser avec ses copines. Elle ne s'attendait vraiment pas à ce genre de commentaire en l'abordant et en a été complètement déstabilisée ! D'autant plus qu'il ne semble pas avoir parlé à une fille de toute la soirée.

À cette pensée, elle réalise l'opportunité qu'elle vient tout juste de laisser passer. Elle se retourne donc de nouveau vers lui, en se présentant cette fois-ci.

— Bonjour ! Je m'appelle Alexandra.

Il remarque l'accent français d'Alexandra et se présente en français.

— Bonjour Alexandra ! Moi c'est Éric !

— Enchantée Éric ! Heureuse de constater que tu parles français !

— Moi de même !

— Si jamais tu as envie de te joindre à moi et mes amies, tu es le bienvenu !

Il semble agréablement surpris de l'offre d'Alexandra et il ne se fait pas prier pour se joindre à elles.

— Avec plaisir !

Alexandra se dit qu'il doit être habitué à ce que les filles se contentent de le regarder et qu'elles n'osent probablement pas l'approcher ou lui parler. Alexandra peut très bien voir que plusieurs filles doivent être intimidées par son apparence et la confiance en lui qu'il dégage, car elle-même l'a été et l'est toujours.

Éric est maintenant aux côtés d'Alexandra. Elle ne peut pas résister et commence à danser un peu avec lui, question de sonder le terrain. Elle est très attentive à ses réactions et au non-verbal de celui-ci, car elle ne veut pas l'importuner ou lui manquer de respect.

Il se glisse lentement et délicatement derrière elle, tout en restant un parfait gentleman. Il suit délicatement en harmonie les mouvements de hanches d'Alexandra, mais il n'en fait pas plus. Il est évident qu'il ne veut pas poser de gestes qu'elle pourrait trouver déplacés, même si elle danse de façon plutôt séduisante. Elle est très impressionnée par son attitude respectueuse. C'est comme s'il sentait que malgré son comportement un brin séducteur, Alexandra n'est pas une femme facile. Cela lui fait chaud au cœur et le rend encore plus séduisant à ses yeux.

Elle prend alors les mains d'Éric et les pose sur sa taille, pour lui montrer qu'elle autorise ce rapprochement. Il sourit et semble être très bien à ses côtés. Alexandra aime la sensation d'avoir un vrai homme derrière elle. Elle aime ce mélange de virilité et de délicatesse. Elle n'en revient toujours pas d'ailleurs, que de toutes les filles présentes dans le bar ce soir, c'est avec elle qu'il a choisi de danser.

Elle voit d'ailleurs plusieurs regards exprimant l'envie autour d'eux, dont ceux de Chloé, Nancy et Cathy, ce qui la fait sourire de satisfaction. Elle est très fière d'elle. Fière d'avoir osé l'inviter.

Il semble lui aussi apprécier le moment et ne semble pas s'attendre à quoi que ce soit de plus de cette soirée non plus, ce qui est un soulagement pour Alexandra. Elle aime que les choses soient aussi simples pour une fois.

Éric suit très bien le rythme d'Alexandra, ce qui lui plaît et l'amuse beaucoup. Elle adore les hommes qui savent danser. Il est toujours dans son dos, avec ses mains autour de sa taille, mais ils sont plus près l'un de l'autre que tout à l'heure. Il la tient aussi plus fermement contre lui, ce qui donne des frissons et envoie comme de petites pulsions électriques dans tout le corps d'Alexandra. Elle se dit qu'il est doué pour toucher les bonnes cordes, mais elle n'a malgré tout pas l'intention de céder et de finir dans son lit, elle n'est pas comme cela.

Chloé la regarde avec des yeux envieux, des yeux qui veulent dire « maudite chanceuse », mais Alexandra sait très bien que dans le fond, elle est contente pour elle. Elle sait que cela ne troublera en rien leur amitié, surtout que Chloé n'est pas libre de toute façon. Par ailleurs, elles ne se disputeraient jamais pour un homme et encore moins pour quelqu'un qu'elles viennent à peine de rencontrer.

Alexandra et Éric dansent collés l'un à l'autre de façon très *sexy*, pendant une vingtaine de minutes, en s'échangeant quelques mots ici et là. Puis les femmes décident finalement de rentrer. De toute façon, il est une heure trente du matin et le bar ferme ses portes dans une demi-heure.

Alexandra se tourne vers Éric, lui fait une étreinte en guise d'au revoir et lui souhaite une bonne fin de soirée.

— Je dois y aller ! Merci pour cette charmante soirée et au revoir ! lui dit simplement Alexandra.

Éric profite de la proximité pour lui glisser à l'oreille :

— J'ai passé une très belle soirée et j'aimerais bien avoir ton numéro de téléphone, afin de te revoir bientôt si tu n'y vois pas d'objections !

Alexandra, prise par surprise, ne trouve pas de raison valable pour ne pas le lui laisser. Elle se dit qu'il est beau comme un dieu, qu'il est très poli, qu'il ne semble pas choqué qu'elle ne le ramène pas chez elle, alors elle décide de lui laisser son numéro de téléphone.

— D'accord, lui dit Alexandra.

Elle fouille ensuite dans son sac à main pour y sortir un bout de papier et un crayon.

— Tiens, le voici ! lui dit Alexandra en lui remettant son numéro de téléphone qu'elle a pris soin d'écrire à la main sur un bout de papier.

Toutes les quatre se dirigent ensuite vers la sortie et chacune rentre chez elles. Pendant tout le trajet du retour, Alexandra est perdue dans ses pensées.

Arrivée à son appartement, elle se couche en se demandant si elle a bien fait de lui laisser son numéro de téléphone. Elle trouve qu'un bar n'est vraiment pas l'endroit idéal pour faire des rencontres ou se trouver un petit ami. Puis elle se dit ensuite que si jamais elle se sent très mal à l'aise lorsqu'il va l'appeler, elle n'aura qu'à trouver un bon prétexte pour ne pas le rencontrer.

D'un autre côté, elle se rappelle le physique très séduisant d'Éric et la façon qu'il s'est conduit avec elle et en conclut qu'il mérite sa chance. Après tout, un rendez-vous dans un endroit public ne comporte que peu de risques. À ces pensées, elle tombe paisiblement endormie.

Dimanche vingt et une heures trente, le téléphone sonne. Alexandra, curieuse, se demande de qui il peut bien s'agir, et se lève pour décrocher le combiné.

— Bonjour Alexandra !

Elle entend une voix masculine au bout du fil, mais ne la reconnaît pas.

— Bonjour ? répond Alexandra sur un ton plus interrogateur qu'expressif.

— C'est Éric ! Tu te souviens de moi ?

En entendant son nom, Alexandra réalise qu'il s'agit de l'homme qu'elle a rencontré vendredi dernier au Whiskey Bar. Drôle d'heure quand même pour l'appeler ! pense Alexandra. Elle reçoit rarement des appels après vingt et une heures… surtout un dimanche !

Elle est surprise de constater que la voix d'Éric est un peu moins masculine que dans son souvenir. Il faut dire qu'il y avait énormément de bruit ce soir-là, alors ce n'est pas surprenant. Et qu'est-ce qu'une voix après tout ? Cela n'a que très peu d'importance. Elle se rappelle que l'important c'est la personnalité et le style, et que sur ces points

Éric est très masculin. À cette pensée, elle sourit et se sent rassurée.

Normalement, elle ne désire pas rencontrer des hommes du type « monsieur univers », mais elle se dit qu'Éric pourrait être l'exception à cette règle. Pour une raison ou une autre, son physique très musclé l'attire beaucoup et elle se dit que cela variera des hommes minces qu'elle a l'habitude de fréquenter. Qui sait, cela est peut-être ce qu'il lui faut, se permet-elle de penser. Dans le passé, elle associait automatiquement les hommes très musclés avec infidélité, arrogance et vantardise, mais pour une raison qu'elle ignore, ce n'est pas le cas avec Éric. Elle a un bon pressentiment à son égard.

— Est-ce que je te dérange ? lui demande Éric.

— Non, pas du tout ! lui répond chaleureusement Alexandra.

— Je suis à ma pause en ce moment au travail et j'avais le goût de t'appeler pour discuter un peu avec toi et apprendre à un peu mieux te connaître.

— Ah bien, je suis contente d'entendre que tu profites de ta pause pour jaser avec moi ! répond Alexandra.

Éric lui pose ensuite une série de questions tout au long de leur conversation.

— Où habites-tu ? Es-tu native de Gatineau ? De quelle région es-tu ? Dans quel domaine travailles-tu ? Aimes-tu ton travail ? Quels sont tes passe-temps préférés ? Quelles autres activités pratiques-tu ? Qu'est-ce que tu aimes dans la vie ? As-tu des animaux ? Fumes-tu ?

Et la liste de questions se prolonge. Alexandra est flattée de l'intérêt qu'il lui porte, mais est tout de même un peu intimidée. Elle a un peu l'impression qu'il mène un interrogatoire. Elle a aussi l'impression que si elle ne donne pas la réponse attendue aux questions, il ne lui proposera pas une rencontre, ce qui lui met de la pression et la rend un peu nerveuse.

Elle lui pose à son tour quelques questions, afin de détourner un peu le sujet et détendre l'atmosphère.

— Et toi, quel métier exerces-tu exactement ?

— Je suis conseiller dans un pénitencier.

— Wow, nous avons ça ici ! lui dit Alexandra étonnée.

— Absolument ! Moi je travaille dans celui du secteur Hull.

Alexandra est très surprise d'apprendre la nature de son métier, parce qu'elle a l'habitude de rencontrer des hommes qui sont dans le milieu de l'informatique, ce qu'elle essaie maintenant d'éviter à tout prix et, deuxièmement, elle ne trouve pas qu'il a le profil d'un conseiller de pénitencier.

Ils discutent ainsi jusqu'à vingt-deux heures et Alexandra lui mentionne qu'elle doit maintenant raccrocher.

— Je dois y aller Éric ! Mais on se reprend O.K. ?

— Aucun problème ! Je dois retourner au travail de toute façon. Je vais t'appeler un peu plus tard, cette semaine, O.K. ?

— Oui, c'est parfait ! Alors bonne soirée !

— Bonne soirée à toi aussi beauté ! lui dit-il tendrement.

Fidèle à elle-même, Alexandra repasse la conversation dans sa tête et analyse le tout. Elle trouve qu'il semble être un homme très intelligent et fin psychologue. Il lui donne l'impression d'être un homme très équilibré, qui sait où il s'en va et ce qu'il veut dans la vie. Elle trouve cependant cela un peu gênant de discuter avec lui parce qu'il semble vouloir l'évaluer. Peut-être fait-il un peu de déformation professionnelle ! pense-t-elle. Elle se dit néanmoins que cela fait des conversations intéressantes, intelligentes et vraies.

Le mardi, il lui téléphone à nouveau vers vingt et une heure trente. Il est à nouveau à son travail et il profite de sa pause pour discuter avec Alexandra. Il lui pose encore plusieurs questions pour en apprendre davantage sur elle.

— Quel genre de fille es-tu ?

— Que veux-tu dire par là ? Que veux-tu savoir exactement ?

— Es-tu une fille honnête, sincère, fidèle... tu vois, ce genre de choses ?

— Eh bien oui. Je suis une fille honnête, sincère et fidèle. Je n'ai qu'une seule parole. Lorsque je dis quelque chose, je le fais. Je suis aussi très ponctuelle, je peux être douce et forte à la fois... et c'est pas mal ça là !

— Que penses-tu de la confiance ?

— Eh bien, je trouve que c'est primordial en amitié comme en amour. Je trouve important d'avoir toujours confiance en ceux qui m'entourent.

Puis, juste avant qu'Éric se lance pour une autre série de questions, Alexandra lui demande :

— Et toi, quels sont tes passe-temps et tes activités préférés ?

— Un de mes passe-temps majeurs est l'entraînement. Je passe plusieurs heures par semaine à m'entraîner, lui dit Éric sur un ton sérieux.

— Eh bien, je suis étonnée ! s'exclame Alexandra sur un ton sarcastique.

— Ah oui ? demande Éric qui n'a pas su deviner le sarcasme dans la voix d'Alexandra.

— Pas du tout ! J'étais sarcastique parce que je me suis tout de suite aperçue que tu devais beaucoup t'entraîner pour avoir les muscles que tu as !

— Je suis bien content de voir que ça se remarque ! ajoute Éric. À vrai dire, j'ai même mon gym personnel à la maison ! Tu devrais voir ça, c'est assez bien !

— Pour vrai ? Eh bien, c'est cool ça ! répond Alexandra, ne sachant trop que répondre de plus intelligent.

— Comme autre passe-temps, j'aime bien faire de la rénovation dans le condo que mon frère et moi avons acheté.

— Ah oui, wow ! Ce n'est pas toujours évident les rénovations et puis ça coûte cher aussi ! s'exclame Alexandra.

— Oh, tu as bien raison là-dessus ! Nous avons refait la cuisine, une partie du salon et même une section de la salle de bain. C'est beaucoup de travail, mais le résultat est vraiment bien !

— Wow, c'est super ça ! Et ce condo est à ton frère et toi ?

— Oui. Je l'ai acheté avec lui en attendant de rencontrer la femme avec qui je veux fonder une relation durable. Lorsque j'aurai rencontré cette femme, je pourrai vendre ma part et déménager.

— Je vois, répond simplement Alexandra, ne sachant trop que penser de ce dernier commentaire.

Pendant leur conversation, Alexandra se dit qu'elle ne sait toujours pas ce qu'elle doit penser d'Éric. Il semble très différent des hommes qu'elle rencontre d'habitude, mais elle n'est pas encore convaincue qu'il s'agit là d'une bonne chose.

Vers vingt-deux heures, il lui dit qu'il doit retourner au travail.

— Je dois retourner travailler... es-tu libre samedi soir ? Parce que j'aimerais te revoir, si tu es libre !

Alexandra, surprise, bafouille un peu puis répond :

— Oui, je n'ai rien de prévu pour ce soir là.

— Aimerais-tu aller prendre un verre sur une terrasse à Ottawa ? Étant donné qu'on annonce du beau temps pour la fin de semaine, j'ai pensé que ça pourrait être une bonne idée. Je peux aller te chercher vers dix-neuf heures, si tu es d'accord ? ajoute Éric sur un ton plus décisionnel que suggestif.

Alexandra ne sait trop quoi répondre, il la prend un peu de court. Elle hésite un peu avant de répondre.

— Alors ?

Puis voyant Éric insister, elle accepte.

— C'est d'accord, mais je préfère toutefois prendre ma voiture pour m'y rendre !

— Pourquoi prendre deux voitures ? C'est inutile, je peux aller te chercher !

— Eh bien… je ne serai sûrement pas chez moi de la journée, alors il serait plus simple que je te retrouve directement là-bas, prétexte Alexandra lorsqu'elle voit qu'il insiste pour venir la chercher chez elle.

D'un ton amusé, il lui répond :

— Tu ne me fais pas confiance et tu veux pouvoir t'en aller si la soirée ne se passe pas comme tu l'aurais espérée, hein ?

Alexandra a l'impression qu'il a lu dans ses pensées et qu'il sait en plus qu'il a misé juste avec cette affirmation. Encore prise de court, elle ricane de gêne et lui répond :

— Mais non, ce n'est pas pour cette raison ! Je vais être chez un ami samedi, avant notre rendez-vous, et c'est seulement pour cette raison ! insiste-t-elle.

— Je comprends. Tu as bien le droit de prendre ta voiture si tu le veux ! s'exclame Éric sur un ton amusé.

— Mais je peux aller te chercher si tu veux ! propose-t-elle comme échappatoire.

— Non, ça va. Je vais prendre ma voiture moi aussi. Je ne veux pas te faire faire des détours inutiles, puisque tu ne seras pas chez toi ! répond-il de nouveau sur un ton amusé.

Le ton de voix d'Éric lui donne l'impression qu'il ne croit pas à son excuse, qu'il a deviné qu'elle veut prendre sa voiture par précaution. Malgré tout, il n'insiste pas et répond comme s'il la croyait.

Elle sent ses joues devenir toutes rouges, parce qu'il a en effet deviné ses craintes. Elle veut pouvoir partir au moment où cela lui plaira, au cas où la soirée serait ennuyante et aussi parce qu'elle ne le connaît pas.

Éric lui confirme alors l'endroit et l'heure de leur rendez-vous de samedi.

— Donc, on se voit samedi, à dix-neuf heures au Blue Cactus, au marché By à Ottawa ?

— Oui, d'accord ! répond Alexandra.

— Alors, bonne soirée Alexandra !

— Oui, bonne soirée à toi aussi Éric.

Puis ils raccrochent.

Elle se couche et pense à tout cela. Elle espère avoir fait le bon choix. Elle se dit qu'il ne l'a peut-être pas bien vu dans le bar et peut-être qu'il va être déçu quand il va la voir à la lumière du jour. Elle sait qu'elle paraît bien, mais elle se rappelle aussi à quel point il est *sexy* et à quel point il attirait l'attention. Elle n'est pas habituée de fréquenter des hommes aussi populaires et désirés. Cela l'insécurise et l'intimide un peu, mais elle a malgré tout hâte de le rencontrer.

Elle finit par se dire qu'elle s'inquiète pour rien et qu'après tout elle n'a rien à perdre et tout à gagner. Au pire, la soirée sera un peu ennuyante, rien de plus ! Comme le vieux dicton le dit : « qui ne risque rien n'a rien ! » Et puis comme elle aura sa propre sa voiture, tout ira bien.

Elle décide alors d'aller prendre une bonne douche chaude et de se coucher ensuite dans son bon grand lit douillet.

Le reste de la semaine se passe comme à l'habitude. Elle réussit à se concentrer au travail, à sa grande surprise. Elle ne reçoit toutefois pas d'appels d'Éric, ce qui la surprend un peu. Il doit le faire exprès pour se faire désirer, pense-t-elle, ce qui fonctionne d'ailleurs à merveille d'ailleurs.

Plus la fin de semaine approche, plus elle a hâte de le voir à nouveau et d'avoir enfin la chance de parler avec lui, face à face, pour apprendre à mieux le connaître et voir où tout cela va les mener. Elle ne veut pas trop penser à l'avenir pour une fois ou imaginer tout plein de scénarios possibles, contrairement à son habitude. Elle essaie une nouvelle approche et une nouvelle façon de penser afin de se simplifier la vie et d'en profiter davantage.

Samedi est enfin arrivé. Elle se prépare maintenant pour son rendez-vous avec Éric, dans une heure trente. Elle se laisse un peu plus d'une heure pour se préparer et une vingtaine de minutes pour se rendre en voiture. Après avoir pris une douche, elle se rend à sa chambre pour choisir les vêtements qu'elle va porter. Elle en essaie plusieurs et choisit finalement sa belle jupe noire au style un peu tango. Comme agencement à cette jupe elle opte pour un chandail à manches très courtes, bleu pâle, qui croise au bustier et s'attache dans le dos. C'est un bel ensemble, à la fois sophistiqué et séduisant.

Elle va ensuite à la salle de bain pour arranger ses cheveux et se maquiller. Elle décide de ne pas trop mettre de maquillage, comme à son habitude. Elle met un peu de fard à joues, du mascara, de l'ombre à paupière rose et argenté et du rouge à lèvres. Ce maquillage est subtil, mais il fait ressortir les jolis traits de son visage. Elle passe quelques coups de brosse dans ses cheveux pour les démêler et ajoute un soupçon de produit coiffant.

Elle agence à son ensemble de jolies sandales noires ornées d'une délicate fleur blanche et de jolis lacets qui s'enroulent autour de ses chevilles. Elle ramasse ensuite son sac à main noir et sort.

Elle ferme à clé derrière elle, embarque dans sa belle Mustang, démarre le moteur, monte le son de la chaîne radio d'un cran, puis se dirige fièrement vers le marché By. Il lui reste vingt-cinq minutes pour se rendre au rendez-vous et stationner sa voiture si elle veut être à l'heure.

Elle adore être au volant de sa voiture. Elle s'y sent si bien, si libre, et elle en est très fière. Elle aime bien le regard de certains hommes qu'elle croise lorsqu'elle conduit. Plusieurs d'entre eux semblent surpris de voir une femme comme elle au volant d'une voiture sport, une Mustang V8 en plus ! D'autres lui font simplement un beau sourire qui semble vouloir dire qu'ils trouvent ça *cool*. Dans sa voiture, elle aime bien voir les têtes se tourner à son passage et faire quelques envieux.

Une douzaine de minutes plus tard, elle arrive au marché By. Elle se promène dans les rues et tente de trouver un stationnement, ce qui n'est pas chose facile. Après quelques minutes de recherche, elle opte finalement pour un stationnement intérieur, ce qui est plus simple. Elle ne raffole pas des stationnements intérieurs, mais il est très difficile de se stationner dans les rues du marché By et elle ne veut pas tourner en rond pendant des heures.

Elle gare sa voiture un peu en retrait des autres, pour éviter que quelqu'un ouvre sa portière sans prêter attention, car les gens se soucient trop peu souvent des voitures environnantes.

Sa voiture maintenant stationnée, elle se dirige d'un pas rapide vers le restaurant Blue Cactus, où elle a rendez-vous avec Éric. Elle a l'estomac un peu à l'envers à l'idée de le revoir, mais elle a tout de même hâte.

À quelques pas du restaurant Blue Cactus, elle aperçoit Éric à l'entrée, Elle se dirige donc vers lui, en essayant d'avoir une belle démarche et d'avoir l'air sûre d'elle afin de cacher sa nervosité.

Éric se retourne et l'aperçoit. Wow, il est encore plus beau que dans mon souvenir ! se dit Alexandra. Elle a tout à coup un peu plus de difficulté à avoir l'air décontracté. Elle est encore une fois un peu intimidée par le fait qu'il soit si bel homme et elle n'est pas habituée de se sentir de la sorte.

Éric porte ses cheveux en brosse, comme dans le bar, mais ses magnifiques yeux bleus perçants ressortent plus que jamais à la lumière du jour. Dans la noirceur du bar, elle ne les avait pas autant remarqués. Il est aussi très bien habillé. Il porte un joli pantalon noir, qui lui donne une apparence décontractée et sophistiquée à la fois. Ce pantalon lui moule également de façon agréable les fesses. Comme haut, il porte un joli chandail gris foncé à manches courtes, qui met en valeur ses muscles et ses beaux yeux. Alexandra a toujours aimé les vêtements de couleurs foncées sur un homme, elle trouve que cela fait mystérieux et attirant.

Il s'avance vers elle et lui fait l'accolade.

— Bonjour ! Ça va ? lui demande Éric.

— Oui très bien et toi ?

— Moi aussi ! As-tu eu de la difficulté à trouver un stationnement ?

— Eh bien, je n'ai pas cherché très longtemps. Étant donné que je sais que le stationnement est difficile à trouver dans les rues du marché By, j'ai pris un stationnement souterrain.

— Choix judicieux ! Es-tu prête à entrer ?

— Oui, je te suis !

Alexandra constate que le décor du restaurant est toujours aussi beau que la dernière fois qu'elle y est allée. L'ambiance est très romantique. Le décor quant à lui est très original, avec un style jeune, branché et sophistiqué à la fois. Les couleurs sont chaleureuses et très urbaines. Alexandra n'a pas souvent la chance d'y manger, mais elle aime bien y aller à l'occasion, quand cela lui est suggéré.

— Bon choix de restaurant ! s'exclame Alexandra à l'intention d'Éric, alors qu'ils sont tout juste à l'entrée.

— Je te remercie, lui répond Éric sur un ton un peu sérieux, mais tout de même gentil.

Alexandra et Éric suivent le serveur qui les amène à une table, le long de grandes fenêtres. Ce choix est très bien car Alexandra adore s'installer près des fenêtres. Elle aime bien observer de temps à autre ce qui se passe autour.

Aussitôt assis, Éric lui pose une question sur son emploi actuel.

— Est-ce que ça fait longtemps que tu travailles pour le gouvernement?

— Ça fait au moins un an et demi, deux ans.

— C'est dommage que tu n'aimes pas ton travail plus que ça. Je trouve ça important moi aimer ce que je fais. C'était d'ailleurs un des critères les plus importants dans mon choix de carrière.

— Je sais. Moi aussi je trouve ça « poche » parce que c'est très important d'aimer son travail, mais quand tu as une occasion de travailler pour le gouvernement et bien tu la saisie! Je me dis que je vais ensuite pouvoir bouger dans l'organisation et me trouver un emploi plus intéressant un peu plus tard. C'est seulement un peu plus long que je l'avais prévu!

— Tu devrais regarder pour autre chose à mon avis. Un travail passionnant et un bon salaire, c'est possible!

— Je sais et c'est exactement ce que j'essaie de trouver! répond Alexandra un peu frustrée par son commentaire.

Elle n'aime pas avoir l'impression que les gens la jugent et elle s'est toujours dit que personne n'est mieux placé qu'elle pour savoir ce qui lui convient. Elle n'aime pas le fait qu'Éric semble déjà mieux le savoir qu'elle, mais elle décide de mettre de l'eau dans son vin. Elle se dit que ce n'était sûrement pas ses intentions.

Il enchaîne ensuite avec une deuxième série de questions, un peu plus personnelle cette fois.

— Es-tu une personne à l'aise dans ton corps, dans ta sexualité ? lui demande tout bonnement Éric.

— Wow ! Eh bien… j'imagine que oui. Alexandra est totalement surprise et choquée par la nature directe et délicate de sa question.

— Est-ce que tu te trouves jolie ?

— Eh bien… sans vouloir avoir l'air prétentieuse, oui, la plupart du temps !

Alexandra est complètement déboussolée par les questions que lui pose Éric. Elle n'a jamais rien vécu de tel.

— Moi je me trouve beau et séduisant ! Je crois aussi que c'est très important de s'aimer et de se trouver beau ou belle ! ajoute Éric.

— Je suppose, oui… répond Alexandra, encore sous le choc de ces surprenants propos.

Alexandra n'en revient pas des sujets qu'il aborde et lors d'un premier vrai rendez-vous en plus ! Elle n'aime pas particulièrement le ton sérieux qu'il adopte la plupart du temps lorsqu'il les pose. À chacune de ses questions, il la regarde avec un regard insistant. Alexandra trouve cela très intimidant.

Au fil des questions et à la manière dont celles-ci sont posées, elle commence de plus en plus à se sentir comme si elle était en plein interrogatoire. Elle a l'impression que si elle donne une mauvaise réponse, il va se lever et partir, ce qui la rend mal à l'aise.

Elle essaie de changer de sujet, en lui posant elle aussi des questions et en regardant à l'extérieur de temps à autre, pour alléger le climat.

— Et puis, quel genre de sports pratiques-tu ?

— Autre que le gym ? Aucun vraiment. Je ne suis pas un grand sportif, mais le gym me garde en forme.

Il revient vite ensuite vers elle avec une nouvelle question, toujours sur une note assez personnelle.

— Te considères-tu comme une fille assez ouverte ?

— Ça dépend de ce que tu veux dire par là ! répond Alexandra avec de grands yeux interrogateurs. Elle espère qu'il ne veut pas dire ce qu'elle pense qu'il veut dire.

— Es-tu du genre « le soir seulement... » tu vois, conventionnelle ?

— Wow ! Je n'en reviens pas que tu demandes ça ! s'exclame Alexandra, abasourdie par cette autre question.

— Quoi ? Ça te gêne de parler sexualité ?

— Eh bien oui et non... Ça dépend avec qui, où et quand ! Et disons que pour un premier rendez-vous... au restaurant... eh bien oui, ça me gêne !

— Pas de problème ! Tu n'es pas obligé de répondre si tu ne le veux pas ! réplique Éric sur un ton un peu plus léger.

Encore bien heureux ! se dit Alexandra.

Il lui pose ensuite toutes sortes de questions sur son emploi, son salaire, ses objectifs de carrière, ses buts dans la vie, ses traits de caractère, etc. Il tente aussi de lui faire dire, ou plutôt avouer, tous ses défauts. Il lui demande même par la suite des questions tels que :

— Prévois-tu avoir des enfants un jour ? Combien aimerais-tu en avoir ? Crois-tu au mariage ? Espères-tu un jour te marier ?

Alexandra n'en revient pas. Elle a toujours été une fille assez sérieuse et elle n'aime en général pas perdre son temps dans des relations qui ne mèneront nulle part, mais là elle se dit qu'il la bat à plate couture ! Elle n'aurait jamais posé de questions aussi personnelles lors d'un premier rendez-vous, et même au début d'une relation amoureuse !

Selon elle, certaines des questions d'Éric ne se posent pas avant plusieurs semaines de fréquentation ! Elle trouve qu'il a du culot. Alexandra n'est pas du tout impressionnée par son attitude.

L'interrogatoire dure maintenant depuis une vingtaine de minutes. Ils ont à peine commencé à manger qu'Alexandra pense déjà à une échappatoire pour s'en aller. Elle se dit que cela n'a aucun sens et que la soirée va être longue s'il continue avec ses questions indiscrètes et son regard insistant ! Elle n'a jamais été du genre à se sauver ou à utiliser de faux prétextes pour mettre fin à un rendez-vous, mais elle y pense maintenant très sérieusement !

Éric lui demande poliment de l'excuser, puisqu'il doit se rendre à la salle de bain. Il lui promet qu'il sera de retour dans quelques minutes à peine. Alexandra lui sourit et lui répond :

— Aucun problème ! Prends ton temps !

Elle le regarde ensuite se diriger vers la salle de bain et ne sait plus trop comment réagir. D'un côté, elle a le goût d'être lâche et de tout simplement se sauver à toute vitesse avant qu'il ne revienne, mais d'un autre côté elle se dit que ce ne serait vraiment pas correct de lui faire ce coup bas, même s'il l'a cherché. Elle décide donc de lui laisser une seconde chance et de rester au moins jusqu'à la fin du repas.

De retour de la salle de bain, Éric semble enfin plus décontracté et moins pressé de tout savoir sur elle, ce qui la soulage beaucoup. Il sourit à Alexandra, tout bonnement. Alexandra doit avouer qu'il est vraiment très charmeur lorsqu'il fait ce sourire. Elle lui sourit elle aussi, surprise de cette nouvelle attitude.

Pendant le reste du repas, la conversation est plus légère entre eux. Alexandra peut enfin commencer à se détendre un peu. Ils discutent, rient même. Éric ne pose maintenant que très peu de questions. D'ailleurs, les seules questions qu'il pose sont plutôt générales, ce qui rassure et détend Alexandra. Elle a eu bien peur que l'interrogatoire dure toute la soirée, mais fort heureusement ce n'est pas le cas. Ils mangent donc tranquillement en discutant, en riant et en souriant régulièrement. Alexandra doit admettre que ce rendez-vous ne se passe pas trop mal finalement.

À la fin du repas, Éric s'empresse d'attraper la facture. Alexandra lui tend un billet de vingt dollars, mais Éric ne l'accepte pas. Il insiste pour régler la note. Voyant que c'est peine perdu d'essayer de payer son repas, Alexandra remet le vingt dollars dans son sac à main.

— Merci beaucoup Éric, lui dit-elle avec le sourire.

— Ça me fait plaisir ! répond-il.

Ils se lèvent et se dirigent vers la sortie du restaurant.

Aussitôt dehors, Éric demande à Alexandra :

— As-tu le goût de sortir danser dans un bar ? La soirée est encore jeune !

Alexandra hésite une seconde ou deux, puis lui répond :

— Et pourquoi pas !

Alexandra trouve que l'idée n'est pas mauvaise. De plus, elle n'a prévu aucune activité ce soir et elle adore danser. Elle pense aussi « qu'est-ce que je risque après tout ? »

Il est à peine vingt et une heures quinze, donc un peu trop tôt pour aller dans un bar.

— Que dirais-tu d'aller faire une petite balade avant d'aller au bar ? propose Alexandra.

— C'est une excellente idée, tout spécialement par une soirée aussi belle et douce.

La température est idéale : ni trop fraîche, ni trop chaude, ni trop humide. Le ciel est très beau ce soir, mais malheureusement avec toutes les lumières du centre-ville d'Ottawa, les étoiles sont à peine visibles. Ils décident donc de faire une promenade à l'extérieur, entre les rues du marché By.

Ils marchent en discutant et en regardant les jolies lumières qui éclairent la ville. Le spectacle est magnifique et il y a une belle énergie dans l'air. Alexandra trouve l'atmosphère stimulante et apaisante à la fois.

Éric fait quelques commentaires et des révélations un peu étranges de temps en temps, mais Alexandra n'y porte pas trop attention. Elle est toutefois un peu surprise lorsqu'il lui confie une de ses passions.

— Une de mes passions est la cuisine. J'adore cuisiner et je suis d'ailleurs excellent dans ce domaine.

— Wow, c'est super ça ! C'est un beau talent, ajoute Alexandra.

Elle a été surprise au début, puis elle s'est dit que c'est une belle qualité après tout d'être bon cuisinier, malgré le fait qu'elle l'imagine mal avec un tablier autour de la taille et des mitaines de four aux mains ! Elle trouve qu'il est bien loin du stéréotype du cuisinier !

— Moi j'ai une passion pour les voitures ! lui confie à son tour Alexandra.

— Wow ! Ça c'est rare pour une femme !

— Oui, c'est bien vrai, répond Alexandra.

— Ça me fait drôle de penser que tu en sais plus que moi sur les voitures ! Même si je ne connais vraiment pas grand-chose aux voitures, c'est tout de même surprenant !

— Je sais… disons que je fais souvent cet effet sur les hommes !

— Moi je n'aime pas trop les voitures à vrai dire, sauf pour me déplacer évidemment et c'est probablement pour ça que je n'y connais pas grand-chose ! ajoute Éric.

— Aucun problème, je comprends ça, dit simplement Alexandra.

Alexandra trouve un peu dommage qu'il ne connaisse pratiquement rien aux voitures, mais elle décide de ne pas trop s'en faire avec cela. Elle se dit que c'est un détail après tout !

Ils sillonnent les rues du marché By et les alentours pendant près de quarante-cinq minutes, puis ils passent finalement, pour la deuxième fois, devant le bar appelé Heart & Crown.

— Que dirais-tu d'y entrer ? demande Éric.

— Ici ? Au Heart & Crown ? Bonne idée, je n'y suis jamais venue !

Ils décident donc d'y entrer. L'endroit semble bien et l'ambiance paraît très bonne. Ils commandent un verre.

— Un *breezer* à l'ananas ! demande Alexandra.

— Une Corona pour moi ! dit Éric.

Ils s'assoient ensuite tous deux sur des tabourets en bois foncé, l'un en face de l'autre, avec leur verre. Ils sont séparés par une belle table haute, elle aussi faite de bois. Alexandra scrute un peu les alentours par curiosité, car elle n'est jamais venue à cet endroit.

À peine deux minutes après qu'ils se soient assis à cette table, Éric traîne son tabouret aux côtés d'Alexandra. Il n'est désormais plus qu'à environ un pied et demi de distance d'elle.

— J'avais envie de me rapprocher et de te voir de plus près lorsque tu me parles! lui dit-il simplement et honnêtement.

Comme réponse, Alexandra lui fait un sourire un timide et séducteur à la fois, pour camoufler une douce chaleur qui monte à ses joues, parce qu'elle est un peu gênée de le savoir si près. Ce sourire fonctionne généralement à merveille et fait habituellement toujours craquer les hommes.

Éric lui fait des compliments.

— Je dois t'avouer que je te trouve très jolie et très attirante aussi!

— Eh bien... merci beaucoup, c'est gentil! répond Alexandra de nouveau un peu gênée du compliment assez direct, mais tout de même très flatteur.

— Et, crois-moi, c'est vraiment un compliment de ma part, parce que je suis un homme très difficile concernant les femmes que je laisse entrer dans ma vie! Je ne suis pas du tout du genre à perdre mon temps avec des filles, si je ne pense pas dès le départ que cela pourrait fonctionner entre nous!

Il lui dit tout cela de façon très naturelle, en la regardant doucement dans les yeux, comme si ce qu'il venait de dire était des plus normal et banal.

Alexandra pour sa part est totalement surprise de ce commentaire et ne sait trop comment l'interpréter. Elle se persuade finalement qu'il doit la trouver intéressante, puisqu'il lui a proposé de sortir après le restaurant et qu'il est toujours là, à ses côtés. Elle est néanmoins encore un peu sous le choc par autant de franchise et d'honnêteté.

Éric en rajoute en précisant davantage ses intentions pour cette soirée.

— À vrai dire, c'est un très bon signe pour toi si je suis ici à tes côtés ce soir ! C'est parce que je suis très intéressé et que je crois que ça pourrait bien fonctionner entre nous, sinon je serais parti bien avant ! Comme je te l'ai mentionné, je n'ai pas de temps à perdre dans des relations qui ne dureront pas !

Alexandra rit un peu nerveusement, parce qu'elle ne sait trop comment réagir face à un tel commentaire. Il est décidément très déstabilisant, se dit-elle.

Éric, devinant ce qu'elle peut bien penser, ajoute :

— Ne t'inquiète surtout pas à propos de ce que je viens de te dire ! Tout va très bien jusqu'à présent !

Il dit cela avec un sourire et des yeux charmeurs. Ceux-ci n'ont toutefois pas l'effet escompté sur Alexandra. Elle décide de forcer un sourire pour prétendre que tout va bien, car elle ne sait toujours trop que penser de ces derniers commentaires. Il lui donne l'impression de bouger très rapidement et de ne pas avoir de temps à perdre à découvrir normalement l'autre. Alexandra ne réagit généralement pas très bien lorsqu'on lui met ce genre de pression.

En effet, Alexandra n'aime pas se sentir bousculée ou poussée, mais elle décide tout de même de continuer la soirée, comme si de rien n'était. Elle veut s'amuser et elle ne veut pas le juger trop vite, bien qu'il ait fait plusieurs gaffes jusqu'à maintenant. Elle veut vraiment lui laisser sa chance et elle ne veut pas se laisser mener par ses appréhensions. Elle sait qu'elle recule parfois trop vite et qu'elle a tendance à trouver des excuses trop facilement pour ne pas s'engager dans une relation, par peur. Par contre, cette fois-ci, elle est déterminée à adopter une nouvelle attitude. Elle veut vraiment aller au bout de ce rendez-vous et apprendre à mieux le connaître.

Alexandra parle un peu de son appartement. Elle partage avec lui le fait qu'elle est fière d'avoir un appartement bien à elle et qu'elle se trouve chanceuse d'avoir un très bon emploi et une belle voiture sport à son âge.

— Un des projets qui me tient le plus à cœur est d'avoir ma propre maison. Je fais des économies, car je projette de m'acheter une maison d'ici un an ou deux.

— C'est très bien, car c'est aussi un bon investissement. C'est pour cela que j'ai acheté le condo avec mon frère, il y a environ six mois de cela. Tu vois, à trente ans, je me suis dit qu'il était temps que j'arrête de donner mon argent aux autres en louant un appartement !

— Je suis bien d'accord et c'est exactement ce que je me dis ! ajoute Alexandra.

— Le seul bémol est que la copine de mon frère habite également avec nous !

Le ton d'Éric laisse à croire qu'il n'est pas vraiment enchanté qu'elle cohabite avec eux.

— Tu ne sembles pas trop apprécier cela, je me trompe ? demande Alexandra.

— Non, mais c'est temporaire de toute façon, car je n'ai pas l'intention d'y habiter encore bien longtemps !

Il dit à Alexandra, tout naturellement :

— J'ai bien l'intention de vendre ma part et de déménager dès que j'aurai une copine.

Alexandra reste bouche bée face à ce dernier commentaire. Elle tente de cacher son étonnement, mais elle n'en revient tout simplement pas. Si elle a bien compris, Éric vient tout bonnement de lui dire que si cela fonctionne entre eux, il a l'intention de vite déménager avec elle ! « Wow ! » pense Alexandra, stupéfaite par ce commentaire.

Éric distrait encore une fois Alexandra de ses pensées et poursuit ce qu'il disait.

— J'ai trente ans et je n'ai donc pas de temps à perdre dans des relations superficielles. Je ne veux pas d'une relation qui durera seulement trois ou quatre ans, je veux une relation durable pour bâtir mon avenir ! Et il dit cela le plus sérieusement du monde.

Alexandra est encore plus ébahie que jamais et n'en croit pas ses oreilles. Comment peut-il lui dire des choses pareilles et aussi sérieuses lors d'un premier rendez-vous ? se demande-t-elle. À ce rythme-là, il va lui offrir une bague de mariage avant même la fin de la soirée, et il va probablement aussi avoir déjà donné un nom à leur futur enfant à leur deuxième rendez-vous ! se dit-elle.

Alexandra n'a pratiquement rien dit dans la dernière demi-heure et n'a fait qu'écouter ce qu'Éric avait à dire. Elle n'avait plus envie de lui parler d'elle, car il est maintenant plus qu'évident qu'Éric n'est pas le genre d'homme qu'il lui faut.

De son côté, Éric a semblé apprécier l'écoute que lui portait Alexandra et n'a pas même remarqué qu'elle n'était tout simplement plus du tout intéressée. Il faut dire qu'Alexandra, par respect, a fait semblant de l'écouter attentivement et d'être intéressée par ses propos. Même si elle n'a pas démontrée autant d'enthousiasme qu'au début de la soirée, Éric ne semble pas avoir remarqué ce changement d'attitude. Elle a choisi de faire semblant, car elle n'avait pas envie de devoir se justifier et de faire face à un autre interrogatoire.

Éric se lève maintenant et tend la main vers Alexandra. Il veut aller danser. Alexandra décide de le suivre, car, après tout, elle préfère danser avec lui plutôt que de l'entendre parler de choses qui ne l'intéressent pas ou qui montrent à quel point ils sont différents et incompatibles.

Ils se rendent donc sur le plancher de danse. Éric s'approche d'Alexandra et veut danser *sexy* avec elle, comme l'autre soir, mais Alexandra n'en a pas du tout envie. Elle lui sourit et, un peu mal à l'aise, tente de faire l'indépendante.

Sa technique ne fonctionne pas très bien, même qu'au contraire Éric s'approche d'elle, met ses mains sur les hanches de celle-ci et la rapproche de lui. Il se déhanche un peu et Alexandra le suit, n'ayant pas vraiment le choix. Elle sait qu'elle pourrait tout simplement le repousser, mais n'en fait rien parce qu'elle se dit que ce n'est quand même pas la fin du monde et qu'il va finir par se fatiguer, si elle continue à ne pas lui démontrer d'intérêt.

Alexandra réussit après environ deux minutes à maintenir une distance raisonnable entre eux et danse à nouveau en solo. Éric se colle un peu de temps en temps, mais n'insiste pas trop non plus. Alexandra fait attention à sa façon de danser, parce qu'elle ne veut pas le repousser, mais elle ne veut pas non plus lui montrer trop d'intérêt et lui faire accroire qu'elle est très intéressée.

Après environ une demi-heure de danse, Alexandra manifeste à Éric le désir de rentrer chez elle.

— Bon bien, je vais rentrer moi !

— Déjà ? s'exclame Éric, surpris.

— Eh bien… je ne suis pas vraiment une couche-tard et je commence à être assez fatiguée !

— D'accord. Permets-moi d'aller au moins te reconduire à ta voiture ! lui propose Éric en vrai gentleman.

— D'accord, lui répond-elle de façon plutôt neutre.

Alexandra accepte, surtout qu'elle n'aime pas marcher seule dans les rues le soir.

Quelques minutes plus tard, ils arrivent à la voiture d'Alexandra.

— Merci pour la soirée, dit Alexandra en guise de politesse.

Puis elle s'apprête à lui faire une accolade, pour ne pas le quitter de façon trop bête ou trop froide. Éric décide alors de saisir l'occasion. Il glisse doucement sa main le long du visage d'Alexandra, colle ses lèvres aux siennes et l'embrasse.

Alexandra est surprise, car elle ne s'attendait pas à ce geste. Ils s'embrassent pendant quelques secondes à peine, puis Alexandra sépare ses lèvres de celles d'Éric.

— Bonne soirée, lui dit-elle en se retournant vers sa voiture.

— Bonne soirée à toi aussi, lui souhaite Éric, alors qu'elle s'apprête à entrer dans sa voiture. Appelle-moi demain, d'accord?

— O.K., lui répond simplement Alexandra, alors qu'elle referme la portière derrière elle.

Alexandra est déçue de sa soirée. Éric n'est vraiment pas le type d'homme qu'elle veut fréquenter, cela ne fait aucun doute. Elle trouve même que leur baiser était ordinaire! Cela aussi est un signe à ses yeux. Elle repense au fait qu'elle lui a dit qu'elle va le rappeler demain et se demande ce qu'elle va bien pouvoir lui dire. Elle ne désire pas un deuxième rendez-vous parce qu'elle est convaincue qu'ils ne sont pas faits pour être ensemble.

Éric lui a d'ailleurs clairement fait comprendre pendant cette soirée qu'il n'avait pas de temps à perdre, alors elle n'a pas l'intention de lui faire perdre davantage son précieux temps.

Le lendemain, à seize heures trente, Alexandra se dit qu'elle devrait maintenant appeler Éric pour lui dire qu'elle ne désire pas le revoir, mais elle hésite. Elle n'aime pas avoir l'impression d'être méchante ou de décevoir. Elle retourne dans sa tête les phrases pour essayer de trouver la meilleure façon de lui parler, car elle ne veut pas avoir à s'expliquer pendant deux heures, mais elle ne veut pas non plus le choquer ou l'offusquer. Elle prend donc son courage à deux mains, s'assoit sur son lit, décroche le combiné, puis signale.

Après deux coups, Éric répond.

— Bonjour ! Comment vas-tu ? demande Alexandra.

— Je vais très bien, merci et toi ?

Il semble d'excellente humeur.

— Pas si mal, lui répond Alexandra.

— J'ai passé une très belle soirée hier ! Je dois dire que j'ai été agréablement surpris.

— Contente de l'entendre, répond Alexandra sur un ton plutôt neutre, contrairement à son habitude.

— Je suis très sélectif dans mes fréquentations et j'ai l'habitude de couper court à mes rendez-vous, mais hier je n'en avais pas envie, car je me trouvais en bonne compagnie.

— Eh bien… merci.

Alexandra se contente de le remercier du compliment, un peu mal à l'aise.

— Je me demandais, es-tu libre pour souper ? J'aimerais t'inviter à venir manger chez moi.

Prise de vitesse, elle lui ment en lui disant :

— Désolée, mais je suis déjà prise ce soir.

— Pas de problème, on se reprendra ! lui répond Éric sur un ton joyeux malgré tout.

Alexandra se rappelle ensuite qu'elle ne doit pas l'éviter et qu'elle doit lui dire tout de suite ce qui ne va pas.

— Pour être tout à fait franche avec toi, Éric, je ne crois pas que ce soit une bonne idée que l'on se revoit...

Éric, de toute évidence étonné, lui demande :

— Et pourquoi ?

— Eh bien, je te trouve bien gentil, mais je ne crois pas être rendue au même point que toi dans la vie, tu vois ? Et, en toute franchise, je ne crois pas que cela pourrait fonctionner entre nous... je trouve que nous sommes beaucoup trop différents.

Éric ne demande pas plus d'explication et lui répond, sur un ton un peu sec :

— Tu n'as pas besoin de m'en dire davantage.. C'est bien dommage que tu penses ainsi... Je te souhaite beaucoup de bonheur en amour ! Au revoir.

Alexandra, hésite une seconde ou deux, surprise, puis lui dit :

— Au revoir... sur un ton plein de compassion.

À peine a-t-elle le temps de finir son mot qu'Éric raccroche. Il est de toute évidence déçu, mais elle n'avait pas vraiment le choix de lui dire qu'elle n'est pas intéressée, même si elle n'aime pas cela. Elle se sent libérée malgré tout de l'avoir fait.

Elle est aussi fière d'avoir eu le courage de lui dire de vive voix qu'elle n'est pas intéressée et de ne pas s'être contentée de l'éviter ou de ne pas le rappeler comme beaucoup de gens le font. Elle sait par expérience que c'est très désagréable quand les gens n'ont pas le courage de dire qu'ils ne sont pas intéressés et qu'ils se contentent de ne pas rappeler. L'incertitude est encore plus difficile que le rejet, à son avis. C'est entre autres pour cette raison qu'elle se devait d'être franche.

CHAPITRE 7

Le printemps est de retour. Alexandra a passé les dix derniers mois en compagnie de ses amis et de sa famille. Elle a profité de l'automne et de l'hiver pour sortir, à l'occasion, dans les bars avec ses amis, aller au cinéma, jouer aux billards et aux quilles et s'entraîner pour garder la forme.

Elle a aussi régulièrement visité ses parents ainsi que son frère à l'occasion. Elle apprécie particulièrement le fait que ses parents habitent tout près de chez elle, à peine à trente minutes de voiture, mais malheureusement pour elle, cela va bientôt changer. En effet, ses parents lui ont annoncé il y a environ un mois de cela, donc au début avril, qu'ils retourneraient habiter dans leur région natale, au Témiscamingue.

Alexandra espérait que l'année 2007 lui réserverait de belles surprises, mais trouve que c'est plutôt mal parti pour l'instant. Elle est toujours célibataire et ses parents veulent quitter la région pour retourner habiter au Témiscamingue ! Ce n'est pas ce qu'elle pourrait appeler une combinaison gagnante !

Ses parents prévoient vendre leur maison située à Buckingham, le plus rapidement possible, pour emménager temporairement dans un chalet qu'ils prévoient louer pour l'été, sur le bord du lac Laperrière à Ville-Marie. Cela en attendant la fin de la construction de leur nouvelle maison. Ils ont acheté, au début avril, un terrain situé à environ dix minutes de Ville-Marie, où ils ont une vue absolument magnifique, et en hauteur sur le lac Témiscamingue et de la forêt qui l'entoure. Ils ont prévu y construire une jolie et chaleureuse petite maison de campagne de deux étages. Celle-ci possédera plusieurs fenêtres qui feront face au lac.

Cela rend Alexandra triste de savoir que ses parents retournent habiter au Témiscamingue, car mais elle n'est pas prête à les suivre et refaire sa vie au Témiscamingue. Elle pense qu'elle n'y aurait plus sa place et qu'elle est beaucoup mieux dans l'Outaouais. Tout est trop tranquille là-bas et elle se dit qu'elle aurait probablement de la difficulté à se trouver un emploi et à se refaire des amis, puisque la plupart de ses anciens amis sont dispersés dans différentes grandes villes de la province du Québec.

Il n'y a pas vraiment eu d'hommes dans la vie d'Alexandra au cours des dix derniers mois, et elle n'en a rencontré aucun avec lequel elle aurait voulu bâtir une relation. Il faut dire que la plupart des rencontres qu'elle a faites pendant cette période ont eu lieu dans les bars lors des sorties de filles. De plus, elle n'a jamais vraiment souhaité fréquenter des hommes qu'elle rencontre dans les bars, et ce, plus particulièrement depuis sa rencontre avec Éric !

Une autre journée de travail terminée. Alexandra rentre chez elle en autobus comme à l'habitude.

Arrivée dans son appartement, elle se prépare un bon repas, puis s'assoit confortablement autour de la table pour le déguster. Elle allume la radio pour faire un peu d'ambiance, puis entame son repas. Elle a tout juste le temps de terminer sa dernière bouchée que le téléphone sonne.

— Bonjour ma chérie !

— Bonjour maman, répond Alexandra qui a tout de suite reconnue sa voix.

— Devine quoi ? Ton père et moi avons finalement réservé le chalet que nous voulions louer sur le bord du lac Laperrière !

— Ah oui ? C'est bien ! dit Alexandra plus par gentillesse que par sincérité.

— Oui ! Nous allons y déménager dans deux semaines à peine... à la fin de mai !

Alexandra trouve que les choses bougent vite, mais il en a toujours été ainsi avec ses parents, donc elle n'est pas trop étonnée, simplement un peu triste. Triste de savoir qu'ils vont déménager dans peu de temps et à plus de cinq heures de route de Gatineau.

— Je suis contente pour vous, se force à dire Alexandra.

— Ton père et moi nous nous demandions si tu pouvais prendre un long week-end de congé pour nous aider à déménager à la fin mai ?

— Oui, je vais regarder. Je suis pas mal certaine que ça ira, puisque j'ai encore plusieurs semaines de vacances, et normalement à ce temps de l'année ce n'est pas un problème.

— C'est super ! Tu nous en redonneras des nouvelles quand ce sera confirmé, d'accord ?

— Oui, je n'y manquerai pas ! Je vais demander dès demain à ma patronne si je peux prendre le dernier vendredi et lundi du mois en congé. Je suis certaine qu'elle va me l'accorder !

— D'accord, alors on attend de tes nouvelles !

— Aucun problème.

— Bonne nuit ma chérie !

— Bonne nuit maman !

Puis elles raccrochent le combiné.

Vendredi matin, sept heures. Alexandra est déjà debout. Deux semaines se sont écoulées depuis le téléphone de sa mère, le jour du déménagement est donc arrivé.

Alexandra est donc prête à aller rejoindre ses parents à Buckingham, pour leur donner un coup de main. Comme elle le pensait, sa longue fin de semaine de congé lui a été accordée.

Avant de les rejoindre, elle doit aller chercher son frère cadet, Félix, qui habite à quelques minutes de chez elle, car lui aussi a prévu participer au déménagement. Ce dernier l'attend dehors, en avant de chez lui, prêt à partir.

— Prêt ? lui demande Alexandra.

— Oui, allons-y ! répond Félix en embarquant dans la Mustang d'Alexandra.

Il ne leur faut que trois heures environ pour entasser les boîtes, les meubles et les appareils dans le camion de déménagement, puis ils sont prêts à se rendre au Témiscamingue. Alexandra et son frère vont les suivre dans la Mustang, puisqu'il n'y a pas assez de place pour tout le monde dans le camion.

Alexandra et Félix profitent donc de la durée du voyage en voiture, pour avoir de bonnes conversations philosophiques et intelligentes, comme ils aiment le faire à l'occasion.

Lorsqu'ils arrivent au Témiscamingue, ils sont heureux de constater que rien n'a été brisé au cours du voyage. Ils reçoivent d'ailleurs beaucoup d'aide de la famille à leur arrivée pour décharger le camion, ce qui est fort apprécié.

Vers vingt et une heures trente, Alexandra décide de gonfler son matelas pour se préparer à une nuit de sommeil bien méritée, car la journée a été longue et fatigante. Ses parents lui offrent de prendre la chambre d'ami.

Félix décide de dormir sur le divan du salon et il ne voit pas d'objection à ce que sa sœur aînée profite de la chambre. Il n'a besoin que de très peu pour être bien et heureux. Alexandra l'envie d'ailleurs souvent sur ce point. Félix n'est pas du tout matérialiste, une autre qualité qu'Alexandra apprécie chez lui.

Le lendemain, Alexandra passe la journée tranquille au chalet avec ses parents. Elle en profite pour aller un peu à la pêche, au bout du quai du chalet loué par ses parents.

Le lac est calme et la vue est superbe. Alexandra se sent bien, légère et en paix avec l'univers. Elle adore cette sensation qu'elle retrouve parfois lorsqu'elle se trouve au Témis-camingue. Elle comprend de mieux en mieux le choix de ses parents, malgré qu'elle ne se sente pas du tout prête à y demeurer de façon permanente.

Elle profite de la journée pour se détendre, faire de grandes marches de santé, lire et écrire quelques belles lignes pour le plaisir. Elle en profite aussi pour discuter un peu avec ses parents et son frère, Félix. Somme toute, elle passe une excellente journée et cela lui fait le plus grand bien.

Le lendemain matin, elle décide de se payer une petite gâterie et d'aller déjeuner à La Gaufrière du village.

— Est-ce que tu veux une rôtie Alexandra ? lui demande Brigitte.

— Non, je te remercie, je vais aller déjeuner en ville !

— Et tu ne nous amènes même pas ! ajoute son père avec une touche d'humour.

— Non ! J'y vais toute seule comme une grande !

Arrivée à la Gaufrière, elle s'assoit toute seule à une table près de la fenêtre.

— Bonjour ! dit la serveuse. Avez-vous fait votre choix ? lui demande-t-elle.

— Bonjour ! Oui, j'aimerais avoir une bonne gaufre aux fruits à la crème pâtissière, avec un grand verre de jus d'orange S.V.P.

— Je vous apporte votre jus à l'instant et la gaufre suivra sous peu, lui répond la serveuse.

— Merci beaucoup ! dit Alexandra avec le sourire.

Elle trouve la serveuse très sympathique. Elle se sent bien dans ce petit restaurant campagnard de Ville-Marie. Étonnamment, elle se sent à sa place et chez elle en ce moment, ce qui lui fait le plus grand bien.

En attendant son repas, elle se perd dans ses pensées, puis commence à lire les petites annonces sur son napperon. Une des annonces mentionne que se dérouleront, ce week-end, les courses de démolition à Laverlochère.

Alexandra n'y est pas allée depuis des années, mais se dit que cela pourrait être une bonne idée. Après tout, elle ne peut plus vraiment aider ses parents à cette étape-ci, puisqu'elle ne sait pas où vont les choses et qu'ils ont presque terminé de tout placer. Ils lui ont d'ailleurs dit, la veille, de ne pas se gêner pour faire des plans ou aller voir quelques amis, pendant son séjour dans la région.

Alexandra décide qu'elle ira voir les finales, qui débutent à treize heures cet après-midi. Elle espère bien y rencontrer des gens qu'elle connaît et d'anciens camarades de classe aussi. Elle est curieuse de voir où ils en sont dans leur vie : qui est marié? qui a des enfants? qui réussit bien professionnellement? etc. Bien évidemment, en tant que mordue des voitures, elle y va surtout pour voir les gens courser! Surtout qu'il y a toujours beaucoup d'action lors des démolitions!

Elle termine donc son succulent petit déjeuner, puis retourne chez ses parents pour se changer et se préparer pour les courses.

— Bonjour ! Tu es déjà de retour ! s'exclame Brigitte surprise.

— Et puis, comment était ce déjeuner ? lui demande son père.

— Excellent ! J'aime bien la Gaufrière, je trouve que c'est un endroit très chaleureux et la nourriture y est excellente !

— Que vas-tu faire de bon aujourd'hui ? lui demande Brigitte. As-tu des plans pour la journée ?

— Eh bien, oui, je pensais justement aller voir les démolitions en fin de semaine.

— C'est bien vrai, ce sont les finales cet après-midi… j'avais complètement oublié ! s'exclame son père.

— Je me suis dit que ça pourrait être amusant d'y assister, surtout que je n'y suis pas retournée depuis des années !

— Je l'ai entendu à la radio vendredi, mais ça m'était complètement sorti de l'esprit ! Je crois que ça commence aux alentours de treize heures ?

— Oui, c'est bien ça !

— C'est dommage que tu les aies manquées hier ! Y avoir pensé avant…

— Mais non, ce n'est pas bien grave ! Je les manquais toujours d'une semaine ou deux quand je venais faire mon tour dans la région, mais là au moins je vais pouvoir voir la finale ! Hier, c'était moins intéressant de toute façon. C'est aujourd'hui qu'aura lieu toute l'action !

Alexandra prend une bonne douche, puis elle se prépare ensuite pour assister aux courses. Elle dîne avec ses parents au chalet et part immédiatement après le repas.

— Bonne course ma chérie ! lui lance Brigitte.

— Amuse-toi bien ! lui souhaite ensuite son père.

— Merci ! Ça risque d'être amusant et j'y bien hâte de voir qui y sera !

Sur ces mots, Alexandra saute dans sa voiture et part en direction de Laverlochère, où on lieu les courses.

Alexandra arrive un peu à l'avance sur le site, parce qu'elle veut avoir une bonne place pour admirer les courses tout au long de la journée. Elle choisit une place dans les estrades, près des commentateurs, car cet endroit semble parfait. La vue est impeccable et là où elle se trouve, le vent ne risque pas de lui souffler au visage la poussière soulevée par les voitures de démolition, lorsque les courses commenceront.

Alexandra contemple la piste, sourire aux lèvres. Elle aime cette ambiance de compétition et de testostérone.

Le circuit est en rond, sur un fond de terre battue entremêlée de sable. Bien que le fait de terminer la course soit un véritable défi, le but premier de cette compétition est de terminer premier, et ce, en seulement dix tours de piste. Les voitures ont le droit de se heurter, donc les accidents sont nombreux et vu l'état de la piste et l'âge des véhicules, il n'est pas rare que les voitures tombent en panne lors d'une course.

Elle regarde autour d'elle. Il y a déjà beaucoup de spectateurs sur place et il en arrive encore davantage à chaque instant. Elle reconnaît plusieurs visages, mais n'ose pas aller vers eux. Elle n'a pas revu la plupart de ces gens depuis l'école secondaire et elle est gênée d'aller les retrouver pour prendre de leurs nouvelles.

Elle décide tout à coup de se lever. Elle laisse son sac sur son banc pour réserver sa place et se dirige, d'un pas décidé et fier, vers la clôture qui se situe un peu plus loin sur sa droite. De cet endroit l'on peut apercevoir le puits des coureurs. Elle veut y jeter un coup d'œil afin d'avoir un aperçu du nombre de voitures qui participeront à cette démolition.

Quelques regards flatteurs se tournent vers elle sur son passage, ce qui la fait sourire et ricaner. Plus particulièrement lorsqu'elle reconnaît ceux qui sont plus jeunes ou du même âge que son frère et qui ne la reconnaissent pas du tout. Elle se dit qu'ils doivent penser qu'elle est nouvelle dans le coin et ça l'amuse ! Elle aime bien reconnaître plein de gens et avoir malgré tout l'impression d'être nouvelle.

Arrivée à la clôture qui sépare le puits des coureurs et des spectateurs, elle constate qu'il y a beaucoup plus de voitures qu'elle ne s'y attendait. Au total, il doit y en avoir une bonne centaine. Certains des coureurs sont très bien organisés et semblent même avoir leur propre petite équipe sur place. Elle est étonnée de constater qu'il y a certains coureurs qui prennent ces compétitions très au sérieux. La journée risque d'être prometteuse ! se dit Alexandra, en regardant les nombreuses voitures dans le puits.

Le soleil est présent et la journée est assez chaude, surtout pour une journée du mois de mai. La température est idéale pour les coureurs et les spectateurs, chose rare en cette saison.

Alexandra retourne s'asseoir à sa place, dans les estrades, en attendant le début des courses. Il ne lui faut qu'environ dix minutes pour socialiser avec le groupe de jeunes hommes assis près d'elle. Ils lui font un petit compte rendu du déroulement de la journée et des coureurs à surveiller.

— Nathan sera à surveiller ! l'informe un des jeunes hommes. Il mène une chaude lutte contre le meneur, et ce, depuis des années. Peut-être cette année sera la bonne pour lui ! ajoute-t-il

Alexandra est surprise qu'il fasse mention de Nathan, un homme de son âge qui était dans ses classes au secondaire. Elle est étonnée, car d'aussi loin qu'elle se souvienne, il a toujours été très réservé et tranquille au secondaire, sauf peut-être en secondaire cinq. C'est seulement au cours de la dernière année qu'il s'était fait remarquer, et ce, surtout à cause de ses amis. Ceux-ci profitaient de la dernière année du secondaire pour faire toutes sortes de coups, afin de se faire remarquer et Nathan embarquait dans leurs combines de temps à autre. Celles-ci étaient généralement plutôt innocentes et drôles.

— Les coureurs sont priés de se rendre sur la ligne de départ pour cette première course de 4 cylindres hommes, signale l'annonceur.

Puis il nomme ensuite les coureurs qui doivent se rendre sur la ligne de départ.

— En préparation…

L'annonceur nomme ensuite tous les coureurs en préparation pour la deuxième course de la journée. Les premiers coureurs sont appelés à se rendre à la ligne de départ et d'autres doivent se positionner, en attente pour la prochaine course. Alexandra reconnaît plusieurs noms. Elle est tout excitée par l'ambiance de course qui flotte dans l'air et par le fait qu'elle connaît certains coureurs. Cette journée va être géniale ! se dit Alexandra, sourire aux lèvres, en portant toute son attention sur la ligne de départ.

Les quatre cylindres hommes commencent, puis suivent les quatre cylindres femmes. Alexandra ignorait d'ailleurs qu'il y avait une catégorie pour les femmes. Elle est vraiment contente de l'apprendre et a très hâte de voir le résultat de cette course.

Lorsque la première course des femmes commence, Alexandra est impressionnée par Céline, la meneuse. La plupart des femmes coursent malheureusement beaucoup plus lentement et plus prudemment que les hommes, mais pas la meneuse.

Alexandra est d'ailleurs certaine qu'elle pourrait donner bien du fil à retordre aux hommes de cette catégorie si elle coursait contre eux, mais ce n'est malheureusement pas au programme.

Céline remporte ainsi avec aisance cette première course des quatre cylindres femmes. Alexandra se lève pour lui donner une bonne main d'applaudissement, comme la foule autour d'elle.

Ensuite les six cylindres hommes se mettent en piste, puis les six cylindres femmes enchaînent. Céline remporte également la course de catégorie six cylindres femmes. En voyant courser Céline de cette façon et en voyant à quel point elle n'a pas beaucoup de compétition féminine, Alexandra commence à songer de plus en plus à l'idée de tenter sa chance à l'une de ces compétitions une prochaine fois.

Suivent maintenant les huit cylindres. Plus le nombre de cylindres augmente, plus les courses sont rapides et intéressantes, ce qui n'a rien de surprenant.

Alexandra a jusqu'à maintenant beaucoup de plaisir, mais elle meurt d'impatience de voir les voitures V8 modifiées à l'œuvre, tout comme le reste de la foule d'ailleurs. Elle a bien hâte de voir comment ils vont faire pour maîtriser autant de puissance sur une petite piste ovale faite en terre battue. Surtout que la piste est déjà en moins bel état qu'au début. De plus, elle est aussi endommagée par les nombreuses courses précédentes, car il commence à y avoir de sérieux trous et obstacles qui tapissent celle-ci.

Nathan n'a coursé qu'une seule fois jusqu'à maintenant, dans une course de la classe des six cylindres hommes. Alexandra trouve qu'il s'est très bien débrouillé. Il a d'ailleurs obtenu la première place. Elle a bien hâte de voir ce qu'il va accomplir dans la catégorie des voitures V8 modifiées, autrement appelé la catégorie des huit cylindres modifiées.

Beaucoup de coureurs aimeraient être dans cette catégorie, mais peu ont le budget pour se permettre de participer à cette catégorie, qui est nul doute fort intéressante. Ce sont les moteurs de ces engins qui coûtent une véritable petite fortune.

Nous y sommes enfin, les coureurs de la catégorie V8 modifiées se rendent au fil de départ, avec leurs vieux bolides, mais non les moins puissants et performants, lesquels sont peints à la main de façon originale. Les départs sont toujours très intéressants car il y a environ toujours une dizaine de voitures réparties sur deux et parfois même trois lignes. Alexandra surveille, car elle sait que Nathan fait partie de cette course. Elle est bien curieuse de le voir à l'œuvre dans cette course.

— Sont demandés sur la ligne de départ, pour cette première course dans la catégorie des huit cylindres modifiées… annonce le commentateur.

Nathan fait maintenant son entrée sur la piste, dans sa voiture modifiée, peinte en bleu indigo et arborant des écriteaux originaux argent. Alexandra trouve que sa voiture a fière allure pour une voiture de démolition ! Elle est très similaire en apparence à celle qu'il conduisait plus tôt pour la course des six cylindres, sauf que celle-ci a un moteur beaucoup plus puissant et est un peu plus grosse que la précédente. Elle constate qu'il a toutefois gardé le même style et la même allure pour les deux voitures et qu'il semble avoir plusieurs commanditaires, car il y a plusieurs affiches sur ses voitures, ce qui donne un aspect très compétitif, selon Alexandra.

Elle constate également qu'il a été bien chanceux dans l'attribution des places sur la ligne de départ. Celui-ci a obtenu, à son avis, la meilleure place de départ. Il est dans la première rangée en avant et la première voiture à l'intérieur. Ceci risque de lui donner un sérieux avantage.

La foule crie en applaudissant à l'arrivée des voitures sur la ligne de départ. Alexandra est surprise de constater que la foule crie beaucoup plus à l'arrivée de Nathan. Il semble être très apprécié du public, ce qui est assez intéressant, selon elle.

Nathan prend place sur la ligne de départ. Les autres coureurs se positionnent à ses côtés et derrière lui. Un responsable les aide à bien se positionner, mais les coureurs sont de toute évidence habitués à cette catégorie, car ils se positionnent tous très rapidement et parfaitement sur la grille de départ. Alexandra est impressionnée ! La plupart d'entre eux ne regardent même pas le responsable de départ pour se stationner, même si leurs miroirs sont arrachés ou éraflés.

Lorsque toutes les voitures sont positionnées sur la grille de départ, un second responsable leur faire signe de remettre leur moteur en marche. Beaucoup d'entre eux avaient éteint leur moteur, le temps que tous les coureurs se placent, comme à l'habitude.

Alexandra frissonne au son des moteurs de voitures V8 modifiées qui grondent de plus en plus fort, en réponse à chacun des coups donnés sur leurs accélérateurs. Elle adore ce bruit fort et puissant !

— Le départ est maintenant donné ! s'exclame le commentateur. Et quel départ ! Oh ! Le numéro 49 de Stéphane Boileau vient de se faire sortir au premier virage ! La course est malheureusement terminée pour celui-ci !

— Et voilà que Nathan se retrouve maintenant en première place ! Quelle adresse ! s'exclame le deuxième commentateur, qui ne perd rien de la course.

Grâce au talent des deux commentateurs, Alexandra suit plus facilement les courses. Elle les trouve vraiment excellents dans leur travail et ils sont aussi assez drôles par moments !

Somme toute, Nathan connaît une très belle course et remporte ainsi la première place. Alexandra avait misé juste, sa place sur la grille de départ lui a permis d'obtenir la première place au premier tournant et de la conserver de façon adroite.

Le commentateur annonce maintenant les noms des coureurs pour la prochaine course.

— Sont maintenant demandés à la ligne de départ : Jonathan, Simon, Éric, Nathan…

— Nathan ? s'exclame Alexandra.

Elle est étonnée d'entendre à nouveau le nom de Nathan, puisqu'il vient à l'instant de courser.

La plupart des gens n'ont qu'une voiture inscrite dans cette catégorie. Ces petits bijoux sont très chers et très peu de gens peuvent en avoir deux. Elle est surprise de constater que Nathan en a jusqu'à présent trois à son actif, dont deux dans la catégorie des V8 modifiées et une dans celle des V6 modifiées. Elle se demande s'il y en a encore d'autres comme celle-là dans le puits des coureurs.

— Wow ! Nathan course encore ! Savez-vous si Nathan en a encore beaucoup d'autres comme ça en réserve ? demande Alexandra aux jeunes hommes assis à ses côtés, avec qui elle a eu le plaisir de discuter pendant une partie de l'après-midi.

— Eh bien, il ne course normalement que les trois que tu as vues aujourd'hui ! Ha ! Ha ! Je te rassure, il n'en a pas d'autres en cachette dans le puits des coureurs !

Alexandra est malgré tout surprise qu'il ait trois voitures de course à lui dans la compétition. Elle est vraiment étonnée de l'apprendre, surtout lorsqu'elle se remémore l'homme tranquille et réservé qu'il était au secondaire. Celui qui avait des relations amoureuses sérieuses tout au long du secondaire. Elle l'enviait d'ailleurs sur ce point.

Alexandra a aussi remarqué que toutes les voitures de Nathan ont sensiblement la même apparence, à quelques détails près. Elles semblent d'ailleurs toutes aussi rapides, sauf évidemment celle avec le moteur V6.

Alexandra est vraiment épatée par les talents de pilote que Nathan a manifestés à plusieurs reprises tout au long de la journée. Il s'est sorti de situations impossibles, et ce, avec brio et beaucoup de talent.

— Nous voici maintenant à la dernière course de la journée ! Préparez-vous pour la finale de la journée, dans la catégorie des V8 modifiées ! annoncent les commentateurs.

La foule applaudit énergiquement à l'annonce de cette finale de la journée. Le public est en délire à l'arrivée des coureurs sur la piste, plus particulièrement à l'arrivée de Simon, le favori et ancien champion de cette compétition, ainsi qu'à l'arrivée de Nathan.

Malheureusement, Nathan n'est pas très bien placé pour ce départ. Il est sur la première ligne, mais il se trouve être dans la voiture qui est la plus à l'extérieur de la piste, ce qui signifie qu'il pourrait facilement se faire sortir du décor, et ce, dès le premier tournant.

Alexandra ne tient plus sur sa chaise tellement elle est excitée de voir le déroulement de cette course ! Celle-ci promet d'être des plus intéressantes et pleine de rebondissements !

— Faites démarrer vos moteurs ! lance le commentateur pour accompagner le mouvement du responsable du départ.

La foule est de nouveau en délire. Le drapeau s'agite.

— Le départ est maintenant donné ! s'exclame un des deux commentateurs.

— Le premier virage est très serré ! s'exclame le second commentateur.

— Oh ! On dirait bien que l'on essaie de faire sortir Nathan de piste ! s'exclame l'un des commentateurs, captivé lui aussi par la course.

Comme Alexandra l'avait prévu, les voitures essaient de faire sortir Nathan de piste, dès le premier tournant. À la plus grande surprise de tous, Nathan freine brusquement et réussit ainsi à se frayer un chemin parmi les voitures et à rejoindre habilement l'intérieur de la piste.

Alexandra n'en revient pas de cette manœuvre.

— Woah ! As-tu vu ça ! s'exclame un des jeunes hommes.

Ils sont eux aussi très impressionnés par la manœuvre de de Nathan.

— C'est du génie ! se dit Alexandra en le voyant à l'œuvre.

Avec cette manœuvre, Nathan se retrouve en troisième place. Simon, quant à lui, est en première place. Il n'y a qu'une voiture qui les sépare et sept autres juste derrière.

— Simon est toujours en tête ! dit le premier commentateur.

— Nathan se bat maintenant pour la deuxième place ! Quelle course ! s'écrie le deuxième commentateur.

Nathan talonne la deuxième place et essaie de le dépasser ou de lui faire perdre la maîtrise de son véhicule, dans le but de le dépasser, ce qui est chose permise aux courses de démolition. Il le fait dans le but de rattraper Simon, avant que celui-ci ait trop d'avance. La course est très excitante et remplie d'action. Les commentateurs ajoutent aux émotions que procure déjà cette course.

— Simon tente maintenant d'éviter les retardataires ! Il y arrive avec brio !

— Maintenant au tour de Jean-Sébastien, qui est en deuxième place, et de Nathan en troisième place, de devoir se frayer un chemin entre ces retardataires ! s'exclament les commentateurs.

Il commence déjà à y avoir des voitures en panne et certaines sont renversées ici et là, ce qui ajoute du piment à la course. Nathan et Simon se faufilent habilement entre ces voitures.

— Nathan évite un des retardataires et celui de la voiture en panne ! Quelle belle manœuvre !

— Il se hisse en deuxième place, devant Jean-Sébastien qui a été ralenti par un des retardataires !

— Quelle course mesdames et messieurs ! Ça promet pour les finales de demain ! s'exclament les commentateurs eux aussi très excités par cette course.

Nathan a donc profité de la présence d'un retardataire pour dépasser la voiture de Jean-Sébastien en avant de lui, et ainsi se hisser en deuxième place. Simon, pour sa part, a accumulé une avance considérable.

— Simon conserve une avance considérable sur Nathan ! À moins d'une erreur majeure de celui-ci, la victoire de cette course est à lui !

— Mais tout peut arriver d'ici la fin.

— Il ne reste plus qu'un tour de piste ! Simon est toujours confortablement en tête.

— Nathan donne tout ce qu'il peut et pousse sa voiture à fond le train !

— Quels pilotes que ces deux-là ! s'exclament les commentateurs.

Alexandra est très impressionnée par la façon de conduire de Simon et de Nathan. Ils sont vraiment très bons pilotes ! Alexandra est encore plus impressionnée par Nathan et souhaite qu'il l'emporte, puisqu'elle le connaît. Ce qui n'est pas le cas pour Simon.

Nathan donne tout ce qu'il a et pousse sa voiture à sa limite, mais ne parvient malheureusement pas à dépasser Simon, qui remporte la victoire de cette finale des V8 modifiées.

— Et voici le gagnant de cette première finale de V8 modifiées !

— Siiiimonnn !!! s'exclament en chœur les deux commentateurs.

Alexandra assiste à la remise des prix parce qu'elle a hâte de voir à quoi ressemble maintenant Nathan et, si elle en a l'occasion, elle aimerait bien le féliciter pour les courses d'aujourd'hui.

Les coureurs des diverses courses se présentent un à un, à la tour des commentateurs, pour réclamer leur prix.

— Dans la catégorie des six cylindres, la première place est décernée à… Nathan !

Nathan est appelé à la tour des commentateurs pour réclamer le trophée de la première place qu'il a remporté, dans la catégorie des six cylindres, ainsi qu'une bourse de cinq cents dollars

Lorsqu'elle l'aperçoit enfin, elle constate qu'il ressemble à ce qu'elle imaginait, sauf qu'il semble aussi très différent d'une autre façon. Il fait encore dans les cinq pieds et neuf pouces, il est toujours mince, mais il a maintenant des muscles assez bien développés. Alexandra ne se rappelait plus qu'il avait les yeux bruns. Elle remarque toutefois qu'il a maintenant les cheveux brun foncé, sa couleur naturelle, et qu'ils sont un peu plus longs. La dernière fois qu'elle l'avait vu, il y a des années de cela, il avait eu l'idée folle de se teindre les cheveux en rouge !

En l'observant, elle le trouve d'ailleurs bien coiffé ! Surtout pour quelqu'un qui vient de terminer des courses de démolition ! Et quel beau teint bronzé ! Il porte également un jeans bleu foncé, légèrement délavé, ainsi qu'un chandail noir avec le logo blanc et argenté de son équipe automobile « Blue Madness », ce qui lui va à ravir ! Alexandra est agréablement surprise de le voir ainsi. Elle découvre une nouvelle facette de lui !

Au cours de la journée, Alexandra avait appris que l'équipe de Nathan est constituée de sa famille et de quelques amis, ce qu'Alexandra trouve brillant et touchant comme concept.

Nathan réclame le trophée de la première place, dans la catégorie des six cylindres, ainsi que la bourse. Il se fait ensuite photographier par un membre de l'organisation des démolitions de Laverlochère, puis retourne parmi les autres coureurs.

Elle constate aussi qu'il semble avoir plus confiance en lui maintenant que dans le passé et paraît beaucoup plus fier qu'au secondaire. Elle se dit que ce sont probablement ces petites choses qui le font paraître si différent !

Alexandra n'a malheureusement pas la chance de lui parler. Il est passé trop loin d'elle et elle n'ose pas aller le rejoindre, car il est avec ses amis et quelques admiratrices l'entourent.

Vient ensuite la remise des prix pour les huit cylindres, puis celle des V8 modifiées. Le trophée de la première place ainsi que la bourse de deux mille dollars sont décernés à Simon. Nathan se présente de nouveau à la tour pour réclamer les honneurs de la deuxième place dans cette catégorie, ainsi qu'une bourse de cinq cents dollars.

— Une bonne main d'applaudissement pour tous nos coureurs ! s'écrie l'un des annonceurs.

La foule se met de nouveau à applaudir très fort.

La remise des prix est maintenant terminée. Alexandra tente de se rapprocher des coureurs, en espérant avoir la chance de parler à Nathan et de le féliciter. Alexandra constate qu'il est vraiment très populaire et, par ce fait même, difficile d'approche, puisque plein de gens l'entourent pour le féliciter. Alexandra décide donc de s'asseoir à une table à pique-nique, non loin de là. Elle attend que la foule se disperse, avant de tenter de lui parler.

Quelques minutes plus tard, Nathan s'éloigne de la foule et passe devant elle, afin de rejoindre le puits des coureurs.

— Nathan ! l'interpelle Alexandra, lorsqu'il passe devant elle.

Nathan se retourne vers elle, puis s'approche.

— Tu te souviens de moi ? lui demande-t-elle.

Elle lui demande cela parce qu'elle a beaucoup changé depuis le secondaire et qu'ils se sont rarement parlé dans le passé. Elle veut donc avant tout s'assurer qu'il la reconnaît.

— Bien sûr que je te reconnais ! Ça fait longtemps que l'on ne t'a pas vue dans le coin !

Il lui dit cela sur un ton plutôt neutre, avec un soupçon amical.

Elle s'apprête à le féliciter pour les très belles courses qu'il a menées pendant la journée, quand un des amis de Nathan l'appelle et lui demande de les rejoindre, car ils doivent maintenant ramasser leur matériel. Puis Nathan se retourne de nouveau vers Alexandra et lui lance :

— Hé bien, à une prochaine fois ! en lui faisant un petit sourire discret.

Alexandra n'a que le temps de répondre un simple « oui ! » Puis il se dirige à grands pas vers le puits des coureurs. Il doit remballer son matériel et préparer le transport de ses voitures.

Alexandra est un peu déçue de ne pas avoir eu l'occasion de lui parler plus longtemps. Elle aurait bien aimé savoir à quoi ressemble maintenant sa vie, en dehors des courses de démolition. Elle en conclut que le moment était sans doute mal choisi pour une grande discussion. Elle comprend qu'il a été obligé de partir rapidement et ne lui en veut pas. Elle trouve cela simplement dommage.

Elle retourne à sa voiture, perdue dans ses pensées. Celle-ci est stationnée à quelques rues de là seulement. Elle se dit d'ailleurs qu'elle aurait bien aimé qu'il voit la belle voiture sport qu'elle conduit maintenant. Elle aurait bien aimé, par la même occasion, pouvoir discuter un peu de voitures avec lui, mais de toute évidence ce ne sera pas pour aujourd'hui !

Elle repense ensuite aux courses et aux faits saillants de la journée. Elle s'est vraiment bien amusée et elle est très contente d'avoir décidé d'y assister. Les jeunes hommes assis près d'elle pendant les courses étaient très gentils et de très bonne compagnie, sauf qu'ils sont trop jeunes pour être de petits amis potentiels.

Le lendemain, elle et son frère Félix retournent en Outaouais. Le voyage du retour se déroule bien, mais Alexandra se sent triste d'avoir laissé ses parents au Témiscamingue. Elle se sent attristée à l'idée que maintenant un peu plus de cinq heures de route les séparent.

De retour à son joli appartement, elle pense à la fin de semaine qu'elle vient de passer. À maintes reprises, au cours de cette semaine, elle repense à Nathan. Il semble maintenant tellement plus confiant et sûr de lui, se rappelle-t-elle. Il a bien capté son attention ! D'autant plus qu'il est vraiment un excellent conducteur. Elle a été très impressionnée par sa façon de courser.

Elle se remémore aussi à quel point il semble heureux de vivre la vie qu'il vit aujourd'hui et cela a aussi piqué sa curiosité. Elle a d'ailleurs remarqué qu'il a maintenant un beau style vestimentaire et qu'il est fier. Tout cela lui donne beaucoup de charme ! Elle décide alors qu'elle veut en apprendre davantage sur lui, mais elle ne sait trop comment s'y prendre.

Deux semaines se sont écoulées depuis sa rencontre avec Nathan au Témiscamingue. Alexandra a enfin une idée. Depuis quelques jours, elle pense à lui téléphoner. Elle a même retrouvé son numéro de téléphone, dans son annuaire de finissants.

Elle se trouve d'ailleurs patiente d'avoir attendu tout ce temps avant de lui téléphoner, car elle en mourait d'envie depuis plusieurs jours déjà. Cependant, même s'il ne s'attend pas à son appel, elle ne veut pas paraître impatiente, alors elle attend un peu avant de lui téléphoner.

D'un autre côté, elle cherchait un prétexte pour justifier son appel. C'est en partie pour ces raisons qu'elle a attendu tout ce temps.

Alexandra prend finalement son courage à deux mains et se décide à l'appeler. Elle hésite encore un peu malgré tout, car elle ne sait pas comment il va réagir à ce coup de téléphone.

Le dimanche soir, elle se décide enfin. Elle se dit que c'est le meilleur moment pour tenter de le joindre, car le dimanche soir, généralement, les gens se reposent à la maison avant de reprendre le travail.

Elle pense à un scénario plausible pour justifier son appel. Elle se dit qu'en plus de lui demander de ses nouvelles, elle va lui demander s'il est au courant des activités qui se dérouleront au Témiscamingue au début juillet, pendant ses vacances d'été. Elle a l'intention de lui dire, comme prétexte, qu'elle pensait monter au Témiscamingue pour ses vacances.

Elle tente donc de joindre Nathan, en utilisant le numéro de téléphone inscrit dans son album de finissants, en espérant qu'il a toujours le même numéro, car elle croit qu'il habite encore sur la ferme de ses parents.

Elle l'appelle vers dix-neuf heures. Elle essaie de nouveau vers vingt heures, ainsi qu'une troisième et dernière fois vers vingt heures trente, mais toujours aucune réponse. Elle ne peut pas non plus laisser un message, car il ne semble pas avoir de répondeur, ce qui n'est pas une si mauvaise chose ! pense ensuite Alexandra.

Elle tente à nouveau de le joindre cinq jours plus tard. Elle espère qu'elle a le bon numéro et que la conversation sera agréable. Comme ils se sont peu parlé dans le passé, elle redoute que la conversation soit un peu bizarre.

Elle décide donc que le risque en vaut la chandelle et qu'au fond elle n'a rien à perdre ! Elle compose à nouveau le numéro. Le téléphone sonne plusieurs coups et finalement, quelqu'un décroche, juste au moment où Alexandra allait raccrocher.

— Bonjour ? dit une voix masculine au bout du fil.

— Bonjour ! Pourrais-je parler à Nathan S.V.P. ?

— Lui-même ! s'exclame-t-il sur un ton joyeux.

Alexandra est heureuse, elle a enfin réussi à le joindre !

— Bonjour Nathan, c'est Alexandra ! lui dit-elle sur un ton expressif, ce qui la représente très fidèlement.

Elle se présente immédiatement, car elle doute qu'il reconnaisse sa voix.

— Je sais ! Je t'avais reconnue !

Alexandra peut d'ailleurs sentir son sourire et sa bonne humeur jusqu'à l'autre bout du fil, ce qui lui fait très plaisir.

— Ça doit te faire étrange que je te téléphone hein ?

— Mais non, c'est bien correct et j'en suis bien content ! lui dit-il simplement et honnêtement.

Alexandra est vraiment étonnée de remarquer qu'il ne semble pas non plus surpris par son appel. Non seulement il ne semble pas étonné, mais il semble content de lui parler. La conversation se déroule beaucoup plus naturellement qu'Alexandra aurait pu l'imaginer. Elle en est très heureuse !

Ils jasent au téléphone pendant une bonne vingtaine de minutes, en parlant principalement de voitures.

— Et puis, toi, comment vas-tu ? lui demande Nathan.

— Je vais très bien.

— Où habites-tu maintenant ?

— Dans l'Outaouais. J'y ai mon propre appartement.

— Et tu aimes ça ?

— Oui, c'est très bien et la ville offre plusieurs opportunités. C'est bien pour ma carrière entre autres !

— Super ça !

— Et toi, tu habites toujours au même endroit à ce que je vois ? lui demande Alexandra.

— Oui ! Toujours sur la ferme familiale, mais la maison est désormais à moi.

— Ah oui ? C'est bien ça ! Où sont rendus tes parents ?

— Eh bien, je leur ai racheté la maison où j'habitais lorsque nous étions au secondaire, il y a quelques années de cela, et eux en ont profité pour se construire une autre maison, plus loin, sur un de leurs nombreux terrains. Ils désiraient depuis longtemps être plus près du lac !

— Wow ! Hé bien ! c'est super ça !

La conversation se déroule très bien. Une belle complicité s'est installée entre eux. Ils semblent en avoir très long à se dire. Nathan, avec sa voix si vivante et enthousiaste, la fait littéralement fondre sur place. Elle boit chacune de ses paroles.

— Oh oui et je vais bientôt faire un autre tour au Témiscamingue !

— Ah oui ? Cool !

Alexandra est tellement excitée et heureuse du déroulement de la conversation, qu'elle doit faire attention afin de maîtriser ses émotions et ainsi garder une voix normale et chaleureuse. Elle ne veut surtout pas paraître surexcitée !

— Oui ! J'ai décidé de passer mes vacances d'été au Témiscamingue, dans deux semaines !

— Ah bien, c'est super ! Tu devrais venir me faire une petite visite lorsque tu seras dans les environs !

— Ah, c'est gentil ! Je n'y manquerai pas !

— Il ne faut surtout pas te gêner pour arrêter me dire bonjour à la ferme ! Tu te rappelles où j'habite ?

— Oui ! C'est très facile à trouver !

— Ah bien, c'est super ! Alors je te dis à bientôt !

— Oui, à bientôt !

Puis ils raccrochent.

Alexandra dépose le combiné du téléphone, sourire de satisfaction aux lèvres. Elle est très contente de la conversation qu'elle vient d'avoir avec Nathan. Elle ne s'attendait pas du tout à une si belle réaction de sa part. Elle l'a trouvé vraiment très sympathique et chaleureux. Elle trouve cela trop génial !

Pour être honnête, elle a même l'impression de flotter tellement elle se sent bien à la suite de cette conversation. Elle sent aussi quelques papillons dans son estomac. Il lui a décidément fait tout un effet !

Nathan est loin de l'avoir laissée indifférente et elle est certaine d'avoir capté son attention, elle aussi. Elle a hâte d'être au Témiscamingue et d'avoir la chance de lui parler en personne, afin d'en apprendre encore davantage sur lui !

Chapitre 8

Enfin, les vacances d'été sont arrivées! Les trois dernières semaines lui ont paru interminables! Elle avait tellement hâte à ses vacances d'été au Témiscamingue, que le temps ne semblait jamais passé assez vite.

Pendant tout ce temps, elle n'a cessé de se poser des questions et de penser à Nathan. Elle se demande, entre autres, s'il est célibataire. S'il ne l'est pas, elle sait qu'elle sera bien déçue, car le courant n'a pas aussi bien passé avec un homme depuis des mois! Pour ne pas dire des années!

Le fait qu'il sache exactement d'où elle vient et qu'il la connaisse depuis qu'elle est tout petite est un avantage qu'il possède par rapport aux autres hommes qu'Alexandra a pu fréquenter ou rencontrer dans le passé.

Alors qu'il est à peine huit heures ce vendredi matin, Alexandra attrape ses bagages et saute dans sa voiture, en direction de Ville-Marie au Témiscamingue. Elle est d'une excellente humeur et très excitée à l'idée de revoir Nathan.

Pour rendre le voyage encore plus agréable, elle fait jouer un disque d'une nouvelle compilation. Elle est bien préparée, elle a baissé les fenêtres de sa voiture, déposé une bouteille d'eau dans le gobelet prévu à cet effet et s'est même apporté une petite collation pour la route.

Celui-ci se déroule d'ailleurs à merveille. Elle arrive à Ville-Marie en début d'après-midi. À peine a-t-elle le temps d'arriver dans le village, qu'elle croise déjà Nathan, dans son gros camion de travail. Il lui fait un grand salut de la main. C'est tout juste si elle le reconnaît, mais elle lui fait également signe de la main, sourire aux lèvres.

— Quelle drôle de coïncidence ! pense-t-elle. Elle ne savait pas qu'il travaillait pour une compagnie de livraison de produits de construction, d'où son étonnement. Par ailleurs, ces camions sont tellement hauts qu'il est difficile de voir qui est au volant, mais elle l'a malgré tout reconnu. Elle trouve la coïncidence assez drôle.

— C'est vrai que Ville-Marie est une petite ville d'à peine trois mille cinq cents habitants, mais, tout de même, qu'elles étaient les chances que nous nous croisions aussi rapidement ! s'exclame Alexandra à voix haute, seule dans sa voiture.

Ce qui la fait ricaner.

Elle fait immédiatement les quelques courses qu'elle avait à faire à Ville-Marie, notamment le plein d'essence, puis elle se dirige ensuite au chalet où habitent temporairement ses parents.

Le chalet est très bien situé, sur le bord du lac, à cinq ou dix minutes de Ville-Marie. Le calme de cet endroit fera changement de l'Outaouais, se dit Alexandra. La tranquillité et la beauté des paysages vont l'aider à se ressourcer et à recharger ses batteries.

Brigitte et Michel, ses parents, se portent bien et sont bien contents de la voir. Ils ont beaucoup de choses à se raconter, puisqu'ils ne se sont pas vus depuis le déménagement.

— Et puis, comment aimez-vous habiter dans ce chalet ? leur demande Alexandra.

— Ah ! C'est vraiment bien ! s'exclame Brigitte. C'est tellement beau et tranquille comme endroit, nous avons vraiment fait un bon choix !

— C'est un bon changement de la ville, ajoute Michel. Cette tranquillité est plus que la bienvenue ! Et plus de trafic !

— Je vous comprends ! C'est vrai que c'est un très bel endroit ! leur confie Alexandra

— Si tu veux nous accompagner, nous allons faire un tour au terrain où nous bâtissons la maison, suggère Brigitte.

— Tu vas voir, le paysage est encore plus beau que lors de ta dernière visite, surtout par une aussi belle journée qu'aujourd'hui ! ajoute Michel.

— Oui, c'est une bonne idée ! Je vais y aller avec vous, afin de voir à nouveau où vous allez habiter dans quelques mois !

Alexandra suit ses parents jusqu'à leur terrain. Ils avaient bien raison, le paysage y est spectaculaire ! La vue en hauteur sur le lac Témiscamingue et la forêt entourant cette baie est incroyable ! Elle a bien hâte de voir la maison lorsqu'elle sera construite !

L'endroit est vraiment unique et inouï. Elle trouve qu'ils ont fait un excellent choix ! À vrai dire, c'est dans un endroit comme celui-là qu'elle aimerait elle aussi vivre. Elle n'est cependant pas prête à quitter la ville, son emploi bien rémunéré et ses amis. Un jour peut-être se dit-elle. !

Le soir venu, Alexandra se rend au spectacle rock *Hommage à Def Leppard* qui se déroule à l'aréna de Ville-Marie. Cet événement est une bonne occasion pour elle de sortir et de rencontrer des gens. Elle ne peut toutefois pas se cacher qu'elle y va beaucoup dans l'espoir d'y rencontrer Nathan.

Quand elle arrive, elle aperçoit un visage familier.

— Hey ! s'écrie Alexandra en lui donnant un petit coup de poing sur l'épaule.

Celui-ci se retourne, sur la défensive, puis son visage s'adoucit lorsqu'il reconnait Alexandra.

— Hey ! Qu'est-ce que tu fais ici ?

— Eh bien ! Je suis venue voir l'hommage à Def Leppard !

— Ça fait un sacré bail que l'on t'a pas vue ! Comment vas-tu ?

— Je vais très bien et toi ?

— Moi aussi ! Wow ! C'est vraiment cool que tu sois là !

— Bien merci ! J'en suis bien heureuse moi aussi ! Le spectacle est vraiment bon, hein ?

— Oui, ils ont beaucoup de talent, c'est sûr !

Alexandra a la chance de rencontrer un ami d'enfance et ils poursuivent ainsi leur conversation pendant une bonne partie de la soirée, en profitant du spectacle ! Elle rit et danse beaucoup.

La musique est excellente. Elle reconnaît plusieurs chansons, ce qui l'étonne beaucoup, car elle n'avait même pas réalisé qu'elle connaissait plusieurs chansons de ce groupe ! Cependant, elle n'aperçoit pas Nathan et, à la fin de la soirée, elle est un peu déçue de ne pas l'avoir vu. Malgré tout, elle passe une excellente soirée.

La soirée tire maintenant à sa fin. Alexandra dit au revoir à son ami, puis retourne au chalet où séjournent ses parents.

— On se reprend ! Gêne-toi pas pour venir me dire un petit bonjour ! lui lance Jean-Christophe, son ami d'enfance.

— Oui, on se reprend ! Et je ne manquerai pas de venir te dire bonjour plus souvent ! Bonne soirée là !

— Oui, toi aussi !

Le lendemain, en début d'après-midi, elle décide d'aller faire un petit tour à Ville-Marie. Elle fait quelques petites courses pour passer le temps. Elle s'arrête entre autres à la boutique Dollorama, un magasin à un dollar pour y jeter un petit coup d'œil sur la marchandise. Elle s'arrête ensuite au Home Hardware, pour voir le matériel de pêche. Elle achète quelques hameçons et cuillères à pêche colorés, puis décide de retourner au chalet de ses parents.

Elle emprunte alors le chemin qui passe devant un petit parc pour enfants et l'aréna de la ville. Lorsqu'elle passe devant l'aréna, elle constate qu'il y a un petit spectacle de voitures. D'après ce qu'elle peut voir en y jetant un rapide coup d'œil, il y a environ une vingtaine de voitures. Comme elle a le temps, elle décide d'aller voir par curiosité.

Elle stationne donc sa Mustang une rue plus loin et marche jusqu'au lieu de l'événement. Elle est vraiment surprise de constater qu'il y a un spectacle de voitures à Ville-Marie ! Elle n'en avait jamais entendu parler auparavant et, à sa connaissance, il n'y en avait pas lorsqu'elle habitait la région.

Dans le stationnement où sont les participants, elle commence à faire le tour pour y admirer les voitures. Il n'y a pas beaucoup de voitures, peut-être une douzaine, mais elles sont, pour la plupart, assez jolies. Il faut dire que la température n'aide probablement pas à la popularité de l'événement. Le temps est plutôt nuageux aujourd'hui et il pleut ici et là, donc certains concurrents ont probablement décidé de laisser leur voiture de collection à la maison.

Alexandra remarque que ce sont surtout de vieilles voitures remises à neuf qui sont présentes, ce qui n'est pas sa catégorie préférée ! Elle admire et respecte tout de même le bon travail de restauration et de peinture fait sur celles-ci.

Elle en profite aussi pour regarder autour d'elle, afin de voir si elle reconnaît des gens. Beaucoup de visages lui sont familiers, mais elle n'en voit aucun avec qui elle se sentirait à l'aise de commencer une conversation. Elle fait un commentaire de temps à autre aux propriétaires des voitures et pose des questions à ceux-ci, de temps à autre.

— Belle voiture ! Quelle année ? Est-ce la couleur d'origine ? Avez-vous fait le travail vous-même ? Par curiosité, quelle est la puissance ? Voilà le genre de questions qu'elle pose à ces messieurs.

Elle sait que ces gens aiment généralement bien que l'on s'intéresse à leur projet, surtout lorsque c'est une femme qui pose les questions, alors elle en profite pour socialiser un peu avec eux.

Elle arrive maintenant devant une superbe Supra TT jaune. Une couleur qui va d'ailleurs très bien à cette voiture. D'après elle, il s'agit sûrement d'une Supra TT 1993 ou 1994. Elle ne l'avait jamais vue auparavant et celle-ci se démarque beaucoup des autres véhicules.

Selon Alexandra, le modèle de cette voiture est de toute évidence plus récent que les autres, surtout qu'elle a toujours eu un faible pour les Supra et tout spécialement pour les « double turbo » comme celle-ci !

Ce véhicule très sport semble d'ailleurs avoir été modifié, et Alexandra pense qu'il doit être très rapide, en plus d'être vraiment très beau ! Elle s'approche pour regarder la voiture de plus près.

Les vitres de la Supra TT sont teintées en noir, cela paraît bien et fait ressortir le jaune de la carrosserie. Elle possède aussi un bel aileron rond élevé à l'arrière, de magnifiques jantes chromées en aluminium et quelques discrets décalques noirs, qui ajoutent à la beauté et à l'originalité de celle-ci. Elle aime vraiment beaucoup l'allure de cette voiture.

Elle se déplace maintenant du côté du conducteur, afin de regarder la voiture de plus près.

— Bonjour ! dit une voix masculine en provenance de la voiture.

Alexandra sursaute un peu, puisqu'elle n'avait même pas remarqué que quelqu'un était assis dans la voiture, à cause des vitres teintées à peine entrouvertes. Cette voix lui semble toutefois familière.

Lorsque le conducteur baisse davantage la vitre, elle reconnaît Nathan.

— Bonjour ! lui dit immédiatement Alexandra, avec un beau sourire et les pommettes légèrement rouges.

Il l'a vraiment surprise. Elle ne savait pas que cette voiture était la sienne et elle ne s'attendait pas à le voir ici, du moins pas en tant que compétiteur. Puis Nathan sort de sa voiture. Il s'y était réfugié pour se protéger de la pluie, mais fort heureusement celle-ci a maintenant cessée. Nathan, qui constate l'intérêt d'Alexandra pour sa voiture, la renseigne sur celle-ci.

— C'est une Supra TT de 1993 ! lui indique Nathan.

— C'est bien ce que je pensais ! ajoute Alexandra. Elle est vraiment très belle ! ajoute-t-elle ensuite.

— Je te remercie beaucoup ! Content qu'elle te plaise !

— Tu l'as modifiée, en plus, je crois ? s'enquit Alexandra.

— Tout à fait ! Tu as l'œil à ce que je vois !

— Est-ce que je peux regarder ce que tu as fait sous le capot ?

— Mais bien sûr ! Attends, je vais te l'ouvrir ! dit Nathan, clairement impressionné par les questions et l'intérêt que porte Alexandra à sa voiture.

Il ouvre donc le capot de sa voiture et commence à expliquer à Alexandra les modifications mécaniques qu'il y a apportées.

— Wow! Tu as vraiment fait du beau travail avec ta voiture! lui avoue Alexandra. Je suis très impressionnée.

— Je t'ai croisée l'autre jour, et ta Mustang semble pas mal non plus! C'est une GT hein?

— Oui, c'est bien ça! Je te remercie et c'est vrai qu'elle est quand même assez rapide, mais elle ne se mesure pas à la tienne!

— Ah bien! C'est certain que j'y ai fait plusieurs modifications, alors ça aide, mais je suis certain que la tienne est pas si loin derrière!

— C'est bien gentil, mais je n'en suis pas convaincue! s'exclame Alexandra.

Puis, soudain, la pluie recommence. Nathan doit aussi se rendre à l'aréna pour la remise des prix.

— Excuse-moi Alexandra, mais je dois rentrer à l'aréna pour la remise des prix! Tu devrais passer chez moi demain! J'aurai davantage de temps pour discuter avec toi à ce moment-là! lui lance Nathan, avec un sourire pour la convaincre.

— D'accord! Je vais passer! lui répond Alexandra avec un chaleureux sourire, alors qu'il s'éloigne.

Alexandra s'en retourne à sa voiture, le pas léger, sourire aux lèvres. Elle est très contente du déroulement des événements et d'avoir eu l'idée d'arrêter voir ce qui se passait à l'aréna. Elle a très hâte d'avoir enfin l'opportunité de discuter en personne avec Nathan et d'en apprendre ainsi un peu plus sur lui. Elle aimerait bien apprendre ce qu'il fait de ses temps libres, à part les démolitions et le spectacle de voitures. Aime-t-il son travail? Où a-t-il étudié et dans quel domaine? Que s'est-il passé dans sa vie depuis l'école secondaire? Voilà toutes les questions qu'elle aimerait lui poser.

Le lendemain, Alexandra se lève une fois de plus d'excellente humeur. Elle déjeune tranquillement avec ses parents et prend ensuite une bonne douche. Dès qu'elle sort de la douche, elle se coiffe et choisit méticuleusement les vêtements qu'elle va porter. Elle veut bien paraître, sans trop en mettre. Bref, être sexy, mais pas aguichante. Elle ne veut pas non plus avoir l'air trop citadine, ce qui fait qu'elle a de la difficulté à trouver un agencement qui convienne parfaitement.

Elle choisit finalement de mettre son pantalon court blanc, style jeans, qui lui fait de belles fesses, et un chandail noir, col en V, sans manches. Le chandail, simple et stylisé, est juste un peu décolleté, ce qui est l'effet recherché. Elle fait sécher ses cheveux pour qu'ils tombent bien et les laissent libres. Elle sait que les hommes aiment ses longs cheveux bruns, aux légers reflets cuivrés, surtout quand ils sont détachés.

Elle applique ensuite du mascara sur ses longs cils et un peu de crayon noir dans le bas de ses paupières, juste au-dessus de ses cils afin de faire ressortir le vert de ses yeux. Un peu de baume teinté de rouge pour les lèvres, ce qui fonce un peu celles-ci et les rend plus brillantes et séduisantes.

Pour terminer, elle met un collier argenté et noir, ainsi que des boucles d'oreille. Maintenant prête, elle est certaine qu'elle va attirer son attention. Son style actuel est simple, avec une touche séduisante et un effet de beauté naturel.

Elle regarde l'horloge de la chambre. Celle-ci affiche onze heures quinze, ce qui veut dire qu'il est bientôt l'heure du dîner. Elle ne peut pas partir maintenant, car il est trop tôt pour rendre visite à Nathan, cela serait impoli et inopportun. Elle décide donc d'écouter un peu de musique et de profiter de la belle vue sur le lac, en attendant que l'heure du dîner passe.

Il fait très beau aujourd'hui. Elle est choyée ! Le ciel est bleu et il n'y a que très peu de nuages. Le vent souffle une brise douce et délicate. Le soleil est magnifique, surtout lorsqu'il miroite sur le lac.

Alexandra passe un bon moment à contempler le paysage du chalet, en écoutant de la musique, en dansant et en chantant de temps à autre. Ses parents ont quitté le chalet tôt ce matin. Sa mère avait plusieurs courses à faire et son père devait se rendre à son travail, dans le bois. C'est pourquoi elle profite du fait qu'elle a le chalet à elle seule pour quelques heures.

Midi sonne. Alexandra décide de manger une bouchée avant de partir, même si elle a déjeuné, il n'y a pas si longtemps de cela. Elle ne désire pas courir le risque d'avoir faim une heure après son départ et que cela lui gâche une partie de son après-midi. Elle veut profiter de la compagnie de Nathan le plus longtemps que possible.

Vers midi vingt-cinq, elle quitte le chalet en direction de Ville-Marie. Le trajet ne lui prend que quelques minutes. Elle trouve qu'il est encore un peu tôt pour se rendre chez Nathan. Elle se dit qu'il doit encore être en train de dîner à cette heure. Elle décide donc de se promener en voiture, dans les rues de Ville-Marie, dans le but d'écouler le temps.

Elle s'arrête un moment au dépanneur du coin, afin d'y acheter un paquet de gommes à mâcher.

— Ce sera tout, madame ? lui demande le jeune caissier.

— Oui, merci.

— Ce sera 1,14 $ S.V.P.

— Hé voilà ! Bonne journée ! lui souhaite Alexandra avant de repartir.

— Merci ! À vous aussi ! lui dit le jeune homme par politesse.

Alexandra trouve toujours drôle de se faire appeler « madame » ou de se faire vouvoyer, malgré son jeune âge, mais elle sait que c'est simplement une marque de politesse. Elle en rit toujours un peu. Madame… moi ! se dit-elle toujours intérieurement.

Puis, vers treize heures, elle se rend à la ferme où habite Nathan.

À peine dix minutes plus tard, elle y est. Son estomac se serre à la vue de la maison de ce dernier. Alexandra se rassure en se disant que c'est lui qui l'a invitée et que tout va bien aller. Elle est un peu nerveuse et surexcitée à l'idée de l'avoir enfin pour elle seule, une partie de l'après-midi.

Elle stationne donc sa Mustang derrière le beau Dodge RAM 1500, bleu océan de Nathan. Ce véhicule possède aussi des jantes en aluminium et comme la plupart de ces véhicules, il est évidemment modifié.

Elle descend de sa voiture et se dirige vers l'escalier de la véranda, qui mène à la porte d'entrée. Elle regarde autour, mais elle ne voit personne. D'ailleurs, la maison semble plutôt tranquille. Toutefois, Alexandra se dit qu'il doit bien être là, puisque son camion est dans le stationnement !

Elle se trouve maintenant devant la porte d'entrée et se décide à sonner. Comme personne ne se présente, elle sonne de nouveau. Toujours rien. Alexandra se rappelle alors qu'il lui a déjà dit qu'il mange régulièrement avec ses parents, qui ont une maison non loin de la ferme. Elle en conclut qu'il doit y être en ce moment et décide de l'attendre. Elle va s'asseoir sur une des chaises de la véranda. Elle espère qu'il ne la trouvera pas impolie, mais elle se dit qu'après tout, celles-ci sont probablement là pour qu'on s'y assoie.

Alexandra ne se pose pas des questions bien longtemps. Environ cinq minutes plus tard, elle entend un véhicule. Elle espère qu'il s'agit de Nathan ! Elle se lève pour tenter de voir qui va apparaître du coin de la maison.

Il s'agit en effet de Nathan. Il lui fait d'ailleurs signe de la main, puis il stationne sa vieille voiture. Celle-ci semble être utilisée pour les déplacements sur la ferme ou tout près. Il se dirige ensuite vers Alexandra qui marche déjà en sa direction.

— Est-ce que ça fait longtemps que tu attends ? lui demande Nathan.

— Non, je viens tout juste d'arriver il y a à peine cinq ou dix minutes.

— As-tu eu le temps de visiter un peu la ferme ?

— Eh non. À vrai dire, je n'ai pas vraiment osé ! Je me suis dit que ce serait un peu impoli de ma part ! lui répond Alexandra.

— Mais non ! Il ne faut pas être gêné avec moi ! Tu peux visiter autant que tu le veux ! Tu peux même aller voir mes voitures de démolition aussi souvent que tu le veux ! Y'a vraiment aucun problème !

Alexandra trouve que c'est très gentil de sa part.

— Eh bien, je te remercie beaucoup ! C'est gentil ! lui répond Alexandra avec un sourire chaleureux.

— Tu peux même te promener en quad sur la ferme autant que tu le veux, car je crois que tu en conduis un, hein ? ajoute gentiment Nathan.

Nathan lui a fait cette offre, car il a remarqué qu'Alexandra se promène en quad à l'occasion. Il l'avait déjà rencontrée à une station-service alors qu'elle mettait de l'essence dans son quad. À vrai dire, il avait assumé qu'il s'agissait de celui de son père.

— Wow ! Je te remercie beaucoup ! C'est très gentil de ta part ! Je conduis en effet un quad à l'occasion. J'aime bien emprunter celui de mon père lorsque je suis dans la région.

— Ah bien, c'est super ça ! Alors, ne te gêne surtout pas pour venir te promener ici ! Y'a de la place en masse ici pour se promener en quad ! Et je suis comme ça moi, il ne faut surtout pas être gênée !

Alexandra lui fait un petit sourire un peu gêné. Son offre la touche beaucoup.

— Est-ce que je peux aller voir tes voitures de démolition ? lui demande Alexandra, curieuse de les voir de plus près.

— Bien sûr ! Elles sont de l'autre côté de la grange, je vais te les montrer !

Puis ils se dirigent vers le grand toit à côté de la grange, là où l'on retrouve habituellement des balles de foin. Nathan a décidé d'en faire un tout autre usage et d'y ranger ses voitures de démolition.

Alexandra regarde les voitures une à une, impressionnée par l'ingéniosité et la puissance des moteurs de celles-ci. Elle se dit qu'il doit vraiment être un bon mécanicien pour construire des voitures comme celles-là ! Alexandra sait que la plupart des coureurs de démolition font faire la mécanique de leur voiture par des professionnels, mais Nathan le fait lui-même avec l'aide de ses amis, ce qu'elle trouve admirable et impressionnant.

— Je trouve tes voitures vraiment impressionnantes ! Et je n'en reviens pas de tes dons en mécanique !

— Je te remercie, mais disons que je reçois de l'aide à l'occasion, répond humblement Nathan.

— Oui, mais tout de même ! ajoute Alexandra. Je t'ai vu aussi, l'autre jour, aux démolitions de Laverlochère. Tu te débrouillais vraiment très bien ! Je t'ai trouvé vraiment excellent !

— Ah bien, je te remercie ! lui répond Nathan avec un sourire un peu retenu, afin de ne pas avoir l'air trop fier.

Ce compliment d'Alexandra lui a fait vraiment plaisir.

— Non, mais t'es vraiment un bon pilote ! Et tu donnes tout un *show* !

— Ah oui ? Hé bien ! Je te remercie !

— Même la foule était derrière toi ! C'était vraiment quelque chose à voir !

— Pour vrai ? Wow ! C'est cool ça !

— Eh oui, tu es maintenant une vedette du Témiscamingue ! lui lance Alexandra d'un petit clin d'œil.

— Ha! Ha ! Oui ! C'est ça… lui répond Nathan en riant.

Il apprécie malgré tout les compliments qu'Alexandra vient de lui faire. Cela fait partie d'un des bons côtés de courser. Il aime particulièrement savoir qu'il divertit la foule.

Pendant qu'Alexandra continue de regarder les voitures de Nathan, il commente ici et là le travail qu'il a effectué sur celles-ci. Alexandra aime bien l'entendre parler de voiture.

— Veux-tu t'asseoir dans une des voitures ? Tu peux choisir ta préférée !

— Pour vrai ? Cool.

Alexandra choisit une des V8 modifiée de Nathan et s'y assoit. Elle trouve cela particulièrement amusant d'y entrer par la fenêtre.

— Veux-tu aller faire un tour ? lui propose Nathan.

— C'est toi qui conduis ? lui demande Alexandra, tout excitée à cette idée.

— Mieux que ça, je te laisse la conduire si tu veux !

— Oh, mon dieu ! C'est gentil, mais je ne préfère pas ! Je vais laisser les voitures de démolition aux pros… comme toi !

Alexandra n'ose pas la conduire. Elle a un peu peur de faire une gaffe, surtout qu'elle ne connaît pas sa ferme et qu'elle n'est pas habituée de conduire une voiture aussi modifiée et d'une configuration faite pour des courses de démolition, en ovale en plus ! Nathan s'étire dans la voiture et la met en marche.

— Écoute ce ronronnement de moteur ! lance celui-ci.

Nathan a démarré la voiture pour qu'Alexandra l'entende gronder et aussi afin de tenter de la convaincre de l'essayer. Alexandra en profite pour sortir de la voiture et lui céder la place.

— À toi l'honneur ! lui lance Alexandra en sortant de la voiture.

Nathan décide d'aller faire un petit tour, en restant bien à la vue d'Alexandra, afin de l'impressionner un peu et de s'amuser. Cela ne manque pas de faire son effet ! Alexandra aime bien le voir s'amuser au volant de sa voiture de démolition. Elle l'admire et le trouve très séduisant au volant de sa voiture, et, de plus, il ne semble avoir peur de rien.

Nathan ne fait que quelques petits tours, ce qui lui prend à peine deux minutes, puis il revient vers Alexandra. Il range ensuite sa voiture au même endroit que lors du départ.

— Wow ! C'était vraiment cool !

— Tu es certaine de ne pas vouloir essayer ?

— Oui, j'en suis certaine ! Mais peut-être une autre fois.

— D'accord, lui répond simplement Nathan.

Alexandra est la première fille qu'il rencontre qui s'intéresse réellement à sa passion pour les voitures. Il trouve cela très attirant chez une femme. Il est agréablement surpris de penser qu'elle va peut-être accepter d'essayer une de ses voitures de démolition un jour.

Tous deux se dirige ensuite de nouveau vers la véranda.

Alexandra et Nathan s'assoient l'un en face de l'autre.

— Donc tu habites maintenant l'Outaouais ? À Gatineau hein, c'est bien ça ?

— Oui, exactement.

— Pour qui et dans quel domaine travailles-tu là-bas ? lui demande ensuite Nathan, pour faire la conversation et aussi parce qu'il est curieux d'en savoir plus sur la vie d'Alexandra.

— Je travaille pour le gouvernement fédéral...

Elle a à peine le temps de dire ces quelques mots qu'une camionnette fait son entrée dans la cour de Nathan.

— C'est Phil ! lui annonce Nathan.

Phil est le meilleur ami de Nathan, ce qui met un terme à l'agréable conversation qu'avaient entrepris Nathan et Alexandra. Phil se dirige immédiatement vers ceux-ci.

— Bonjour ! lui dit simplement Nathan.

— Es-tu prêt ? On a encore ben du travail à faire… pas le temps de chômer ! lui dit Phil sur un ton qu'Alexandra trouve un peu froid et sec.

— Euh… oui, répond Nathan, en se retournant vers Alexandra d'un air désolé.

Alexandra comprend vite que Phil est là pour aider à Nathan à préparer les voitures de démolition pour la course de la fin de semaine, et qu'elle n'en apprendra pas beaucoup plus au sujet de Nathan aujourd'hui.

Les deux hommes commencent d'ailleurs immédiatement à travailler.

— Je suis désolé… lui dit sincèrement Nathan. Mais je dois absolument travailler sur mes voitures, pour m'assurer qu'elles seront prêtes et performantes pour les courses de la fin de semaine prochaine.

— Je comprends ! Est-ce que ça te dérange si je reste pour vous observer, pendant que vous travaillez ?

— Ça ne me dérange pas du tout ! s'exclame Nathan, avec un sourire de satisfaction aux lèvres.

— Super ! dit à son tour Alexandra.

Alexandra sent qu'il aurait lui aussi aimé continuer à jaser avec elle. Elle remarque aussi qu'il est soulagé qu'elle ne s'offusque pas du fait qu'il doive travailler, et qu'il semble bien heureux qu'elle reste pour le regarder faire.

Elle s'assoit donc sur une chaudière renversée, non loin de la voiture sur laquelle travaillent Nathan et Phil. Elle se place à cet endroit pour bien les voir, sans leur nuire ou les ralentir.

Alexandra n'a pas vraiment la chance de parler à Nathan, car il est très occupé, mais elle aime néanmoins le regarder travailler. Elle le trouve incroyablement *sexy* lorsqu'il ressert des boulons ici et là ou lorsqu'il ajuste des cylindres. Il a de l'huile partout sur les mains et sur ses vêtements de travail, mais elle trouve que cela le rend irrésistible et que ça fait très masculin.

Il regarde dans sa direction, de temps à autre, probablement pour être certain qu'elle ne trouve pas le temps trop long. Alexandra a l'impression qu'elle lui plaît bien.

— Est-ce que je peux vous aider à quelque chose ? offre à l'occasion Alexandra.

— Non, tout va bien, je te remercie ! répond Nathan.

Phil, quant à lui, sans qu'elle en connaisse la raison, ignore complètement sa présence.

Puis, de temps à autre, voyant qu'elle insiste pour les aider, Nathan lui demande si elle veut bien lui apporter tel ou tel outil. Alexandra sent que le courant passe bien entre eux, même plus qu'elle ne l'aurait soupçonné.

Plus l'après-midi avance, plus elle se sent attirée par Nathan, et elle a l'impression que cela est réciproque. Cependant, Nathan ne semble pas réellement vouloir le laisser transparaître. Par moments, elle a l'impression qu'il lui offre seulement son amitié et, à d'autres, elle pourrait jurer qu'il flirte avec elle.

Nathan dépose ses outils, puis se dirige vers sa maison. Il revient deux minutes plus tard avec deux verres d'eau.

— Tiens ! dit Nathan à Alexandra, en lui tendant le verre d'eau.

— Merci ! lui répond-elle avec un sourire chaleureux.

Elle trouve que c'est une délicate attention de la part de Nathan et elle en est d'ailleurs surprise. Par contre, elle le trouve beaucoup moins loquace ou démonstratif depuis que Phil est là.

— Où est le mien ? lui demande Phil surpris qu'il ne lui ait pas apporté de verre d'eau.

— Toi, tu connais très bien les environs, alors tu n'as qu'à aller te servir ! lui répond Nathan.

Ce commentaire fait d'ailleurs bien rire Alexandra.

Nathan est comme cela avec elle depuis qu'elle l'a revu aux démolitions. Il est gentil et elle a l'impression qu'il y a une attirance entre eux, mais elle a malgré tout de la difficulté à affirmer qu'il s'intéresse à elle. Il est trop subtil dans ses approches pour qu'elle puisse en être certaine.

Alexandra continue de le regarder travailler pendant tout l'après-midi, mais elle n'est toutefois jamais seule avec Nathan. Phil est toujours présent. Nathan reçoit aussi régulièrement la visite d'amis, qui participent eux aussi aux démolitions.

Malgré tout, Alexandra passe un bon moment. Elle se sent un peu mise à l'écart, mais elle est quand même contente de rencontrer les gens que Nathan fréquente.

Tout au long de l'après-midi, elle sourit aux différentes conversations de Nathan avec ses amis, qui ont souvent l'air de petits combats de coqs amicaux.

Vers quinze heures trente, tous les amis de Nathan repartent, à l'exception de Phil qui continue à travailler sur les voitures de démolition.

Finalement, vers seize heures, Phil les laisse un instant pour aller chercher une pièce d'auto manquante. Alexandra se retrouve enfin seule avec Nathan ! Elle saisit l'occasion pour se rapprocher de lui, en lui offrant son aide.

— Est-ce que je peux faire quelque chose pour te donner un coup de main ?

— C'est gentil de l'offrir, mais tout va bien pour l'instant, lui répond Nathan, en lui faisant un sourire.

Mais, quelques instants plus tard, il se décide enfin à lui demander un petit coup de main.

— Finalement, je vais accepter ton offre ! Pourrais-tu, s'il te plaît, tenir quelques câbles, le temps que je les attache ensemble ?

— Bien sûr ! lui dit Alexandra, en se positionnant à ses côtés, la tête sous le capot de la voiture.

— Lesquels ? demande-t-elle ensuite.

— Ceux-là ! lui dit gentiment Nathan, en pointant du doigt une série de fils de couleurs.

— Parfait, je les tiens !

— Super ! Je vais maintenant pouvoir les attacher ensemble, ne bouge pas.

Nathan part chercher une attache, puis revient à la voiture. Il se met juste à côté d'Alexandra, afin de parvenir à attacher les fils. Il doit d'ailleurs se pencher un peu sous le capot pour y parvenir. Alexandra ne bouge pas d'un centimètre, car elle est très heureuse d'être près de lui !

À cet instant précis, elle ressent un très fort désir pour Nathan. Elle se demande bien combien de temps elle va pouvoir résister à ce sentiment puissant qui l'envahit, avant de succomber à la tentation. Elle a très envie de l'embrasser. Elle se verrait très bien entraîner Nathan jusqu'à sa chambre à coucher. Elle aimerait apprendre à le connaître d'une autre façon, mais elle résiste.

Alexandra essaie de reprendre ses esprits, car elle ne veut pas prendre le risque d'un possible rejet, dans le cas où elle s'approcherait trop de lui pour lui faire des avances. Elle ne veut pas non plus agir sous le coup d'une pulsion et gâcher ce qu'il pourrait y avoir entre eux.

Elle ne se souvient pas avoir déjà ressenti autant de désir auparavant. Elle a toujours été une femme qui maîtrise ses pulsions et elle est très surprise de cette attirance envers Nathan, surtout qu'elle le connaît très peu et qu'elle ne sait même pas ce qu'il ressent pour elle.

Elle se dit, en tentant de reprendre ses esprits, qu'une bonne douche froide serait de mise en ce moment ! Oh non… mauvaise idée ! Il ne faut pas non plus penser au mot douche… pas lorsque Nathan est si près d'elle ! pense soudainement Alexandra.

— Ça va ? lui demande Nathan qui termine d'attacher les fils et de couper le surplus de l'attache.

— Eh oui, très bien merci ! répond Alexandra en mentant.

— Tu peux maintenant lâcher les fils ! J'ai terminé ! lui annonce-t-il, en se redressant à quelques centimètres à peine d'elle.

— D'accord, dit Alexandra, les idées tout embrouillées.

Elle pense ensuite qu'il vaudrait mieux qu'elle s'assoie loin de Nathan pour le moment ! Elle recule et va s'asseoir à environ deux mètres de distance de Nathan, question de reprendre ses esprits.

— Tu es certaine que ça va ? lui demande Nathan qui la trouve différente tout à coup. Puis il s'avance vers elle pour s'assurer que tout va bien ou encore qu'elle n'est pas choquée.

— Oui très bien ! lui dit Alexandra en affichant un sourire sympathique afin de le convaincre.

Fort heureusement pour elle, à cet instant précis, Phil revient déjà avec la pièce manquante. Alexandra est soulagée de le revoir, mais un peu déçue aussi. Une partie d'elle aurait bien aimé perdre la maîtrise de ses émotions et faire des avances à Nathan.

Vers seize heures trente, Phil les quitte pour aller manger.

— À plus tard ! dit-il à l'intention de Nathan.

— Oui, à tantôt ! lui répond Nathan.

Puis Phil saute dans son camion, en disant qu'il va revenir plus tard pour continuer leur travail sur les voitures.

— Bon bien, je crois que je vais moi aussi y aller ! dit Alexandra.

— Ah oui ? lui répond Nathan, qui semble surpris.

— Eh bien ! Je dois moi aussi aller manger et j'imagine que tu dois en faire de même ! ajoute Alexandra.

— D'accord, mais tu vas revenir me voir cette semaine ?

— Oui, probablement ! répond-elle.

Elle est bien heureuse qu'il lui demande si elle va revenir. Elle a répondu « probablement » afin de le faire languir un peu et de se faire désirer.

— Bon bien ! Bonne soirée ! lui dit Alexandra

— Oui, bonne soirée à toi aussi ! lui répond Nathan, sur le seuil de sa véranda.

Alexandra est étonnée de constater que Nathan semble déçu qu'elle parte elle aussi, mais elle se demande bien ce qu'elle aurait pu faire d'autre ? Elle ne pouvait quand même pas s'inviter à souper ! Elle le trouve difficile à cerner, car ses attentes envers elle semblent changer d'un moment à un autre.

Alexandra lui fait un signe de la main et part en direction du chalet de ses parents.

Pendant son trajet jusqu'au chalet, Alexandra se remémore les différents événements de la journée et essaie d'en tirer des conclusions. Elle sait qu'elle ne le laisse pas indifférent, mais elle n'arrive toujours pas à dire s'il est attiré ou intéressé par elle ou pas. Par moments elle jurerait qu'il est attiré et à d'autres elle a l'impression qu'il est simplement gentil avec elle parce que cela fait partie de sa personnalité.

Elle se demande si cela est possible qu'elle soit la seule à avoir ressenti cette forte attirance entre eux. Elle s'interroge aussi à savoir si le courant électrique qu'elle a ressenti provenait seulement d'une des deux personnes ? Elle se dit et espère que cette attirance était intense parce qu'il a ressenti la même chose pour elle. Mais comment en être certaine ? se demande-t-elle.

Elle n'a pas l'habitude de ne pas savoir ce que l'on attend d'elle ou de n'avoir aucune idée de ce que l'autre personne ressent pour elle, comme c'est le cas présentement avec Nathan. Les hommes qu'elle rencontre habituellement lui font comprendre, et ce, de façon très claire, parfois même un peu trop claire, leurs intentions à son égard. Cette situation avec Nathan la déstabilise complètement.

Elle a bien aimé sa journée en compagnie de Nathan, mais elle est toutefois un peu déçue de ne pas avoir eu la chance de lui parler davantage. Elle n'a malheureusement pu en apprendre beaucoup sur lui, contrairement à ce qu'elle avait espéré en début de journée. Elle ne sait toujours pas où il a étudié, ce qu'il aime faire de ses temps libres, à part la mécanique, s'il est célibataire ou non, ni ce qu'il a fait depuis l'école secondaire. Elle se rassure en se rappelant qu'après tout, elle a le reste de la semaine pour le découvrir ! Cette pensée la fait sourire et se sentir bien à nouveau.

Malheureusement, le reste de la semaine ne se déroule pas tout à fait de la façon souhaitée. Elle n'a eu que très peu d'occasions de voir ou de parler à Nathan. Elle l'a pourtant appelé à quelques reprises au cours de la semaine, mais leurs conversations téléphoniques ont été chaque fois très brèves.

Comme celle de mardi par exemple :

— Bonjour Nathan, c'est Alexandra ! Tu vas bien ?

— Très bien et toi ?

— Je vais très bien merci ! Je me demandais si tu avais envie de faire quelque chose ce soir ? J'ai pensé que nous pourrions regarder un film ou quelque chose d'autre !

— Ah bien… c'est bien gentil à toi de me l'offrir, mais je dois absolument terminer les derniers réglages sur mes voitures, avant la course de samedi !

— Ah ! D'accord… une autre fois alors !

— Absolument !

Puis il avait ajouté :

— Hé bien ! Je suis pas mal occupé cette semaine et je ne peux pas vraiment m'absenter de chez moi, mais tu pourrais venir faire un tour un soir cette semaine ! Demain, par exemple, si tu es libre ! Même si je dois travailler sur mes voitures, tu pourrais quand même venir me dire bonjour si ça te tente !

— D'accord, je peux faire ça ! Alors, je te dis à demain !

— Oui, à demain ! Bonne soirée !

— Merci, bonne soirée à toi aussi !

Elle s'était rendue chez lui mercredi soir, vers dix-neuf heures, mais n'avait pas vraiment eu la chance de lui parler. Lorsqu'elle était arrivée devant chez lui, elle avait été surprise d'y apercevoir un tas de gens ! Plusieurs de ses amis s'étaient donné le mot pour venir lui rendre visite !

Alexandra avait failli ne pas arrêter, mais étant donné qu'elle aurait difficilement passé inaperçue si elle l'avait fait, elle avait décidé d'aller lui dire « bonjour » malgré tout. Elle ne s'était toutefois pas beaucoup mêlée aux conversations et elle n'avait eu que très peu l'occasion de parler à Nathan.

Profitant des rares moments où ses amis s'éloignaient un peu, elle était malgré tout parvenue à lui poser quelques questions, afin de le connaître un peu plus.

Elle avait entre autres appris qu'il avait étudié en technique agricole, après l'école secondaire. Cela l'avait très surprise, Même s'il habite toujours sur la petite ferme familiale, elle a toujours pensé qu'il avait étudié en mécanique ou dans un domaine connexe. Par contre, elle trouvait cela très bien qu'il ait choisi l'agriculture, car le travail de la ferme est associé à des valeurs familiales fortes. Elle trouve que cela est tout à son honneur !

Elle avait aussi appris qu'il travaillait pour une entreprise de Ville-Marie, une entreprise de transport de matériaux de produits de construction. Elle se doutait déjà qu'il travaillait pour cette compagnie, puisqu'elle l'avait croisé dans son camion à son arrivée à Ville-Marie, quelques jours plus tôt. Il faut dire qu'elle avait à peine eu le temps d'apercevoir le camion, alors elle n'était pas certaine si elle avait vu juste. Elle n'était toutefois pas étonnée d'apprendre que son métier actuel concernait la conduite d'un véhicule.

Sa visite chez Nathan n'avait duré qu'environ une heure. Elle était ensuite retournée chez ses parents et avait tranquillement regardé la télévision avec eux.

Alexandra avait aussi décidé de lui téléphoner de nouveau le jeudi, en essayant de le convaincre de prendre une petite pause, au moins pour une heure, sans grand succès toutefois. Leur conversation s'était déroulée comme suit :

— Bonjour Nathan ! C'est encore Alexandra ! Je ne te dérange pas j'espère ?

— Pas du tout ! Tu ne me déranges jamais ! lui avait-il dit, sur un ton très sincère.

— Je sais que tu es très occupé, mais j'ai pensé que tu pourrais probablement t'accorder une petite pause d'une heure pour venir prendre un verre avec moi ! Qu'en dis-tu ?

— Wow ! C'est vraiment gentil à toi d'avoir pensé à moi et j'aimerais beaucoup pouvoir te dire oui…

— Mais ?

— Mais je suis vraiment trop occupé en ce moment pour me libérer, même pour une heure ! Je suis désolé !

— Pas de problème, lui avait répondu Alexandra, un peu moins enthousiaste qu'à l'habitude. Bon bien, je te souhaite une bonne course samedi ! lui avait-elle dit ensuite.

— Merci beaucoup ! Bonne soirée ! lui avait-il dit rempli de bonnes intentions, un peu comme s'il voulait se faire pardonner.

— Bonne soirée à toi aussi, lui avait répondu Alexandra sur un ton plutôt neutre, car elle était un peu découragée.

Nathan avait donc passé toute la semaine au travail pendant le jour. Et le soir il préparait ses voitures pour la course. Alexandra s'était vite rendue compte à quel point il était sérieux à propos des courses de démolition ! Et puis, même si elle était déçue, elle comprenait. Après tout, c'était la dernière semaine avant la course, et elle respectait le fait qu'il voulait être fin prêt.

Samedi matin, dix heures. Enfin, les démolitions 2, qui ont lieu à Béarn, vont bientôt commencées ! Alexandra ne tient plus en place. Elle a très hâte de le voir courser et espère qu'il remportera la victoire cette année. Les rumeurs racontent qu'il pourrait bien l'emporter cette année. Elle a entendu dire qu'il aurait pu gagner bien des fois dans le passé, mais à cause d'ennuis mécaniques ou de simples malchances, cela l'avait empêché de terminer premier.

Alexandra commence à se préparer pour être belle pour la course et, encore une fois, ne veut pas trop « cocotte ». La dernière chose qu'elle veut c'est d'avoir l'air d'une allumeuse.

Il est seulement dix heures et, déjà, la température atteint vingt-quatre degrés Celsius à l'extérieur. L'après-midi promet d'être chaud ! se dit Alexandra. Elle enfile donc un short court en jeans bleu et un chandail blanc à manches courtes. Cet ensemble sera parfait !

Ses shorts en jeans sont très beaux avec leurs poches multiples, ce qui lui donne du style et met ses fesses en valeur. Elle trouve son chandail à manches courtes également parfait pour l'événement, puisqu'il arbore l'emblème d'un garage de mécanique de performance d'Ottawa qu'Alexandra aime particulièrement. Le chandail blanc et moulant possède des manches très courtes bleu marin et le symbole « TA » est discrètement gravé à l'avant à la hauteur de sa poitrine.

Sa tenue est un peu sportive. Même si le col de son chandail n'est pas décolleté, ce vêtement épouse très bien les belles courbes de son corps et souligne ses attraits, ce qui la rend discrètement séduisante. Elle remonte ses cheveux, car il fait beaucoup trop chaud pour les laisser libres. Elle se met ensuite du mascara, un soupçon de maquillage, puis de l'huile bronzante avec un facteur protecteur. Elle ne veut pas prendre de risque et se protège immédiatement des rayons du soleil, puisqu'elle sera à l'extérieur tout l'après-midi.

À onze heures Alexandra est prête à partir. Elle doit se rendre au village pour y faire une course ou deux et prendre quelque chose à manger. Elle veut être à Béarn à midi, étant donné que les courses doivent débuter vers treize heures.

Elle attrape donc une bouteille d'eau et un sous-marin à l'épicerie, puis elle se dirige ensuite vers la Grotte de Ville-Marie pour y manger son repas. Elle adore cet endroit, car la vue y est magnifique et unique. Ce lieu, que les gens de la région appellent la Grotte, se situe dans une montagne, à même une des entrées de la ville. De là-haut, les gens peuvent observer la ville, les champs des cultivateurs, la forêt, ainsi que le lac Témiscamingue. La hauteur de la montagne permet d'avoir une vue aérienne sur la ville. Le panorama sur Ville-Marie est sublime !

Alexandra déguste son sous-marin, assise sur un rocher, en admirant Ville-Marie, le lac Témiscamingue et les alentours. Elle se sent bien, elle se sent légère. Chaque fois qu'elle en a l'occasion, elle se rend à cet endroit qu'elle apprécie beaucoup.

Son repas terminé, Alexandra retourne à sa voiture. Étonnamment, lorsqu'elle arrive à Béarn elle trouve assez facilement du stationnement. Elle doit cependant marcher un peu, environ cinq minutes, pour se rendre au site où ont lieu les courses, mais cela ne la dérange pas du tout. Elle a l'habitude de marcher depuis qu'elle habite en ville ! De plus, elle aime faire de l'exercice pour se garder en forme.

À peine arrivée à l'entrée du site, elle entend les voitures au loin, ainsi que les voix des commentateurs. Il y a déjà une foule considérable sur les lieux et Alexandra est très excitée. Elle a pris soin d'apporter sa chaise de camping pliable, au cas où il n'y aurait pas de place dans les estrades.

Son entrée maintenant payée, elle se dirige vers les estrades pour trouver un endroit où s'asseoir. Elle se rend vite compte qu'elle a bien fait d'apporter sa chaise, puisque les estrades sont déjà pleines. Elle se dirige d'un pas léger, avec un petit sourire aux lèvres, vers la tour des commentateurs, tout en regardant autour d'elle, afin de voir si elle reconnaît des visages. Elle reconnaît en effet quelques personnes et aperçoit aussi d'anciens collègues de classe, mais elle ne s'arrête pas pour leur parler. Elle préfère s'asseoir en premier et ensuite se promener pour jaser avec les gens.

Elle place sa chaise juste en avant de la clôture qui a été disposée pour assurer la sécurité des spectateurs. Elle est sur un gros butons, juste en avant des estrades et très près des annonceurs. Comme un haut-parleur est placé à environ deux pieds d'elle, elle risque de très bien entendre le déroulement des courses tout au long de la journée !

De l'endroit où elle est placée, elle va très bien voir les courses et elle ne risque pas d'avoir quelqu'un debout ou de plus grand devant elle. De plus, elle ne risque pas non plus de recevoir trop de poussière au passage des voitures de course, puisque le vent souffle dans l'autre direction. Elle est très satisfaite de son choix. Elle laisse donc sa chaise à cette place et se dirige vers la foule, afin de saluer quelques connaissances.

— Bonjour Mélissa, comment vas-tu ?

— Wow ! Alexandra ! Ça fait longtemps qu'on ne t'avait pas vue !

— Oui c'est vrai ! La dernière fois que je t'ai vue, c'était à l'école Marcel-Raymond ! ajoute Alexandra.

Mélissa est une connaissance de l'école secondaire et Alexandra ne l'avait pas revue depuis la fin de ses études secondaires.

— Et puis, quoi de nouveau avec toi ? lui demande Mélissa.

— Eh bien, moi j'habite maintenant dans l'Outaouais, depuis quelques années déjà. Et toi ? Quoi de neuf ?

— Moi j'ai maintenant une belle petite fille !

Mélissa pointe en même temps vers une poussette pour enfant. Alexandra se penche au-dessus pour la regarder de plus près.

— Ah ! Elle est trop belle ! lui dit Alexandra, en admiration devant ce petit bébé.

— Merci beaucoup !

— Elle est toute jeune ! Elle a quel âge ?

— Elle a environ quatre mois maintenant !

— Elle est vraiment trop belle ! se répète Alexandra émerveillée par le visage angélique de la petite.

— Bon bien je vais te laisser et retourner à ma place ! Les courses vont bientôt commencer !

— Parfait ! Je suis bien heureuse de t'avoir revue !

— Moi aussi ! Bye et peut-être à plus tard !

Alexandra retourne ensuite à sa chaise, pour attendre le début des courses.

Environ cinq minutes plus tard, les coureurs sont appelés à se présenter à la tour des commentateurs pour recevoir les règles de sécurité et connaître le déroulement des courses.

— Tous les coureurs sont priés de se rendre immédiatement à la tour des commentateurs. Dans cinq minutes, le déroulement des courses ainsi que les règlements de sécurité vous seront communiqués. Merci !

À peine deux minutes plus tard, Alexandra aperçoit Nathan, à environ cinq mètres d'elle. Elle sent des papillons dans son estomac. Elle n'en revient pas de l'effet qu'il lui fait chaque fois qu'elle est en sa présence. Elle le trouve vraiment très séduisant avec son jeans bleu foncé et son chandail à manches courtes noires qui arbore fièrement le logo argenté et blanc « Blue Madness ». Ce logo a d'ailleurs été créé pour représenter son équipe de démolition.

Malgré le fait qu'il doive courser sur une piste en sable et en terre, Nathan est habillé avec style et il est aussi bien coiffé, ce qui n'est pas le cas pour la plupart des coureurs qui sont présents ! Le look de Nathan ne semble d'ailleurs pas du tout déplaire aux demoiselles présentes.

Alexandra se dit, en regardant le chandail que porte Nathan, que le noir lui va vraiment très bien ! Elle pense toutefois immédiatement qu'il va sûrement avoir très chaud à courser habillé comme ça, car le soleil est très chaud aujourd'hui ! Cependant, comme un bon vieux dicton le dit si bien, il faut parfois souffrir pour être beau !

Puis, Nathan l'aperçoit et lui fait un signe de la tête, en guise de bonjour. Alexandra lui fait un signe discret de la main et de la tête, ainsi qu'un sourire, en guise de réponse. Il lui fait un petit sourire, et semble satisfait et heureux de la voir, puis porte à nouveau son attention sur les directives des commentateurs.

Quelques minutes plus tard, à la fin des directives, Alexandra se dirige vers Nathan qui discute avec quelques-uns de ses amis coureurs. Elle lui tape délicatement sur l'épaule, afin d'attirer son attention. Il se retourne et semble agréablement surpris de sa venue.

— Bonjour ! lui dit tout de suite Nathan, d'excellente humeur.

Alexandra se doute bien que le bonheur qui se lit dans ses yeux est sans doute lié aux courses qui vont débuter dans un moment, mais elle est quand même heureuse de le voir si joyeux, heureux et fier.

— Bonjour ! Je voulais te voir avant la course pour te souhaiter bonne chance et aussi pour te dire de bien t'amuser !

— Je te remercie ! lui répond Nathan, avec un sourire très chaleureux et séducteur à la fois.

Une fois de plus, ce sourire et ce regard donnent des papillons dans l'estomac d'Alexandra. Elle sent aussi son cœur devenir tout chaud et se mettre à battre la chamade.

— Nathan, nous devons maintenant aller au puits des coureurs ! lui dit un de ses amis, en l'attendant quelques pas plus loin, avec un air un peu impatient.

Nathan doit retourner au puits des coureurs, afin de se préparer pour les courses à venir.

— J'arrive dans une minute ! lui répond Nathan, puis il se tourne de nouveau vers Alexandra.

— As-tu vu le tableau des courses ? lui demande ensuite Nathan.

— Malheureusement non ! À vrai dire, je ne sais même pas où il se trouve ! Nathan lui montre du doigt le tableau noir qui est à une vingtaine de pas d'eux.

— Si tu regardes ce tableau, tu vas pouvoir savoir qui course et à quel moment tout au long de la journée !

— Bonne information à connaître ! Merci ! lui dit Alexandra avec le sourire.

Alexandra est sensible à ce geste et ne manquera pas de jeter un œil au tableau.

— Bon bien, je suis vraiment désolé, mais je dois vraiment aller rejoindre le puits des coureurs !

— Aucun problème ! Bonne course !

— Merci, lui répond Nathan, alors qu'il s'éloigne.

Quelques pas plus loin, il se retourne de nouveau vers Alexandra.

— À tantôt ! lui lance Nathan, sur un ton joyeux.

Malheureusement, Alexandra ne le voit pas vraiment de tout l'après-midi, car il est la majeure partie du temps dans le puits des coureurs.

Vers quinze heures, Alexandra le voit enfin se diriger vers la ligne de départ, dans son bolide bleu, comme lors de la démolition I de Laverlochère. Il s'agit de sa première course de la journée : celle de la catégorie des V6. Plus les courses avancent, plus la foule est excitée et énergique. Alexandra aime cette ambiance !

Nathan fait une très belle course dans la classe V6 et termine premier. La foule l'applaudit bien fort, ce qu'Alexandra fait avec grand plaisir elle aussi ! L'ambiance est vraiment excellente. Alexandra est bien curieuse de voir à quoi ressembleront les courses de demain, alors que ce sera les finales !

Elle revoit Nathan sur la piste, environ une heure plus tard. Cette fois-ci, il course dans la catégorie des V8 modifiées. La foule est très énergique. Tout le monde a hâte de voir enfin les voitures aux moteurs puissants courser, c'est-à-dire les voitures 8 cylindres modifiées.

Alexandra remarque de nouveau que la foule semble particulièrement apprécier Nathan. Elle entend plusieurs personnes l'encourager et remarque plusieurs filles qui semblent le trouver elles aussi bien à leur goût. Elle hausse les épaules et se dit qu'elle ne peut pas les blâmer, elle voit très bien ce qu'elles lui trouvent !

Les voitures se placent une à une sur la grille de départ. Les moteurs grondent, puis le départ est donné ! Alexandra est de nouveau épatée par les talents de pilote de Nathan. Il semble se sortir de n'importe quelle impasse, cela l'impressionne beaucoup !

La foule ne cesse de l'applaudir et de l'encourager. Alexandra est contente que les gens reconnaissent son talent. Les courses de V8 modifiées se passent très bien. Il y a plusieurs accrochages et beaucoup d'action, mais tout se passe quand même bien.

Tout au long des courses, Alexandra est excitée et stressée, car tout peut arriver dans ce genre de courses et les accidents sont nombreux. Elle ne veut pas voir un des coureurs se blesser et surtout pas Nathan ! Fort heureusement, les accidents ne sont que très rarement sérieux.

Tout au long de la journée, des voitures font des tonneaux, pivotent d'un bout à l'autre, sortent de piste et plusieurs entrent de plein fouet l'une sur l'autre, mais personne n'est blessée.

Les courses sont maintenant terminées pour la journée. Somme toute, l'après-midi s'est très bien déroulé pour Nathan. Il a eu quelques petits accrochages ici et là, mais rien de sérieux. Il a fini « premier » dans la plupart de ses courses. Alexandra se dit qu'il doit être vraiment excité et qu'il doit avoir hâte à la finale qui aura lieu demain après-midi !

Elle ramasse donc sa chaise et ses choses, puis retourne à sa voiture. Quelques pas à peine plus loin, Alexandra croise Nathan. Elle décide d'en profiter pour le féliciter pour ses belles courses.

— Félicitations Nathan ! Belles courses aujourd'hui, tu dois être content !

— Bonjour ! Oui ! Assez, oui ! lui répond Nathan, fier de sa journée.

— En tout cas, la foule était entièrement avec toi ! C'était beau à voir ! s'exclame Alexandra avec fierté.

— Vraiment ? lui répond Nathan, d'un air surpris et content.

— Oh oui ! Je me demandais, es-tu occupé ce soir ?

— Oui, je dois malheureusement passer une bonne partie de la soirée et de la nuit à réparer mes voitures qui ont été endommagées au cours de la journée, afin qu'elles soient prêtes pour demain.

— C'est compréhensible ! lui répond Alexandra. Bon bien, bonne soirée ! lui dit Alexandra.

— Oui, bonne soirée à toi aussi ! lui répond Nathan, en retournant vers le puis des coureurs.

Puis elle repart afin de rejoindre sa voiture, sa chaise de camping sous le bras.

Alexandra se dit qu'elle n'a vraiment décidément pas choisi le bon temps pour essayer d'apprendre à le connaître ! Il est vrai qu'elle aime beaucoup le voir courser, mais elle n'a jamais pensé que cela signifierait qu'elle ne le verrait pas de toute sa semaine de vacances !

Elle essaie malgré tout de ne pas trop s'en faire avec cela. Ce qui la dérange un peu plus par contre, c'est qu'elle ignore toujours s'il est intéressé à elle ou pas. La seule chose qu'elle sait, c'est qu'elle ne le laisse pas indifférent, mais encore là, elle se dit qu'il est tellement sociable, qu'il est peut-être tout simplement poli avec elle. Elle n'est pas bien avancée !

Dimanche, treize heures de l'après-midi. Les finales des démolitions commencent. Alexandra est sur le site des courses depuis environ une demi-heure. Elle a aperçu Nathan à quelques reprises déjà, mais elle n'est pas allée le voir, car il semblait très occupé.

Elle prend donc place dans sa chaise de camping, comme le jour précédent, pour regarder le début des courses. Elle parle de temps à autre à l'homme qui est assis près d'elle, lequel semble avoir trois ou quatre ans de moins qu'elle. Il semble en connaître beaucoup sur les courses et les coureurs, alors elle trouve ses commentaires forts intéressants.

Tout au long de l'après-midi, les finales sont très excitantes. Il y a beaucoup d'action et surtout beaucoup d'accrochages ! Heureusement, personne n'est blessé jusqu'à maintenant.

Alexandra a trouvé la finale des filles fort intéressantes. Elle est fière qu'elles aient eu le courage de courser, surtout qu'il y avait pour la première fois, une catégorie de V8 pour femme. Elle a particulièrement aimé cette course.

Alexandra a aussi beaucoup aimé la course de Nathan dans la catégorie des V6. Il s'est hissé en tête du peloton avec beaucoup d'adresse et il y est resté. Elle a été bien impressionnée et a hâte de voir ce qu'il va accomplir comme performance dans la classe des 8 cylindres modifiées.

Toutefois, à son grand regret, elle n'a pas réussi à parler avec Nathan, ne serait-ce que pour le saluer. Il semblait toujours pressé ou était entouré d'une foule de gens. S'il a le goût de me parler, il va sûrement venir vers moi ! se dit Alexandra, puisqu'elle n'est jamais bien loin.

À seize heures, il est temps pour les coureurs des voitures 8 cylindres modifiées de faire leur entrée en piste. Nathan fait partie de cette première course.

Alors que Nathan entre en piste, la foule se met à hurler pour l'encourager et l'annonceur fait jouer la chanson de Nathan. Alexandra a appris au cours de la journée que Nathan avait choisi une chanson pour le représenter lorsqu'il course. D'ailleurs, un autre favori, Simon, a lui aussi sa chanson fétiche.

Alexandra ne tient plus en place tellement elle est excitée à l'idée de cette finale avec Nathan qui va bientôt débuter. Elle ressent toutes sortes d'émotions en même temps. Elle est excitée, heureuse, nerveuse et fière à la fois.

Le départ est donné. Nathan est mal positionné sur la grille de départ, mais il parvient malgré tout à se faufiler entre les voitures et à éviter qu'un coureur ne le sorte de piste. Alexandra en est soulagée, car elle craignait qu'ils arrivent à le sortir dès le début ! Elle est stupéfaite de sa manœuvre. Quel conducteur ! se dit-elle.

Nathan se hisse habilement parmi les trois coureurs en tête. Il y a un total de dix coureurs pour cette course. La lutte est chaude. Après seulement deux tours, Nathan est déjà deuxième et se bat pour la première place. Alexandra est maintenant debout, car elle est trop excitée pour rester assise. Elle ne tient littéralement plus en place.

— Vas-y Nathan ! crie Alexandra pour l'encourager.

Alexandra réagit à ses moindres manœuvres, comme lorsqu'il tente de dépasser le meneur ou d'éviter les retardataires ! Elle est maintenant un vrai paquet de nerfs tellement elle est excitée et nerveuse pour lui. Elle se doute à quel point il veut cette victoire et elle la lui souhaite de tout cœur !

Déjà on arrive au septième tour, ce qui veut dire qu'il ne reste que trois autres tours. Nathan vient tout juste de réussir à dépasser le meneur. Alexandra est folle de joie et applaudit. Tout à coup, deux retardataires entrent en collision devant Nathan. Celui-ci ne parvient pas à les éviter.

La roue avant droite de la voiture de Nathan monte sur le capot de la voiture qui a fait un cent quatre-vingt degrés devant lui et fait verser la voiture de Nathan sur le côté conducteur. Le tout se passe en une fraction de seconde, un vrai jeu de quilles.

La course est immédiatement arrêtée et les bénévoles se dirigent rapidement vers la voiture de Nathan, laquelle a versé sur le côté. L'annonceur demande au coureur, dans le micro :

— Nathan, fais-nous un signe de la main si tu n'es pas blessé !

Étant donné que la voiture est renversée du côté conducteur, il serait bien difficile pour Nathan de le faire !

— Quel imbécile ! laisse échapper Alexandra, sous le coup des émotions.

Heureusement que deux ou trois personnes l'ont attendu. Alexandra est maintenant morte d'inquiétude et espère que Nathan va bien. Il a quand même pris toute une débarque, alors rien n'est certain.

Les bénévoles donnent une forte poussée sur la voiture de Nathan et réussissent ainsi à la remettre sur ses quatre roues. Nathan en ressort, sans aide, puis se tourne pour saluer la foule, afin de leur montrer qu'il n'a rien. Alexandra est soulagée.

Nathan jette un rapide coup d'œil à sa voiture, qui est en piteux état, puis court se réfugier, comme si de rien n'était, au milieu de la piste de course. Cela est la procédure à suivre lorsqu'il y a un accident ou un bris. C'est étonnant, car il ne semble pas ébranlé. À vrai dire, Alexandra à l'impression d'être plus ébranlée que lui ! Elle le trouve vraiment très fort et courageux.

Le reste des courses se déroulent bien. Nathan, qui a une deuxième voiture dans cette catégorie de V8 modifiées, se débrouille bien dans ses autres courses. Il n'y a que quelques petits accrochages ici et là, mais rien de bien sérieux.

Les finales sont maintenant presque terminées et Alexandra pense bientôt rentrer chez ses parents. Elle ne prévoit pas rester pour la remise des prix, mais elle se dit qu'elle devrait au moins aller saluer Nathan, car elle ne le reverra probablement pas de si tôt, puisqu'elle retourne dans l'Outaouais demain avant-midi ! Elle ne veut toutefois pas partir en laissant une mauvaise impression, car elle sait que Nathan l'a aperçue plusieurs fois dans la journée.

Quelques minutes avant la dernière course de Nathan, Alexandra l'aperçoit avec ses amis, près du tableau de pointage. Elle se décide à aller vers lui.

— Bonjour ! dit simplement Alexandra.

Elle lui fait un sourire et le salue, puis ses amis s'éloignent. Alexandra l'apprécie. Au moins, ils vont pouvoir être tranquilles.

— Bonjour ! lui dit à son tour Nathan, avec un sourire.

— Je ne pourrai pas te parler longtemps, parce que je dois aller me préparer pour ma dernière course ! Elle a lieu dans seulement quelques minutes !

— Aucun problème, je viens simplement te dire « au revoir » ! lui dit Alexandra, sur un ton un peu plus neutre cette fois-ci.

Sur ces mots, l'expression du visage de Nathan change. Il semble tout à coup inquiet et déçu. Alexandra est surprise de sa réaction et se demande bien pourquoi il semble déçu, puisqu'ils ne se sont presque pas parlé de toutes ses vacances !

— Nathan, tu viens ! lui crie un de ses amis.

— Dans un instant oui ! lui lance Nathan.

Puis il se retourne de nouveau vers Alexandra. Il ne semble pas vouloir la quitter ainsi, ce qui fait plaisir à Alexandra.

— Mais je vais te revoir hein ? lui demande Nathan, sur un ton interrogateur et inquiet, accompagné d'un regard attentif et affectueux.

— Ça dépend de toi ! lui répond Alexandra, d'un ton ferme, mais quand même doux.

Elle marque ensuite une pause, puis ajoute :

— Ça dépend si tu as le goût de me revoir ou non ? lui dit Alexandra, le cœur un peu lourd.

Elle est surprise d'oser lui poser la question, mais elle veut le savoir. Quitte à ce qu'il lui réponde qu'il n'est pas intéressé à la revoir, ce qui lui briserait le cœur !

— C'est certain que je veux te revoir ! lui répond spontanément et sincèrement Nathan.

Il y a ensuite une petite hésitation de sa part, puis il ajoute :

— En ami...

Il observe Alexandra afin d'analyser ses réactions face à ce commentaire, puis il fait ensuite un pas vers le puits des coureurs, car il doit vraiment partir. Alexandra force un petit sourire amical, puis lui répond :

— Pas de problème ! ...je peux me contenter de ton amitié si c'est ce que tu as à m'offrir !

Alexandra ne revient pas de ce qu'elle vient de lui dire ! Les mots sont sortis tous seul de sa bouche, sans même le faire exprès. Elle est tout de même très heureuse de l'avoir fait. De cette façon, ses sentiments sont clairs envers lui.

Nathan semble lui aussi un peu surpris de son commentaire.

— Je suis désolé, mais je dois vraiment partir ! À plus tard ! lui dit Nathan, d'un ton compatissant et avec un peu d'hésitation, afin de lui montrer qu'il est sincèrement désolé de devoir partir ainsi. Cette délicate attention fait chaud au cœur d'Alexandra, même si elle est un peu triste par la tournure des événements.

Alors que Nathan s'éloigne, Alexandra retourne s'asseoir pour regarder la dernière course. Elle pense à ce qui vient de se passer et n'en revient pas elle non plus que ces paroles soient sorties de sa bouche. Elles étaient sincères, mais elle est malgré tout surprise de lui avoir avoué qu'elle serait intéressée à plus qu'une simple amitié avec lui !

Tout est sorti naturellement de sa bouche ! Cependant, Nathan n'a pas eu le temps de lui dire ce qu'il en pensait. Elle est consciente qu'il devait vraiment partir, mais elle trouve que le moment était bien mal choisi pour devoir aller courser. Elle ne lui en veut pas personnellement, mais elle est malgré tout un peu déçue de ne pas avoir pu en discuter davantage.

La finale des V8 modifiées se déroule bien et Nathan réussit à terminer « deuxième ». Il y a eu plusieurs petits accrochages, comme c'est toujours le cas lors des finales, mais rien de majeur. Alexandra espère qu'elle ne l'a pas déconcentré. Elle sait qu'il va sûrement être déçu de ne pas avoir fini « premier », mais elle est très fière de ses performances sur la piste. Il était vraiment très bon et donnait un excellent spectacle.

La course maintenant terminée, Alexandra ramasse sa chaise et ses choses, puis se dirige vers sa voiture, afin de retourner au chalet de ses parents. En marchant, elle repense à la conversation qu'elle a eue avec Nathan et se dit qu'elle est finalement bien contente d'avoir pu lui montrer qu'elle est intéressée à lui !

Le lendemain matin, Alexandra repart pour l'Outaouais. Ses vacances maintenant terminées, il est temps pour elle de rentrer à la maison, dans l'Outaouais, et de se préparer au retour au travail. Elle aurait toutefois bien aimé discuter avec Nathan, avant son retour dans l'Outaouais, mais cela n'était pas possible.

Elle aurait aimé avoir l'occasion d'éclaircir la situation davantage et ainsi savoir ce qu'il pense de son commentaire, mais malheureusement elle sait que Nathan sera au travail toute la journée. Elle ne pouvait pas partir non plus après le

souper, car elle serait arrivée chez elle bien trop tard, puisque le trajet prend entre cinq heures et cinq heures trente.
Elle n'était pas non plus certaine qu'il voulait en parler,
alors elle ne voulait pas prendre le risque de l'attendre inutilement.

Chapitre 9

À son retour dans l'Outaouais, Alexandra se demande ce qu'elle devrait faire par rapport à Nathan. Elle pense à ce qu'elle aimerait ou voudrait lui dire, mais elle n'en est toujours pas venue à une conclusion. D'un côté, elle ne veut pas brusquer les choses et elle se dit qu'au moins, elle a son amitié. De l'autre côté, elle ne perd pas tout espoir non plus et se dit que c'est un bon signe après tout qu'il veuille garder un lien, même s'il s'agit seulement d'une amitié.

Elle se rappelle que Nathan n'a pas d'amies de filles en général, ce qui l'encourage un peu. Une autre chose qui l'inquiète, c'est qu'il ait rencontré une fille au Témiscamingue peu de temps avant ses vacances. Cela pourrait entre autres expliquer son comportement difficile à cerner.

Deux semaines passent et Alexandra en est toujours au même point. Elle ne sait toujours pas sur quel pied danser. Elle n'arrive pas à savoir si elle doit s'accrocher ou laisser tomber. Elle analyse dans les moindres détails tout ce qui s'est passé entre eux depuis le début, mais n'arrive toujours pas à deviner s'il est intéressé à elle ou non.

Alexandra a tenté à quelques reprises, pendant les deux dernières semaines, de le joindre au téléphone, mais sans succès, soit il était absent, soit il évitait ses coups de fil, pense-t-elle.

Alexandra n'en peut plus d'être dans le doute et décide de retourner au Témiscamingue le week-end prochain, pour le Festival Western de Saint-Bruno-de-Guigues. Le Festival Western est un événement populaire important Témiscamingue. Elle espère donc que Nathan y sera lui aussi. Alexandra croit qu'elle devrait essayer de le joindre à nouveau, afin de lui laisser savoir qu'elle sera de nouveau au Témiscamingue dans quelques jours.

Elle s'installe donc bien confortablement sur son lit, décroche le combiné, puis compose nerveusement le numéro de Nathan. Elle se prépare à s'exprimer de la façon la plus naturelle que possible.

Le téléphone sonne plusieurs fois, mais personne ne répond. Alexandra est déçue, mais elle n'a pas l'intention d'abandonner aussi facilement. Elle a l'intention d'essayer de le joindre à nouveau vers ce soir, et quelques autres soirs de la semaine s'il le faut.

Tel que prévu, Alexandra tente de joindre à nouveau Nathan dans la soirée mais toujours aucune réponse. Elle essaie encore à deux reprises pendant la semaine, mais une fois encore, sans succès. Elle ne change cependant pas d'idée. Elle a bien l'intention d'aller faire un tour au Témiscamingue pour le Festival Western, qui a lieu en fin de semaine. Elle espère le croiser là-bas. Sinon, elle ira sûrement lui rendre une petite visite à l'improviste, pour tenter de continuer la conversation qu'ils ont commencée aux démolitions de Béarn. Elle doit le faire pour retrouver la paix d'esprit, car elle ne pense qu'à cela depuis deux semaines.

Alexandra a demandé un congé ce vendredi, afin de ne pas avoir à faire un simple aller-retour au Témiscamingue, étant donné la distance qu'elle aura à parcourir pour s'y rendre et revenir. Elle veut pouvoir profiter à fond de sa visite au Témiscamingue.

Elle se lève donc vers sept heures et se prépare tranquillement, pour pouvoir partir vers huit heures. Elle anticipe être au Témiscamingue vers quatorze heures. Pour faire changement, elle a l'intention de prendre son temps pendant le trajet et d'arrêter pour de petites pauses ici et là.

En chemin, elle arrête au Tim Horton de Deep River, une ville située à deux heures trente de route de Gatineau.

Elle reprend ensuite la route, sans se soucier de l'heure à laquelle elle arrivera. Elle s'arrête de nouveau, environ une heure plus tard, à Mattawa cette fois-ci. Mattawa est une toute petite ville ontarienne qui se situe le long de la rivière des Outaouais, parfois appelé Ottawa River. Ce village se situe à un peu moins d'une heure de la ville de Témiscamingue, si l'on passe par le passage à niveau de Mattawa, ce qu'Alexandra compte bien faire.

Elle s'arrête donc un instant, à la petite marina de Mattawa, qui se trouve à l'entrée du passage à niveau qu'elle devra emprunter plus tard. Elle stationne donc sa Mustang, puis fait une petite marche de santé à la marina. Elle profite du joli paysage qu'offrent la rivière et la forêt qui entoure l'endroit.

Alexandra y reste environ vingt minutes, puis repart en direction du Témiscamingue.

Arrivée dans sa région, Alexandra décide de faire un tour de voiture dans Ville-Marie. Elle est curieuse de voir s'il y a beaucoup de gens de la ville, comme elle, qui vont assister au Festival Western. De toute évidence, elle espère aussi tomber sur Nathan ou au moins le croiser. Cette balade en voiture est un rituel pour Alexandra, car elle le fait chaque fois qu'elle se rend au Témiscamingue. Elle le fait pour le plaisir et aussi pour voir si des choses ont changé depuis sa dernière visite.

Le vœu d'Alexandra semble se réaliser. Elle vient tout juste de commencer sa petite tournée à Ville-Marie, que déjà elle aperçoit un véhicule qui lui semble familier. Plus elle s'approche de l'intersection, plus elle trouve que ce véhicule ressemble drôlement à celui de Nathan.

Alexandra fait son arrêt, tout en regardant attentivement l'autre véhicule qui se trouve un peu plus loin devant elle, de l'autre côté de la route. Il s'agit bien de celui de Nathan ! Celui-ci ne semble toutefois pas l'apercevoir. Alexandra repart et croise son chemin, mais il ne la voit toujours pas. Elle regarde dans son rétroviseur pour tenter de voir où il se dirige et le voit s'arrêter au magasin Le Glacier. Elle fait immédiatement demi-tour, puis stationne sa voiture à côté de la sienne.

Nathan sort de son véhicule, puis se tourne vers la voiture qui vient de se stationner à côté de lui. C'est seulement à ce moment qu'il constate qu'il s'agit d'Alexandra. Un large sourire illumine le visage d'Alexandra face à l'étonnement qu'affiche Nathan de la voir au Témiscamingue et plus précisément à côté de lui. Elle est aussi soulagée de constater qu'il semble bien content de la voir. Elle arrête le moteur et prend une profonde inspiration, dans le but de se donner du courage. Elle sort de sa voiture en souriant et se dirige d'un pas confiant vers Nathan. Même si au fond la nervosité la gagne, elle n'en laisse rien paraître.

— Bonjour ! Ça va ? lui demande Alexandra.

— Hey ! répond Nathan surpris de la voir. Ça va, et toi ? lui demande-t-il à son tour.

— Je vais prendre un cornet de crème glacée à la vanille trempée dans le chocolat s.v.p. demande Nathan à la caissière.

— Que fais-tu de bon au Témiscamingue ? lui demande ensuite Nathan.

— Je suis venue assister au Festival Western de Guigues ! lui répond naturellement Alexandra.

Elle ne tient pas vraiment à discuter de la vraie raison de sa visite, ici, devant les gens présents au Glacier !

— Votre cornet, monsieur ! dit la caissière en tendant le cornet vers Nathan.

— Merci, lui répond celui-ci par politesse.

Nathan se dirige ensuite vers son véhicule.

— Je suis désolé, mais je dois absolument partir ! lui dit Nathan, l'air sincèrement désolé.

— Aucun problème... On se reprendra ! lui répond Alexandra, mine de rien.

— Justement, tu devrais passer faire un tour à la ferme demain, si tu n'es pas trop occupée ! Je serai chez moi toute la journée, alors tu devrais venir faire ton tour ! lui lance chaleureusement Nathan.

— D'accord ! Je te dis à demain, répond Alexandra sur un ton enthousiaste.

Nathan lui sourit et monte dans son camion. Alexandra, quant à elle, monte dans sa voiture et continue son petit tour dans Ville-Marie, satisfaite de sa rencontre avec Nathan, même si celui-ci n'a de nouveau pas eu beaucoup de temps à lui consacrer. Elle se dit que demain, il va enfin avoir du temps et elle aura alors l'occasion de tirer certaines choses au clair.

Elle est très contente qu'il lui ait lancé cette invitation. Elle se dit que cela veut dire qu'il a le goût de la voir, ce qui est déjà un bon signe ! Elle a très hâte de savoir s'il est libre ou s'il a une copine. Elle veut aussi lui demander ce qu'il attend d'elle au juste, c'est-à-dire quelles sont ses attentes envers elle.

Le soir venu, Alexandra sort avec un de ses amis d'enfance, Jean-Christophe, dans le seul bar pour les jeunes à Ville-Marie : le Danube. Alexandra s'y amuse beaucoup toute la soirée. Elle a la chance de rencontrer plusieurs personnes avec qui elle est allée à l'école secondaire. Par

SUR LES CHEMINS DE L'AMOUR

ailleurs, elle rit aussi beaucoup avec Jean-Christophe, tout au long de cette charmante soirée. Elle est bien contente de le revoir et de passer du temps avec lui.

Vers deux heures du matin, elle décide de rentrer chez ses parents, afin de dormir un peu. Elle ne veut pas rester trop tard, afin d'éviter les *slows* de fin de soirée juste avant que le bar ferme. Si Nathan avait été présent, cela aurait été une tout autre histoire, mais comme il n'y est pas, elle préfère rentrer plus tôt.

Le lendemain, samedi, Alexandra se prépare en vue de sa visite chez Nathan. Elle choisit soigneusement ses vêtements pour ce rendez-vous. Comme la dernière fois, elle veut mettre sa silhouette en valeur, sans en faire trop. Elle veut tout de même être naturellement belle, ce qui ne l'empêche cependant pas de mettre un soupçon de maquillage, afin de faire ressortir le vert magnifique de ses yeux. Vers midi quinze, elle est enfin prête à partir.

Arrivée chez Nathan, elle stationne sa voiture derrière le camion de celui-ci. Un peu nerveuse, elle descend ensuite de son véhicule, en souriant. Elle se demande comment elle va bien pouvoir aborder le sujet qui la préoccupe.

Elle regarde autour, afin de voir si Nathan est là, mais elle ne l'aperçoit pas. La ferme est particulièrement tranquille en ce moment. Il n'y a pour ainsi dire aucun bruit, à part peut-être quelques mouches. L'air de la campagne sent très bon, ce qu'elle trouve très agréable !

N'apercevant Nathan nulle part, Alexandra se dirige vers la porte d'entrée, afin de voir s'il est dans la maison.

Elle frappe trois bons coups sur la porte, mais il n'y a aucune réponse. La maison semble très calme. Alexandra pense qu'il est peut-être à l'étage, alors elle frappe un peu plus fort cette fois, mais toujours aucune réponse.

Elle pense ensuite qu'il doit sûrement être allé dîner chez ses parents, comme la dernière fois. Elle se remémore cet été quand Nathan lui avait mentionné qu'au cas où elle verrait son camion dans l'entrée et qu'il soit absent, cela voudrait probablement dire qu'il est à la maison de ses parents, sur le bord du lac. Il lui avait d'ailleurs aussi dit de ne pas se gêner et d'aller l'y rejoindre si cela arrivait. Malgré cela, Alexandra préfère l'attendre ici, devant sa maison.

Elle repère à nouveau la banquette sur la véranda, à deux pas de la porte d'entrée, et s'y assoit. Elle se dit qu'il va sûrement être de retour sous peu, et elle est prête à l'attendre une quinzaine de minutes s'il le faut.

Son estimation du temps était plutôt juste, car à peine quinze minutes plus tard, elle voit une voiture arrivant du lac se diriger vers la maison. Alexandra sourit, car elle est persuadée qu'il s'agit de Nathan, ce qui est effectivement le cas.

Malheureusement, elle constate aussi qu'il n'est pas seul. Son meilleur ami Phil est encore avec lui! Alexandra est un peu découragée. Décidément, on dirait bien que je ne le verrai jamais seul! se dit Alexandra.

Elle décide malgré tout de rester. Elle se console en se disant que c'est quand même mieux que de ne pas le voir du tout, et que ce ne serait pas très poli de partir.

Nathan sourit chaleureusement quand il aperçoit Alexandra, ce qui lui fait plaisir. Au moins, il semble bien content de me voir ! se dit alors Alexandra.

Elle se dirige donc tranquillement vers lui.

— Bonjour ! Je suis allé dîner chez mes parents ! lui dit Nathan, alors qu'elle n'est plus qu'à quelques pas de lui.

— Oui, c'est bien ce que je croyais ! C'est pour ça que j'ai décidé de t'attendre quelques minutes ! lui dit Alexandra.

— Est-ce que ça fait longtemps que tu m'attends ?

— Non ! Peut-être une quinzaine de minutes ! lui répond Alexandra avec un petit sourire, pour lui montrer que cette attente ne l'a pas dérangée

— T'aurais dû venir me rejoindre chez mes parents ! Il ne faut vraiment pas te gêner ! Viens faire un tour la prochaine fois, au lieu d'attendre toute seule ici ! s'exclame Nathan.

Ils jasent ainsi pendant environ cinq minutes, pendant que Phil est dans la maison de Nathan. Tout à coup, le téléphone sonne. Phil sort de la maison et apporte le téléphone à Nathan.

— C'est Céline ! crie Phil en tendant le téléphone à Nathan.

Nathan prend l'appel. Alexandra comprend que Céline, une fille qu'elle ne connaît pas, va venir les rejoindre sous peu. Quand Nathan raccroche, elle lui demande s'il préfère qu'elle s'en aille.

— Ce serait probablement mieux pour toi que je m'en aille hein ?

— Non, non ! Pas du tout ! Il n'y a aucun problème, tu peux rester !

— Tu es certain ? Parce que je ne voudrais pas te placer dans une fâcheuse situation ! insiste Alexandra, un peu mal à l'aise.

— Ne t'inquiète pas, ta présence ne dérange en rien ! lui confirme Nathan.

Alexandra ne sait que penser de la situation, car elle ne sait pas qui est cette fille et quel est son lien avec Nathan. Elle décide malgré tout de rester.

Quelques minutes plus tard, Céline arrive.

— Bonjour ! dit Céline avec un large sourire, en regardant Nathan droit dans les yeux et en se tenant tout près de lui.

À peine arrivée, Céline regarde Alexandra avec de gros yeux jaloux et l'ignore complètement. Elle se tient tout près de Nathan et fait dos à Alexandra la plupart du temps.

— Tu vas bien ? lui demande ensuite Céline avec des yeux doux, toujours en ignorant complètement Alexandra.

— Oui, très bien et toi ? lui demande Nathan d'un ton plutôt neutre.

L'atmosphère est tendue. Nathan semble vouloir s'excuser pour la façon dont agit Céline envers Alexandra. Cette dernière se demande s'il y a quelque chose entre Nathan et elle. Cela pourrait entre autres expliquer pourquoi Céline agit de la sorte, mais Alexandra décide finalement de ne pas rester plus longtemps pour le découvrir. Elle n'aime pas du tout cette situation. Elle regarde Nathan et lui dit :

— Bon bien moi je vais aller faire un tour ! Bye ! ajoute Alexandra avec un petit signe de la main, et ce, en adoptant un ton plutôt neutre, car elle ne veut pas paraître choquée, mais elle ne veut pas non plus faire semblant que tout va bien !

— T'es certaine ? lui demande Nathan.

Nathan semble surpris qu'elle parte. Mais il est lui aussi un peu mal à l'aise face à la situation. Malgré tout, il ne semble pas vouloir qu'elle s'en aille.

Alexandra décide tout de même de partir. Assez c'est assez ! se dit-elle en se dirigeant vers sa voiture.

— Oui, bonne journée à vous tous ! conclut Alexandra.

Elle embarque ensuite rapidement dans sa Mustang et quitte la propriété, sans même le regarder ou le saluer. Cette fois, elle a atteint sa limite ! Elle se dit que c'est bien évident qu'il n'est pas intéressé, puisqu'il n'a jamais de temps pour elle et qu'il ne lui fait jamais des avances claires. Elle conclut, en conduisant, qu'elle a dû imaginer qu'il la trouvait de son goût, parce que c'est ce qu'elle voulait bien croire ! Ce ne serait d'ailleurs pas la première fois.

Elle retourne donc au chalet, puis s'installe au bout du quai pour pêcher. La pêche la détend toujours et lui fait le plus grand bien. Elle écoute de la musique dans son lecteur MP3 et profite du beau paysage et du soleil qui perce de temps à autre entre les nuages blancs.

Par moments, elle arrête la musique afin d'écouter le doux son du vent, des vagues et des oiseaux. Elle se sent vraiment bien dans la nature. La pêche n'est pas très fructueuse, mais cela ne la dérange pas. Elle est à cet endroit pour se détendre et passer le temps agréablement bien plus que pour attraper plusieurs poissons.

Vers la fin de l'après-midi, lassée de la pêche, elle range son équipement de pêche et décide de rentrer au chalet, afin d'y rejoindre ses parents. Il est d'ailleurs bientôt l'heure du souper. Ceux-ci s'aperçoivent d'ailleurs tout de suite que quelque chose ne va pas. Ils remarquent aussitôt la tristesse dans les yeux de leur fille.

— Qu'est-ce qui ne va pas, ma chérie ? lui demande Brigitte, sur un ton doux et attentif.

— C'est Nathan… je suis de nouveau allée le voir.

— Et ça ne s'est pas bien passé ? lui demande ensuite sa mère.

— Pas vraiment non… mais au moins les choses sont maintenant claires !

— Vous avez eu la chance de discuter et il t'a dit qu'il n'est pas intéressé, c'est ça ? lui demande sa mère sur un ton doux et compatissant.

— Non justement ! Il n'a pas eu à le faire, j'ai compris le message ! Je suis allée le voir et une fois de plus, il n'avait pas de temps à me consacrer ! En plus, une fille s'est présentée et il se pourrait bien que ce soit sa copine, alors moi je laisse tomber !

— Je suis vraiment désolée, ma chérie ! ajoute sa mère d'un air très compatissant.

Elle aimerait bien pouvoir effacer cette tristesse qui se lit dans le regard de sa fille, mais il n'y a rien qu'elle puisse vraiment faire pour l'aider.

— C'est vrai que c'est décevant Alexandra, mais tu vas voir, il y a d'autres hommes qui en valent la peine ! ajoute son père pour tenter de l'encourager et lui remonter le moral.

Cela ne réussit malheureusement pas. Ces paroles ne rassurent en rien Alexandra.

— Merci papa, lui répond malgré tout Alexandra, connaissant les bonnes intentions de son père.

Peu de temps après le souper, vers dix-neuf heures, on frappe à la porte du chalet. Le père d'Alexandra va ouvrir. Alexandra se demande bien de qui il peut bien s'agir, car ses parents reçoivent très peu de visite étant donné la petitesse du chalet.

Michel se dirige ensuite vers la cuisine, où les femmes se trouvent en ce moment.

— Il y a quelqu'un qui t'attend dans l'entrée Alexandra ! lui annonce son père.

Alexandra le fixe d'un regard interrogateur, mais son père n'en dit pas plus. Elle se dirige donc vers l'entrée, intriguée, afin de voir de qui il peut bien s'agir. Elle est très surprise de constater qu'il s'agit de Nathan. À vrai dire, elle s'attendait à voir à peu près n'importe qui, sauf lui !

— Bonjour ! lui dit Nathan l'air un peu nerveux.

— Bonjour ! lui répond Alexandra avec un regard un peu interrogateur et surpris à la fois.

Elle n'a vraiment aucune idée de la raison de sa visite.

— Est-ce que tu veux bien venir faire une petite marche avec moi ? lui demande Nathan. J'aimerais pouvoir discuter un peu avec toi.

— D'accord, lui répond Alexandra, toujours avec son air surpris.

Elle enfile ses souliers, puis le suit dehors. Ils commencent à marcher, en silence, le temps qu'ils s'éloignent un peu du chalet. Puis Alexandra lui demande :

— De quoi désirais-tu me parler ? lui demande-t-elle, en regardant devant elle.

— Tout d'abord, je te dois des excuses !

Alexandra l'écoute attentivement et le laisse poursuivre.

— Je te dois des excuses pour ne pas t'avoir consacré plus de temps toutes les fois où tu es venue me voir. C'est vrai que j'étais assez occupé, mais j'aurais dû t'accorder plus d'attention !

Alexandra est surprise de l'entendre l'avouer.

— Ne t'en fais pas ça, c'est pas bien grave, lui répond Alexandra sur un ton neutre, un peu nonchalant.

Elle n'aime pas blâmer les gens ou leur en vouloir de toute façon. Elle n'a pas non plus envie de lui montrer de la rancune, alors qu'il fait l'effort de s'excuser, et elle ne veut pas lui sauter aux bras parce qu'il lui a fait des excuses.

Nathan sourit aux paroles d'Alexandra, puis ajoute :

— T'es bien gentille de ne pas m'en tenir rigueur, mais je tiens quand même à m'excuser... sincèrement !

Il continue ensuite en lui disant :

— Je te dois aussi des excuses pour tout à l'heure..

Il marque une très brève pause, pour s'assurer de l'attention d'Alexandra. Lorsqu'elle tourne son regard vers lui, il ajoute :

— Je suis désolé que Céline ait été désagréable avec toi, mais sache qu'il n'y a rien entre nous. Je lui ai déjà dit clairement que je désire seulement une amitié avec elle, mais elle refuse de l'entendre.

Alexandra connait le refrain, puisqu'il lui a servi cela à elle aussi, lors des démolitions II à Béarn. Elle sait que ce genre d'aveux n'est pas facile à entendre.

— Je comprends ! lui répond malgré tout Alexandra. Et je suis désolée d'être partie aussi vite... ajoute-t-elle ensuite, en regardant vers le sol, alors qu'ils marchent toujours d'un pas assez lent.

— Mais non ! Ne t'inquiète pas avec ça...je ne te blâme pas du tout d'être partie, même que je comprends tout à fait que tu aies choisi de le faire ! la rassure Nathan.

Nathan s'arrête ensuite. Alexandra s'arrête elle aussi de marcher, par réflexe, en se demandant bien pourquoi il reste immobile.

— Je dois t'avouer qu'il y a une autre raison qui explique pourquoi je suis ici ce soir.

Alexandra sent de la nervosité monter en elle.

— Ah oui ? dit-elle d'un ton surpris, mais tout de même doux.

— Tu vois, je suis bien content que Céline ait été là tout à l'heure !

— Ah oui ? répond Alexandra les sourcils un peu froncés, car elle se demande bien pourquoi il dit cela.

Il la regarde droit dans les yeux, s'approche d'un pas vers elle et avec toute la sincérité du monde il lui dit :

— Oui, car elle m'a fait prendre conscience que je tiens beaucoup à toi et que je désire plus qu'une amitié avec toi, Alexandra !

Alexandra en reste bouche bée. Elle ne s'attendait pas du tout à une telle déclaration. Il lui demande ensuite avec cette voix et ce regard qui la font craquer :

— J'espère qu'il n'est pas trop tard et que tu veux encore de moi ?

Alexandra affiche un large sourire.

— Non… il n'est pas trop tard et oui, je veux encore de toi ! lui répond-elle d'une voix douce, en le regardant tendrement dans les yeux.

Nathan fait ensuite un pas en avant, afin de se rapprocher davantage d'Alexandra. Il dépose tendrement sa main droite le long du visage d'Alexandra, puis il approche son visage vers le sien. Ensuite, il incline légèrement la tête sur le côté, puis dépose un doux baiser sur les lèvres d'Alexandra.

Elle s'étire vers lui, afin qu'ils s'embrassent à nouveau. Ils se donnent donc un baiser, puis un autre. Leur baiser s'intensifie de plus en plus. Spontanément, ils se rapprochent et s'enlacent, puis s'embrassent passionnément.

Nathan glisse ensuite sa main droite dans les cheveux d'Alexandra, puis de son bras gauche, la tient serrée contre lui. Alexandra le serre aussi tout contre elle, avec l'un de ses bras qu'elle dépose soigneusement derrière l'épaule de celui-ci. Elle glisse ensuite son autre main le long du coup de ce dernier, en direction de sa nuque, toujours en l'embrassant. Ce geste semble d'ailleurs bien plaire à Nathan.

Elle se sent très bien et toute légère dans les bras de Nathan. Son cœur se réchauffe de plus en plus et son corps se réveille aux douces caresses et aux merveilleux baisers de Nathan. Elle ne s'est jamais sentie aussi bien de toute sa vie ! Plus rien d'autre n'existe en dehors d'elle et lui en ce moment. Le temps semble s'être arrêté juste pour eux. Elle voudrait que cet instant ne cesse jamais.

Quelques minutes plus tard, à la fin de leur baiser, ils se regardent tendrement en se souriant amoureusement, content et soulagé de ce dénouement. Nathan glisse sa main le long de la taille d'Alexandra, la tient près de lui, puis ils se remettent à marcher.

Au cours de leur promenade en amoureux, un détail très important revient à la mémoire d'Alexandra.

— Je viens de penser qu'il y a un obstacle de taille entre nous… dit tout à coup Alexandra, le regard triste et la mine basse. Je veux dire cinq heures de route nous séparent…

— Ne t'inquiète pas avec ça ! lui dit alors Nathan, sur un ton doux et rassurant.

Alexandra le regarde avec des yeux interrogateurs. Elle aimerait qu'il précise sa pensée.

— J'aime beaucoup conduire ! lui confie ensuite Nathan en voyant qu'elle s'interroge. Et je suis prêt à faire cette distance toutes les fins de semaine pour aller te voir... si tu le désires bien sûr !

Alexandra affiche de nouveau un grand sourire. Elle le regarde ensuite avec des yeux doux et amoureux, puis dépose un baiser de joie sur ses lèvres, ce qui le fait lui aussi sourire.

— Bien sûr que je suis d'accord ! lui dit ensuite Alexandra sur un ton enthousiaste.

Ils arrivent maintenant près du chalet. Nathan lui lance une invitation.

— Je pensais à ça... si tu le veux, tu pourrais passer la nuit chez moi ce soir et dormir ainsi confortablement dans mes bras ! Je t'offre même de te préparer le petit déjeuner demain matin, à ton réveil, si tu le veux ! lui dit Nathan avec son plus beau sourire et ses yeux doux, afin de la convaincre.

Alexandra, qui attendait ce moment depuis déjà bien longtemps, accepte l'invitation de Nathan.

— Avec plaisir ! C'est une excellente idée ! Un bon petit déjeuner en plus ! Comment résister ? lui répond Alexandra avec un brin d'humour et des yeux séducteurs.

Alexandra rentre seule au chalet un instant, afin d'avertir ses parents qu'elle ne rentrera pas pour coucher. Elle ne veut surtout pas qu'ils s'inquiètent de ne pas la voir rentrer.

— Bonjour ! Je voulais simplement vous dire de ne pas m'attendre pour la nuit ce soir... j'ai d'autres plans ! dit

Alexandra en tentant de masquer un sourire. Elle est toute excitée d'aller dormir chez Nathan.

— Oui, oui, hein ! Des plans… lui dit son père, moqueur. Je me demande bien de quoi il peut s'agir ! ajoute-t-il en riant.

Ses parents se lancent un regard complice, puis lui souhaite une très belle soirée.

— Bonne soirée ma chérie ! Amuse-toi bien ! lui dit Brigitte en riant un peu elle aussi.

Ses parents aiment bien la taquiner à l'occasion.

Alexandra rougit un peu, puis leur souhaite une bonne soirée.

— Merci ! Bonne soirée à vous deux aussi ! leur répond Alexandra.

Puis elle retourne rejoindre Nathan.

— C'est beau, nous pouvons maintenant y aller ! s'exclame Alexandra. Je vais te suivre avec ma voiture, puisque toutes mes choses sont là ! Ce sera donc plus simple de cette façon !

— C'est comme tu veux ! lui dit Nathan.

Ils se donnent un petit baiser rapide, comme deux jeunes amoureux qui ne peuvent se passer l'un de l'autre, puis sautent dans leur véhicule respectif.

Alexandra, en le suivant de près jusque chez lui, met le volume de la musique très fort dans sa voiture, car elle est très excitée de la tournure des événements. Elle n'en revient pas qu'il lui ait manifesté très clairement son intérêt et se sent comme la femme la plus chanceuse au monde ! Sa hâte d'être enfin seule avec lui et de passer la nuit entière à ses côtés est très prenante ! Elle flotte littéralement sur un nuage en ce moment et se sent remplie d'un sentiment de bonheur intense.

Arrivée à la maison de Nathan, Alexandra stationne sa voiture derrière lui et sort immédiatement le retrouver. Elle est bien heureuse de constater qu'il n'y a personne d'autre chez lui pour une fois ! Ils sont enfin seuls ! Nathan la prend par la main et l'amène à l'intérieur de la maison.

— Viens, je vais te faire un tour guidé des lieux ! lui propose Nathan, heureux de sa présence et content de lui montrer sa maison.

— Un tour de la maison… juste pour moi ! lui dit Alexandra d'un regard séducteur et d'un magnifique sourire.

— Absolument ! lui répond Nathan amusé.

Il lui fait visiter la maison, en lui montrant chacune des pièces. Il fait quelques commentaires sur celles-ci, mais il ne trouve pas grand-chose de spécial à en dire.

La visite de la maison terminée, il lui demande si elle a envie de regarder un film ?

— Excellente idée ! répond Alexandra.

Elle sait que c'est une occasion en or pour se coller bien au chaud avec Nathan, alors elle accepte sans hésiter.

— J'ai plein de film dans la tour là-bas ! Choisi celui qui te tente ! propose Nathan en pointant du doigt sa tour de films sur DVD.

— D'accord ! répond Alexandra amusée, en se dirigeant vers la pile de DVD.

Alexandra choisit un film, puis ils s'installent confortablement sur son divan. Le film commence et Alexandra en profite pour se rapprocher de lui. Nathan lui ouvre ses bras et l'encourage à s'y blottir, ce qu'elle fait avec joie. Ce geste non verbal est très clair et elle saisit l'occasion sans hésitation.

Tout au long du film, Nathan lui caresse délicatement le bras, les hanches ou le cou, ce qu'elle adore ! Par moments, il joue aussi avec ses cheveux. Alexandra est au septième ciel ! Elle se sent bien et en sécurité dans les bras de son beau Nathan. Elle se sent aussi très belle et désirée en sa présence ce soir et espère que ce sentiment va perdurer.

Le film terminé, Nathan lui demande si elle est prête à aller se coucher.

— Es-tu prête à aller te coucher ou aimerais-tu faire autre chose ?

— Je suis prête à aller me coucher… mais est-ce que ça te dérange si je prends une petite douche rapide avant ?

— Mais non ! Il n'y a aucun problème, fais comme chez toi ! lui répond Nathan.

Tout au long de la soirée, Alexandra a humé la bonne odeur de Cologne de Nathan. Il est évident qu'il avait pris une douche avant d'aller la rejoindre, alors elle veut en faire de même !

Nathan lui montre où se trouvent les choses dans la salle de bain.

— Tiens, une serviette propre ! lui dit Nathan en lui tendant une serviette de bain, puis il referme la porte derrière lui.

Alexandra trouve qu'il est un parfait gentleman. Elle se doute bien qu'il ne lui a pas demandé si elle voulait de la compagnie, par respect, et elle lui en est reconnaissante.

Elle prend donc une douche en vitesse pour sentir bon elle aussi. Elle se retient de chanter sous la douche, même si elle en a très envie, gênée que Nathan l'entende. Elle est très heureuse en ce moment et cela lui donne envie de chanter et de sauter partout !

Sa douche terminée, elle enfile une jolie camisole de nuit, un caleçon ajusté pour femme et se dirige vers la chambre de Nathan afin de l'y retrouver. Elle est un peu nerveuse, mais elle a quand même très hâte.

Une douce lumière tamisée éclaire la chambre de Nathan. Alexandra trouve que cela fait très romantique. Il a décidément le tour ! pense-t-elle. Nathan sourit instantanément quand il aperçoit Alexandra dans sa tenue de nuit. Alexandra est bien contente de constater qu'il la trouve jolie ainsi.

Elle le rejoint sous la couverture et se glisse à ses côtés, sous un mince drap soyeux.

— Je te trouve très belle dans cet ensemble de nuit, lui avoue Nathan, son regard rivé sur elle.

Alexandra rougit légèrement, puis se rapproche doucement avec séduction.

— Je te remercie ! lui dit Alexandra dans un murmure.

Nathan comprend immédiatement le message donné par les yeux et le corps d'Alexandra, et se rapproche d'elle. Il dépose un bras sur le lit, de l'autre côté d'Alexandra, puis glisse doucement et sensuellement le haut de son corps par-dessus celui d'Alexandra. Il commence ensuite à l'embrasser.

Alexandra n'a pas ressenti autant de désir pour un homme depuis bien longtemps et l'accueille à bras ouverts. Elle le tient serré contre elle et l'embrasse avec passion. Elle glisse délicatement ses ongles dans les cheveux et la nuque de Nathan. Ce dernier en frissonne de plaisir.

Les nouveaux amoureux s'embrassent, s'enlacent, se caressent amoureusement et se découvrent pendant un certain moment, puis ils font ensuite l'amour. Ils le font avec tellement de passion et de ferveur, qu'on croirait qu'ils ont beaucoup de temps à rattraper ou qu'ils ont peur de ne plus jamais avoir la chance de refaire l'amour un jour.

Lorsque leurs ébats se terminent, Alexandra se blottit dans le creux des bras de Nathan, afin de s'y endormir paisiblement. Nathan tombe lui aussi rapidement endormi, pleinement satisfait de sa soirée.

Le lendemain matin, Nathan ouvre les yeux. Il cherche tout de suite à voir où se trouve exactement Alexandra dans le lit, puis se hisse derrière elle. Il se place en cuillère derrière le dos d'Alexandra, puis il glisse sa main le long de son ventre pour finalement lui déposer un doux baiser dans le cou.

Alexandra bouge légèrement afin de se coller davantage contre lui et pour lui montrer qu'elle apprécie sa présence. Ensuite, elle glisse sa main dans la sienne et l'amène tout contre son cœur.

Ils font ainsi la grasse matinée et se collent pendant un petit moment. Plusieurs minutes plus tard, ils se décident finalement à se lever.

— Bon matin ma belle! As-tu bien dormie? lui demande finalement Nathan, alors qu'ils s'apprêtent à sortir du lit.

— Bon matin! lui répond Alexandra, souriante à l'idée de se réveiller en sa compagnie. Très bien et toi?

— J'ai très bien dormi, grâce à toi! lui répond Nathan, tout sourire.

— Commences-tu à voir faim? lui demande ensuite Nathan.

— Un peu oui.

— D'accord, je m'en occupe tout de suite! lance Nathan, en se dirigeant vers la cuisine.

Nathan tient parole et prépare le petit déjeuner. Il lui fait des crêpes. Alexandra aime bien les crêpes lors d'occasions spéciales. Elle est bien impressionnée.

— Wow! Des crêpes! s'exclame Alexandra lorsqu'elle le rejoint dans la cuisine.

— Oui madame!

— Je suis gâtée! ajoute-t-elle en se plaçant derrière le cuisinier.

Elle glisse ensuite ses bras autour de la taille de Nathan, puis elle colle sa tête sur son dos. Elle est tellement bien à ses côtés !

— Tu le mérites bien ! ajoute Nathan concentré sur la cuisson de ses crêpes.

Alexandra s'assoit ensuite autour de la table de cuisine. Nathan avait pris soin d'y déposer deux verres de jus d'orange, deux assiettes et des ustensiles. Alexandra est impressionnée et aime beaucoup cette délicate attention ce matin.

— Ah ! Tu m'as même servie un jus d'orange… Merci, c'est gentil !

— Ça me fait plaisir ! Le déjeuner est servi ! ajoute ensuite Nathan, en lui servant une première crêpe.

— Je te remercie ! lui dit Alexandra en le regardant tendrement dans les yeux, avec un joli sourire.

— Tu sais que tu es craquante quand tu me fais ce sourire et ce regard ! ajoute Nathan.

Ce à quoi Alexandra répond par un simple sourire.

— Humm, c'est délicieux ! s'exclame Alexandra, en goûtant à sa crêpe avec du sirop.

— Eh bien ! J'te remercie ! lui répond Nathan.

Tout au long du déjeuner, ils se font régulièrement de petits sourires complices et amoureux.

— Je dois aller porter un voyage de foin à mon père avec le tracteur. Veux-tu m'accompagner ? lui demande Nathan après le petit déjeuner.

— Mais avec joie ! lui répond gaiement Alexandra.

Elle est bien contente de l'accompagner dans cette tâche. Grâce à ses grands-parents qui possèdent aussi une ferme, elle connaît un peu ce genre de vie, mais elle n'y est pas très habituée. Curieuse, elle est très excitée à l'idée d'accompagner Nathan à la ferme. Étant donné qu'il ne s'agit pas d'une ferme laitière, il y a heureusement moins de travail à y accomplir et surtout ils n'ont pas à se lever très tôt pour traire les vaches. Fort heureusement pour eux !

Après s'être habillés, ils sortent de la maison.

— Tu peux m'attendre ici, suggère Nathan, je reviens dans une minute avec le tracteur !

— Pas de problème, je t'attends ! lui dit Alexandra, en se dirigeant vers la rambarde de la véranda.

Elle s'assoit en attendant le retour de Nathan. Environ cinq minutes plus tard, Nathan arrive jusqu'à la maison avec le tracteur et la remorque. Alexandra va vers le tracteur.

— Est-ce que je dois m'asseoir sur le tas de foin, dans la remorque ? demande Alexandra, ne sachant trop où elle est censée s'asseoir.

Nathan rit un peu, puis lui dit de monter le rejoindre.

— Viens ici ! lui lance Nathan, en lui faisant signe de le rejoindre. Monte sur le tracteur avec moi ! ajoute-t-il avec un sourire un peu moqueur et amusé aux lèvres.

Ce qu'Alexandra fait avec plaisir. Nathan lui tend la main, afin de l'aider à monter, puis il l'a fait asseoir de côté, sur ses genoux. Il met ensuite un bras de chaque côté d'elle pour la garder près de lui et pour s'assurer qu'elle ne tombera pas du tracteur pendant le voyage.

Alexandra passe à son tour un de ses bras derrière les épaules de Nathan.

— Es-tu prête ? Es-tu bien installée ? lui demande Nathan, prêt à partir.

— Oui ! s'exclame Alexandra, tout excitée par cette balade en tracteur avec Nathan.

Elle a l'impression d'être retombée en enfance, tellement elle s'amuse et se sent bien aujourd'hui. Nathan semble lui aussi bien content de l'avoir à ses côtés.

Ils passent une bonne partie de la journée à se promener et à faire des petits travaux ensemble, autour de la ferme. Vers la fin de l'après-midi, ils retournent à la maison de Nathan et décident d'aller enfiler leur maillot de bain pour se baigner dans la piscine hors terre de Nathan. Ils ont eu chaud aujourd'hui, alors ils se disent que l'eau de la piscine leur fera le plus grand bien !

Ils sautent d'un coup dans la piscine.

— Ah, quelle bonne idée tu as eue ! s'exclame Alexandra en se tournant vers Nathan.

— Je suis bien d'accord ! dit-il en riant.

Puis il se glisse vers elle et l'attrape par la taille. Il se penche ensuite vers elle et ils s'embrassent.

— Tu sais que t'es vraiment « canon » en maillot de bain ! s'exclame Nathan.

— Je te remercie ! Tu sais que j'aime assez te voir en maillot moi aussi… surtout torse nu comme ça ! Beau bonhomme ! lui dit à son tour Alexandra de ses yeux charmeurs.

Ils profitent de cette baignade pour se rafraîchir et surtout pour se coller, s'enlacer et s'embrasser à nouveau. Ils sont tellement bien qu'ils voudraient ne jamais se quitter. Cependant, ils savent tous deux qu'Alexandra doit repartir pour l'Outaouais, immédiatement après le souper, si elle ne veut pas arriver trop tard chez elle.

Les deux amoureux se baignent pendant environ une demi-heure, puis sortent finalement de l'eau. Ils s'épongent rapidement avec une serviette, puis se dirigent tranquillement, vers la galerie qui fait face au soleil. Ils en profitent pour se faire sécher sous les doux et chauds rayons du soleil.

Une vingtaine de minutes plus tard, Nathan allume le BBQ et commence à préparer le souper.

— Tu aimes le steak n'est-ce pas ? demande Nathan à Alexandra.

— Absolument ! répond Alexandra.

Il sort ensuite deux steaks qu'il place sur le gril. Il dépose aussi, dans un papier d'aluminium, des pommes de terre en tranches et quelques petits oignons. Il assaisonne le tout, ajoute du beurre et referme le papier qu'il met aussitôt sur le gril.

— Je ne te savais pas cuisinier ! s'exclame Alexandra.

— Ah bien ! Disons que je me débrouille !

Alexandra est de nouveau impressionnée par Nathan qui la traite royalement, pense-t-elle.

Pendant que le souper cuit, Nathan et Alexandra admirent le paysage qui s'offre à eux.

— Je dois t'avouer que je n'en profite pas assez souvent, lui dit Nathan en regardant autour.

— Profiter de quoi au juste ? demande Alexandra, curieuse.

— De cette belle vue, ce paysage et cette tranquillité.

— C'est vrai que la vue est très belle de chez toi et le silence est particulièrement agréable, surtout pour une fille qui habite maintenant la ville !

Le ciel est bleu et il y a de petits nuages ici et là en ce moment, à peine assez gros pour faire de l'ombre. Le soleil, même un peu plus bas maintenant, brille de mille feux. Le vent souffle doucement, caresse le visage d'Alexandra et fait délicatement bouger ses longs cheveux bruns brillants au soleil. Le vent pousse dans leur direction une bonne odeur d'herbe et de parfum floral mêlée à l'arôme du steak qui cuit sur le BBQ.

— L'atmosphère est magique en ce moment ! dit doucement Alexandra, qui sent ce vent et cette odeur caresser sa peau et ses sens.

— Oui ! C'est vrai que c'est particulièrement agréable comme température ce soir ! acquiesce Nathan.

Ils ont aussi une très belle vue sur le lac, notamment à cause de la clairière. De beaux arbres longent également la plus grande partie des berges du lac, lequel est plutôt calme en ce moment. On n'y voit que quelques bateaux de plaisanciers qui passent à l'occasion. La vue est magnifique. Un paradis sur terre ! pense Alexandra.

— C'est prêt ! annonce Nathan en servant une assiettée à Alexandra.

— Wow ! Je te remercie ! Ça a l'air délicieux et ça sent très bon en plus ! s'exclame Alexandra, en attrapant son assiette.

Ils dégustent leur steak et leurs patates sur une belle petite table ronde en bois. Nathan est très fier du bon souper qu'il a préparé.

— C'est pas mal hein ? demande fièrement Nathan en goûtant son repas.

— Non, c'est même excellent ! lui confirme Alexandra.

Alexandra trouve le souper excellent et l'ambiance très romantique. Tout est parfait, elle n'aurait pu souhaiter mieux !

— Je voulais d'ailleurs te remercier pour tout ce que tu as fait pour moi cette fin de semaine ! Cela me touche beaucoup ! lui dit sincèrement Alexandra.

Il lui en met décidément plein la vue ! Elle se dit que c'est vrai qu'il veut la revoir ! D'ailleurs, après la soirée d'hier et la journée qu'elle vient de passer, il n'a pas à s'inquiéter !

— Ça m'a fait vraiment plaisir ! Merci aussi à toi !

— À moi ? l'interroge Alexandra.

— Oui, j'ai beaucoup apprécié ta présence et le fait que tu m'aies laissé une chance malgré tout.

— Ah, je suis loin de le regretter en tout cas ! s'exclame Alexandra avec le sourire.

— Je suis bien content de te l'entendre dire !

Aussitôt le souper terminé, Alexandra songe déjà à retourner chez elle.

— Bon bien je dois aller me préparer moi !

— Oui je sais… mais c'est tout de même dommage ! répond Nathan.

Elle monte dans la maison pour s'assurer qu'elle n'a rien oublié. Elle ramasse ses choses, puis redescend afin de mettre ses souliers. Elle sort ensuite de la maison et se dirige vers sa voiture. Nathan la suit. Ce départ l'attriste aussi.

— Le temps a passé trop vite ! avoue Nathan, alors qu'elle est tout près de sa voiture.

— Je sais ! Je n'ai pas vraiment envie de partir, crois-moi, mais je dois tout de même y aller !

— Je sais !

Ils trouvent que le temps a passé trop vite et que c'est dommage qu'ils doivent déjà se séparer.

Alexandra ouvre la portière de sa voiture, glisse son sac à main derrière le siège du conducteur, puis démarre le moteur.

Elle se dirige ensuite vers Nathan, afin de lui donner un dernier câlin et un dernier baiser. Il la serre très fort contre lui, comme s'il ne voulait pas qu'elle s'éloigne de lui, ce qui fait couler une larme sur la joue d'Alexandra. Il la regarde ensuite dans les yeux, essuie délicatement la larme de sa joue et lui sourit pour la réconforter, puis ils s'embrassent passionnément.

Ils se donnent un dernier doux baiser, puis Alexandra se glisse dans son siège et referme la portière. Elle baisse ensuite les fenêtres, afin de faire sortir la chaleur de la voiture et aussi pour envoyer un dernier baiser de la main à Nathan. Il lui sourit, puis lui dit :

— Bon voyage de retour ! Je te promets de t'appeler tous les jours cette semaine et d'aller te voir dans l'Outaouais la fin de semaine prochaine !

— Super ! Je vais t'attendre avec impatience ! J'ai déjà hâte ! lui crie à son tour Alexandra.

Elle fait ensuite marche arrière afin de sortir de la cour. Nathan la regarde s'éloigner tranquillement. Alexandra est heureuse du déroulement des choses. Toutefois, elle a le cœur lourd de devoir le quitter ainsi, même pour quelques jours.

Chapitre 10

La première semaine, loin l'un de l'autre, se passe très bien. Ils se téléphonent tous les jours. Malgré tout, Alexandra a très hâte à vendredi soir, afin de revoir son beau Nathan !

Dès que Nathan aura fini sa journée de travail vendredi, il va descendre dans l'Outaouais, afin de venir passer la fin de semaine avec Alexandra. Elle a très hâte, mais cette idée lui fait malgré tout un drôle d'effet. Elle a de la difficulté à l'imaginer chez elle, en ville, lui qui est de toute évidence un homme de la campagne.

L'idée qu'elle lui plaise beaucoup lui semble parfois aussi irréelle, un peu comme si tout cela n'était qu'un rêve. Lorsque ces pensées lui viennent en tête, elle se remémore sa fin de semaine inoubliable et les conversations téléphoniques qu'ils ont eues tout au long de la semaine. Cela la rassure et lui confirme qu'elle ne rêve pas ! Il est clair qu'il s'intéresse à elle, ce qui la rend très heureuse.

Vendredi matin, Alexandra ne tient plus en place au bureau. Nathan doit arriver ce soir. Elle est très excitée et a de la difficulté à se concentrer sur son travail. Elle ne cesse de penser à lui. Ses collègues la regardent en souriant, face au spectacle intéressant de ce début de relation.

La plupart des collègues d'Alexandra n'ont pas vécu l'étape du début d'une relation depuis bien longtemps et ils la regardent avec envie, compassion et compréhension. Alexandra est surprise de constater que personne ne lui reproche d'avoir un peu la tête ailleurs ces temps-ci et plus particulièrement aujourd'hui.

La fin de journée de travail enfin terminée, Alexandra peut enfin retourner chez elle.

En entrant dans son appartement, elle remarque que la lumière rouge du répondeur clignote. Elle a un message. Elle appuie sur le bouton « play » afin de l'écouter.

— Bonjour Alexandra ! C'est Nathan ! Je voulais te laisser savoir que j'ai terminé de travailler un peu plus tôt aujourd'hui, donc si tout va bien, je devrais être chez toi vers vingt et une heures ! Je t'embrasse et j'ai bien hâte de te voir !

Alexandra est folle de joie ! Elle est très contente du message que lui a laissé Nathan et de voir à quel point lui aussi semble avoir hâte de la revoir. Elle est aussi bien heureuse de savoir que son attente sera moins longue que prévu.

Elle se prépare ensuite à souper et mange devant la télévision en regardant une émission.

Une trentaine de minutes plus tard, son repas terminé depuis un petit moment déjà, elle va prendre une bonne douche, afin d'être à son mieux lorsqu'elle va revoir Nathan. Elle lave son corps avec du gel moussant à la délicate odeur fruitée et lave aussi ses cheveux. De cette façon, elle s'assure de sentir bon de la tête aux pieds pour Nathan.

Elle applique ensuite de la crème hydratante sur ses jambes fraîchement rasées pour les rendre douces comme du satin. Elle enfile ensuite une jolie jupe courte noire et un haut moulant décolleté bleu océan. Elle complète l'ensemble avec un délicat collier argenté bleu océan accompagné d'une paire de boucles d'oreilles assorties. Le tout s'agence à la perfection.

Elle démêle ses cheveux et y met un peu de produits coiffants. Comme touche finale, elle ajoute un peu de mascara sur ces cils ainsi que du fard sur ses joues. Elle est maintenant prête à le recevoir. Étant donné qu'il reste une bonne heure et demie avant l'arrivée de Nathan, elle en profite pour entreprendre différents projets dans l'appartement dans le but de se tenir occupée.

À vingt et une heures douze, on sonne à la porte. Alexandra court ouvrir, car elle sait qu'il s'agit assurément de Nathan. Elle a des papillons dans l'estomac.

Nathan se tient dans l'entrée avec un petit sac de bagages dans les mains.

— Entre ! lui propose Alexandra, en affichant un grand sourire.

Nathan entre, puis referme la porte derrière lui.

— Bonsoir ! Tu vas bien ? demande Nathan en déposant son sac de bagages par terre.

— Oui, très bien ! Toi, as-tu eu une bonne route ?

— Oui, ça s'est très bien passé ! lui dit Nathan en se rapprochant d'Alexandra.

Ils sont maintenant l'un en face de l'autre. Nathan glisse une de ses mains dans le dos d'Alexandra, la tire doucement vers lui et dépose un doux baiser sur ses lèvres.

— Encore une fois, tu es vraiment très belle ce soir ! lui dit Nathan en la regardant d'un air approbateur, semblant être de nouveau tombé sous son charme.

— Je te remercie ! Et tout ça juste pour toi en plus ! lui dit Alexandra avec un regard séducteur et amusé.

— Tout ça juste pour moi hein ? C'est tentant ! ajoute Nathan charmeur.

— Absolument !

— Je me sens choyé là !

Alexandra lui sourit.

— C'est à mon tour de te faire visiter mon appartement ! Je t'avertis tout de suite, ça ne risque pas d'être bien long !

— Parfait ! Allons-y ! Je te suis !

La visite de l'appartement terminée, ils s'assoient sur le divan pour se coller l'un à l'autre et pour jaser devant le téléviseur.

— Je trouve ton appartement chaleureux, très propre et bien décoré ! lui confie Nathan. J'aime ce que tu as fait de l'endroit… je trouve que c'est très accueillant !

— Ah bien ! Je te remercie beaucoup ! lui dit Alexandra en souriant.

Ce compliment lui fait très plaisir. Ils se mettent ensuite à regarder un film diffusé à la télévision.

Alexandra est très bien, blottie dans les bras de Nathan. Elle se trouve vraiment chanceuse de l'avoir rencontré et espère que le bonheur qu'elle ressent lorsqu'elle est à ses côtés va durer éternellement! Elle n'échangerait sa place pour rien au monde!

Malgré le long voyage qu'il a fait, Alexandra trouve que Nathan sent vraiment très bon. Elle adore son parfum qui lui va à ravir et elle le trouve très masculin. Il faut dire que la façon dont Nathan la touche, qui est à la fois douce et virile, allume tous ses sens.

Ils restent ainsi à jaser, à se coller et à s'embrasser sur le divan pendant environ une demi-heure. Ils s'embrassent de plus en plus passionnément au fil des minutes qui avancent.

— Que dirais-tu d'aller retrouver ta chambre à coucher? propose Nathan.

— J'allais justement te le proposer! répond Alexandra.

D'un commun accord, ils se rendent à la chambre à coucher pour continuer ce qu'ils ont commencé. Alexandra constate que Nathan ne semble pas du tout fatigué par le voyage et elle en est bien heureuse, car elle compte bien profiter de lui, ou plutôt de son corps tout entier, ce soir!

Dans un élan de fougue, Nathan la porte jusqu'à la chambre à coucher. Alexandra l'aide en entourant ses jambes autour de ses hanches et en enroulant ses bras autour de son coup.

Lorsqu'ils arrivent dans la chambre à coucher, il la dépose sur le lit et se glisse au-dessus d'elle en continuant à l'embrasser et à la caresser. Il y a une telle attirance et une telle chimie entre eux qu'elle ne trouve pas les mots pour décrire cette sensation.

L'amour, pour une deuxième fois, est encore aussi merveilleux, se dit-elle. C'est très intense, passionné, romantique et doux à la fois. Un sentiment très fort et très agréable l'envahit.

Ils changent de position sous les feux de la passion. Parfois Alexandra se met au-dessus de lui, et l'instant d'après, c'est Nathan qui prend cette position. Ce jeu les amuse et les excite. Le désir, la passion et la douceur... une douce chamaillerie en soi !

— Je me rends ! Tu as gagné ! lui murmure à l'oreille Alexandra. Maintenant fais-moi l'amour ! s'exclame Alexandra.

Elle ne peut plus résister à ce jeu ! Elle le veut et elle le veut tout de suite ! Terminé le jeu de la séduction, il est maintenant temps de passer à l'acte ! se dit Alexandra qui le désire plus qu'elle n'a jamais désiré un homme auparavant.

— Tes désirs sont des ordres ! lui chuchote à son tour Nathan à l'oreille, en ne manquant pas d'effleurer et de jouer un peu avec son oreille pour la faire craquer encore davantage.

Puis il lui fait l'amour et la libère de cette attente qui était devenue insoutenable. Elle ressent un sentiment d'euphorie et de soulagement au plaisir qui l'envahit. Nathan a décidément vraiment le tour avec elle ! pense Alexandra.

Après qu'ils aient fait l'amour, Nathan se couche sur le dos et ouvre ses bras à Alexandra, en guise d'invitation.

Elle se glisse le long de son corps, dépose sa tête sur son épaule et l'un de ses bras entre ses pectoraux.

— C'était vraiment très intense ! lui confie ensuite Alexandra.

Elle tient à lui faire part de ses sentiments et de son appréciation, plus particulièrement dans le but d'établir une bonne communication entre eux, et ce, dès le début. Nathan lui sourit et dépose un baiser sur son front.

— Je suis tout à fait d'accord ! C'était en effet bon et intense ! lui confie à son tour Nathan.

— Tu es vraiment toute une femme, chère Alexandra ! ajoute Nathan.

Alexandra sourit de satisfaction, puis soulève la tête pour le regarder dans les yeux.

— Non, c'est toi qui es génial ! lui dit Alexandra d'un ton doux et sincère.

Elle dépose ensuite un baiser sur ses lèvres et se blottit de nouveau dans ses bras. Il la serre fortement contre lui afin de lui témoigner qu'il est touché par ses paroles. Il désire également qu'elle sache qu'il l'apprécie beaucoup et qu'il tient très fort à elle.

Elle s'endort donc dans le confort des bras Nathan. Avant de s'endormir, il en profite pour regarder le visage angélique d'Alexandra, alors qu'elle dort paisiblement dans ses bras.

Le lendemain matin, Alexandra ouvre un œil et voit Nathan qui dort sur le côté, dos à elle. Elle en profite pour se glisser vers lui sous les couvertures. Elle se place doucement en cuillère derrière lui. Elle glisse ensuite sensuellement son bras le long d'un des bras de Nathan, qui se trouve plié le long du haut de son corps. Elle aime sentir la forme sensuelle des muscles de son corps et la douceur de sa belle peau bronzée.

Elle avance ensuite la tête tranquillement et doucement vers lui pour y déposer un doux baiser dans son coup là où se trouve la zone sensible et chatouilleuse de cette région du corps.

Nathan bouge un peu ses épaules et sa tête, car le doux baiser d'Alexandra lui a donné un frisson de plaisir. Il glisse ensuite son bras le long de celui d'Alexandra, pour rejoindre la main de celle-ci. Puis il glisse sa main par-dessus la sienne, met ses doigts entre les siens et amène sa main vers son cœur, afin qu'elle soit encore plus près de lui.

Alexandra s'étire jusqu'à son oreille et lui murmure :
— Bon matin amour !

Puis elle dépose à nouveau un baiser dans son coup. Nathan bouge pour se retourner et mieux voir les yeux doux et le joli sourire d'Alexandra. Il s'avance vers elle, glisse sa main sur sa hanche et dépose un baiser rempli d'amour et de tendresse sur le front de celle-ci. Elle ferme doucement les yeux, pendant que Nathan l'embrasse en souriant de bien-être. Il remarque la réaction d'Alexandra et lui dit dans un doux murmure à l'oreille :
— Tu es vraiment très belle !

Puis elle dépose sa main le long de son visage et ils s'embrassent tendrement.

Ils font la grasse matinée, car ils sont trop bien couchés l'un à côté de l'autre, à s'embrasser, à s'enlacer et à se caresser. Ils ne savent pas encore ce qu'ils vont faire de leur journée, mais comme ils sont à la ville, ils savent qu'il y a plein de choses à faire ! Surtout pour Nathan qui n'habite pas la région !

Alexandra a quelques idées d'activités en tête. Elle a pensé l'emmener à un bon restaurant pour souper, faire une balade dans le marché By à Ottawa et peut-être terminer la soirée par un bon film au cinéma. Elle est aussi bien ouverte à d'autres propositions, si celles-ci ne lui conviennent pas.

Vers dix heures quinze, ils se décident enfin à se lever. Nathan se dirige vers la salle de bain, pendant qu'Alexandra va à la cuisine, afin de préparer le déjeuner.

— As-tu le goût de manger des œufs, du bacon et des petites patates rôties ? lui demande Alexandra.

— Tu n'as pas besoin de te donner autant de mal pour le petit déjeuner ! Je peux très bien me contenter de rôties, tu sais !

— Mais non, ce n'est vraiment pas un problème et ça me fait plaisir de faire à mon tour un bon petit déjeuner !

— Dans ce cas, difficile de refuser ! lui répond Nathan.

Nathan sort de la salle de bain, puis se dirige vers elle. Elle est devant la cuisinière, en train de faire cuire les œufs, le bacon et les petites patates. Il dépose ses mains sur les hanches de celle-ci, lui donne un bec sur la joue.

— Humm, ça sent bon ! Décidément, tu me gâtes ! ajoute Nathan dans un doux murmure à ses oreilles.

— C'est une ruse pour que tu ne puisses plus te passer de moi ! lui répond Alexandra sur un ton amusé !

Pendant le petit déjeuner, ils discutent des choses qu'ils vont faire pendant la journée.

— J'ai pensé que nous pourrions aller faire du karting dans le secteur Hull, à Gatineau, en début d'après-midi, qu'en dis-tu ?

— Du karting ! Wow, c'est une super bonne idée ! Tu me connais déjà bien on dirait !

— C'est un karting beaucoup mieux que les autres. Il s'agit d'un circuit style F1, mais à plus petite échelle. Il y a un circuit appelé « Grand prix » qui consiste à effectuer dix tours de qualifications et soixante-dix tours pour la course. Cet endroit est situé à l'intérieur d'une grande bâtisse, dans le secteur Hull. Je me suis dit que ça pourrait te plaire !

— Ça sonne en effet comme quelque chose que j'aimerais faire ! T'es trop génial ! s'exclame Nathan, épaté par sa suggestion.

— J'ai pensé que nous pourrions ensuite faire une belle grande marche dans le marché By, en début d'après-midi, étant donné qu'il fait si beau dehors !

— Ça aussi c'est une excellente idée ! s'exclame Nathan.

— En plus, je me suis dit que nous pourrions en profiter pour manger dans un des bons restaurants du Marché By à l'heure du souper ou aller ailleurs si tu préfères ! Ça ne me dérange pas du tout !

— C'est une excellente idée ! s'exclame Nathan qui aime ses suggestions.

— Mais si tu préfères faire autre chose, n'hésite surtout pas à me le dire ! ajoute Alexandra.

Elle a un peu peur d'avoir l'air de vouloir tout diriger, mais elle sait qu'il ne connait pas très bien la région, alors elle se dit que ce serait difficile pour lui de planifier la journée.

Nathan s'aperçoit qu'Alexandra semble inquiète de tout décider.

— Non, je te rassure, je trouve tes idées très intéressantes et moi aussi j'ai le goût de les faire !

— D'accord ! lui répond Alexandra heureuse et excitée de leur journée en perspective.

La journée se déroule exactement comme l'avait planifiée Alexandra. Ils commencent leur après-midi avec la course en karting. Ils s'amusent comme des fous, ce qui n'est pas surprenant, car ils aiment tous les deux les voitures et la course.

— Je suis surprise… comment est-il possible que tu m'aies battue… pour ne pas dire calanchée ? lance sarcastiquement Alexandra à Nathan, en riant, à la fin de la course.

— T'étais vraiment bonne par exemple ! Je suis impressionné ! lui avoue Nathan.

— Eh bien, je te remercie ! Et inquiète-toi pas, je ne m'attendais pas du tout à gagner contre le pro des courses de démolition ! lui dit Alexandra en lui faisant un clin d'œil. C'était néanmoins très agréable et je suis bien contente que tu aies battu tout le monde, moi comprise, mon Patrick Carpentier !

— Ha ! Ha ! Je te remercie et je me suis bien amusé moi aussi ! C'était vraiment une excellente idée !

Ils se dirigent ensuite vers le marché By, à Ottawa. Alexandra stationne sa voiture. Ils sillonnent ensuite les petites rues du marché à pied. Ils s'arrêtent ici et là, afin de jeter un coup œil dans les petites boutiques.

Alexandra avait proposé de prendre sa voiture étant donné qu'elle connait mieux la région et que ce serait plus simple ainsi. Nathan avait pensé que c'était une excellente idée et trouvait que c'était très gentil de sa part de s'occuper de lui ainsi !

Ils marchent environ deux heures, main dans la main, à travers le marché By et choisissent d'arrêter à un beau pub restaurant. L'ambiance est très bien et il y a plusieurs terrasses, ce qui rend l'endroit encore plus agréable.

Alexandra et Nathan apprécient tous deux le style « pub » de l'endroit avec ses multiples terrasses. Cela le rend unique. L'endroit est aussi très décontracté et vivant.

— Wow, c'est vraiment bien comme endroit ! s'exclame Nathan, à l'intention d'Alexandra.

— Ce restaurant est d'ailleurs très différent de ce que j'ai l'habitude de voir ! Je suis impressionné ! lui avoue Nathan.

— C'est vrai ! Moi aussi je le trouve très différent des autres restaurants où je vais normalement ! Je le trouve vraiment bien… bon choix que nous avons fait ! s'exclame à son tour Alexandra.

Ils mangent tranquillement et savourent les mets qui leur sont servis. Le repas est accompagné d'une bière pour Nathan et d'un Blue Lagoon pour Alexandra.

— Un Blue quoi ? s'était exclamé Nathan en riant après le départ de la serveuse.

— Un Blue Lagoon ! lui avait répondu Alexandra, elle aussi en riant. Je sais, les boissons pour femmes ont de drôles de noms maintenant !

Ce nom de boisson a bien fait rire Nathan. Il n'avait jamais entendu parler d'un Blue Lagoon auparavant.

À la fin du repas, Nathan insiste pour payer la facture, ce qu'Alexandra trouve très galant de sa part.

— C'est moi qui invite !

— Ah oui hein ? Eh bien, merci beaucoup ! lui répond Alexandra.

Ils repartent ensuite en voiture, en direction de Gatineau.

— Que dirais-tu d'aller louer un bon film pour le reste de la soirée ? propose Alexandra.

— Excellente idée ! lui répond Nathan.

Ils décident de terminer la soirée en se louant un bon film, afin de le regarder confortablement installé chez Alexandra. Ils prévoient ainsi clore leur belle journée.

Arrivés au magasin de location de film, Alexandra et Nathan arrêtent leur choix sur une comédie populaire, car ils aiment tous les deux ce type de film. Ils aiment rire lorsqu'ils en ont l'occasion.

De retour à l'appartement d'Alexandra, ils regardent le film bien installés sur le divan. Alexandra se blottit à nouveau dans les bras de Nathan avant que le film commence. En réalité, lorsqu'elle se trouve ainsi dans les bras de Nathan, elle pourrait écouter presque n'importe quoi.

Après le film, qui leur a d'ailleurs bien plu et qui les a fait rire à plusieurs reprises, ils éteignent et vont se coucher. Étendue près de Nathan, Alexandra pense à la merveilleuse journée qu'ils viennent de passer. Elle est très satisfaite du déroulement de celle-ci. À vrai dire, elle ne pouvait rêver d'une meilleure journée.

Tout s'est déroulé à merveille aujourd'hui et elle espère que le bonheur qu'elle ressent en ce moment durera encore bien longtemps. Elle se sent vraiment bien avec Nathan. Elle se trouve chanceuse de l'avoir dans sa vie et elle est très contente d'avoir persévéré, malgré les obstacles qui s'étaient mis au travers de leur route au tout début.

La fin de semaine terminée, Nathan doit repartir pour Ville-Marie, au Témiscamingue.

— Je te remercie beaucoup pour cette belle fin de semaine en ta compagnie ! Je me suis vraiment bien amusé et je suis très content d'être venu !

— Je suis bien contente que ton séjour t'ait plu ! Je suis moi aussi bien heureuse que tu sois venu me rendre visite ! J'ai vraiment beaucoup apprécié ta compagnie ! lui confie à son tour Alexandra.

— Merci aussi de m'avoir fait découvrir ces belles choses qu'offre la ville ! Je n'avais jamais pensé qu'il y avait autant d'activités à faire en ville !

— C'est vrai qu'il y a beaucoup d'activités à faire ici, mais crois-moi, on trouve souvent le moyen de trouver le temps long et de ne pas savoir quoi faire malgré tout ! Et puis les sorties, cela finit par coûter cher aussi !

— Ah ça, c'est bien vrai ! Je n'y avais pas pensé ! C'est certain que ce doit être plus facile de faire des économies au Témiscamingue ! lui dit Nathan en ricanant un peu.

— Ah ça, c'est sûr ! s'exclame Alexandra.

— Bon bien moi je vais devoir y aller !

— Je sais, mais je n'ai quand même pas envie de te laisser partir ! avoue Alexandra, l'air soudain un peu triste.

— Je sais... moi non plus ! J'ai eu le temps de m'ennuyer de toi la semaine passée et j'avais très hâte de te revoir moi aussi !

— Une chance qu'il y a le téléphone ! s'exclame Alexandra.

— Ah ça, c'est bien vrai ! Et je compte bien m'en servir encore cette semaine ! s'exclame à son tour Nathan.

— Je veux encore te remercier pour toutes ces belles activités que tu as planifiées ! Elles me convenaient à merveille et je me suis vraiment bien amusé ! souligne Nathan.

— Ça m'a fait plaisir et je suis bien heureuse que ça t'ait plu ! lui dit Alexandra affichant un large sourire de fierté et de bonheur.

Nathan se dirige ensuite vers la porte de l'appartement d'Alexandra, avec son sac de bagages à la main.

— Je t'accompagne jusqu'à ton camion ! offre Alexandra.

— Oh, quelle galanterie ! s'exclame Nathan avec humour.

Alexandra l'accompagne jusqu'à son camion, puis lui dit au revoir. Après un dernier baiser, Nathan part en direction du Témiscamingue.

La semaine suivante, ils se téléphonent régulièrement. Étonnamment, ils ont toujours des choses à se dire. À vrai dire, ils sont tout simplement heureux d'entendre la voix de l'autre au bout du fil, même si ce n'est parfois que pour une dizaine ou une quinzaine de minutes. Ils forment à présent officiellement un beau petit couple de jeunes amoureux.

C'est maintenant au tour d'Alexandra d'aller rendre visite à Nathan au Témiscamingue. Ils ont convenu de faire cet échange, car Alexandra trouvait injuste qu'il doive faire la route à toutes les fins de semaines. De plus, elle avait peur qu'il s'en lasse vite. Elle lui a donc fait la proposition de lui rendre à son tour une visite, une fin de semaine sur deux. Nathan était ravi de cette entente !

Aussitôt qu'elle arrive chez Nathan le vendredi soir, Nathan la rejoint à sa voiture, afin de l'aider à rentrer ses choses. Il en profite aussi pour lui donner un tendre baiser de bienvenue.

— Bienvenue à nouveau chez moi ! lui dit Nathan, heureux et excité de la revoir.

— Merci beaucoup ! lui répond Alexandra, elle aussi très heureuse de le revoir.

Elle le suit ensuite dans la maison. Ils montent immédiatement à l'étage pour se détendre, en bavardant un peu tout en regardant une émission télévisée.

Comme Alexandra est arrivée assez tard chez Nathan, ils décident de rester tranquille à la maison pour ce soir.

— Je tombe de sommeil moi ! avoue Alexandra. Est-ce que ça te dérange si je vais me coucher plus tôt ?

— Pas du tout ! Je vais en faire de même ! Ça va me faire du bien à moi aussi d'aller me coucher.

— Est-ce que je peux me servir de ta douche ?

— Aucun problème ! N'hésite pas à faire comme chez toi ! Ce qui est à moi est à toi ma chérie !

— T'es un amour ! ajoute Alexandra.

Alexandra se rend à la salle de bain et fait couler l'eau, afin qu'elle soit à la bonne température lorsqu'elle va y entrer. Elle s'accote ensuite contre le cadre de porte de la salle de bain et regarde Nathan assis sur le divan dans l'autre pièce.

— Tu es le bienvenu si tu as envie de m'y rejoindre ! lui lance Alexandra.

Nathan ne se fait pas prier.

Alexandra enlève ses vêtements, puis se glisse sous la douche. Nathan la rejoint sous la douche à peine quelques secondes plus tard.

Ils s'embrassent et se caressent passionnément sous la douche. Puis ils se lavent en vitesse et se rendent à la chambre à coucher poursuivre ce qu'ils ont commencé.

Alexandra se demande si le fait qu'ils ne se voient pas très souvent et qu'ils ont le temps de s'ennuyer provoque cette intensité lors de leurs retrouvailles. Leur vie sexuelle est très agréable, et ce, depuis le début. Ce qui fait le plus grand bonheur d'Alexandra. Elle se sent belle et féminine à ses côtés, et elle adore cela ! Le sentiment qu'il veille sur elle et que rien ne pourrait lui arriver lorsqu'elle est avec lui la réconforte énormément. De son côté, Nathan adore le fait qu'elle se sente si bien et en sécurité avec lui. Lui aussi aime être à ses côtés. Il se sent également très désiré et apprécié tel qu'il est. Pour la première fois de sa vie, il n'a pas l'impression qu'une femme veut le changer, et cela lui procure une grande joie.

Le lendemain matin, pendant le petit déjeuner, Nathan pense à une sortie qu'il veut proposer à Alexandra.

— Est-ce que tu aimerais venir avec moi au quart de mille d'Earlton ? J'ai pensé aller y courser ma Supra, si tu en as envie bien sûr !

C'est pour cette raison que Nathan ne voulait pas se lever trop tard ce matin.

— Mais oui, ça me tente ! Je suis partante ! s'exclame immédiatement Alexandra, très enthousiaste à cette idée.

Elle est très excitée à l'idée de le voir courser.

— T'es la meilleure ! lance Nathan en voyant la réaction enthousiaste d'Alexandra.

Puis il lui donne un tendre baiser, car il est tout heureux que sa copine vienne le voir courser. D'ailleurs, le fait qu'elle aime aussi les voitures lui plaît beaucoup. Au lieu de lui reprocher de passer beaucoup de temps à faire de la mécanique ou de dépenser de l'argent inutilement sur des voitures, Alexandra l'aide ou l'observe. Il n'en revient pas de la chance qu'il a de l'avoir rencontrée !

Après le petit déjeuner, Alexandra va s'habiller, pendant que Nathan prépare sa voiture. Il embarque sa Supra sur sa remorque qu'il attache soigneusement à son camion. Étant donné que sa voiture est très modifiée, il ne veut pas prendre le risque qu'elle brise en route. C'est pourquoi il la met sur une remorque.

Alexandra prend sa caméra vidéo et sort rejoindre Nathan. Elle a l'intention de filmer les événements de la journée, principalement les courses de Nathan.

Alexandra remarque que Nathan semble lui aussi prêt.

— Je suis prête ! lui annonce Alexandra.

— Oui, moi aussi ! répond Nathan. Nous sommes parfaitement à l'heure en plus ! ajoute celui-ci.

À neuf heures trente du matin, il est temps de partir, car ils ne veulent pas arriver trop tard au quart de mille. Ils s'enlacent et se donnent un baiser, puis sautent dans le camion de Nathan.

— Alors, allons-y ! s'exclame Nathan, en embrayant.

À leur arrivée, Nathan stationne la remorque et le camion, et joue un peu sous le capot de sa Supra avant les premiers essais. Alexandra sourit en le regardant travailler sur sa voiture. Elle le trouve très sexy en mécanicien et en coureur !

Il faut dire qu'il est très bien habillé pour un mécano. Il a un joli jeans noir qu'il porte avec son fameux chandail de courses de démolition

Alexandra ricane un peu en observant les lettres stylisées noires et argentées sur son chandail où l'on peut lire « Blue Madness ». Elle sourit parce que dans la vie de tous les jours, elle trouve qu'il est un vrai cœur sur deux pattes.

— Qu'est-ce qui te faire sourire comme ça, toi ? l'interroge Nathan sur un ton léger.

— C'est rien… c'est juste ton chandail qui me fait un peu rire !

— Ah oui ? répond Nathan, encore plus curieux de connaître ce qu'elle trouve de si amusant.

— Je me disais que c'est bien juste sur la piste que tu es un « Blue Madness »… parce que dans la vie de tous les jours, tu es un amour ! s'exclame Alexandra en lui faisant des yeux doux et en se rapprochant de lui pour lui voler un baiser.

— Ha! Ha ! T'es mignonne ! s'exclame Nathan.

Nathan est maintenant prêt à faire quelques essais sur la piste. Après le premier essai, il fait quelques ajustements sur la voiture. Après avoir fait environ huit essais libres, Nathan semble satisfait des performances de sa voiture.

Les compétitions doivent commencer vers treize heures, ce qui leur laisse encore une bonne heure avant le début des courses. Après avoir stationné sa voiture, Nathan part rejoindre fièrement Alexandra. Arrivé face à elle, il lui donne un bref baiser.

— Wow, ta Supra semble vraiment performante aujourd'hui, c'est super ! s'exclame Alexandra d'un ton fier.

— Je sens que tu vas avoir de très bons résultats aujourd'hui ! poursuit-elle.

— Je te remercie ! Je suis en effet très content des essais libres. Tout va pour le mieux en ce moment et j'ai bien hâte de voir ce que seront les courses !

Il la regarde, puis lui présente son trousseau de clés.

— Tiens mon amour !

Alexandra les prend par réflexe, puis lui demande :

— Pourquoi me remets-tu ton trousseau de clés ?

Il la regarde avec un sourire et des yeux complices, comme s'il allait faire un mauvais coup.

— Amuse-toi ! lui lance tout simplement Nathan.

En voyant le regard toujours interrogateur d'Alexandra, il ajoute :

— Vas faire quelques tours sur la piste avec la Supra, avant le début des courses !

— Es-tu certain ? lui demande Alexandra, surprise.

La voiture est très puissante. Elle ne voudrait pas l'endommager en perdant le contrôle ou briser quelque chose au moment d'un essai libre.

— Ne t'inquiète pas ! Je sais que tu es une très bonne conductrice et que tu n'auras pas de difficulté à la conduire ! Et si la voiture brise, eh bien c'est parce que cela devait arriver ! C'est aussi simple que cela !

— Ouin… ajoute Alexandra hésitante.

— De toute façon, c'est pour nous amuser que nous sommes ici, alors ne t'inquiète de rien !

Alexandra décide de saisir son offre.

— Ah pis, pourquoi pas ! s'exclame Alexandra.

Elle monte dans la Supra, côté conducteur cette fois-ci, et démarre la voiture. Elle a quelques papillons dans l'estomac, mais elle affiche un grand sourire à l'idée d'avoir la chance de conduire un véhicule aussi rapide.

— T'es trop sexy au volant de ma Supra ! lui confie Nathan alors qu'il est penché à côté d'elle, à l'extérieur de la voiture toutefois. Juste pour ça, ça valait la peine que je te la laisse conduire ! ajoute-t-il en lui faisant un clin d'œil complice.

Elle se cale dans la voiture, puis se met en ligne avec les autres véhicules, en attendant son tour pour les essais libres. Elle en profite pour tester un peu la transmission manuelle de la Supra, qui est assez différente de la sienne. Elle ne voudrait surtout pas étouffer le moteur sur la ligne de départ ! Elle est beaucoup trop fière pour se permettre une chose pareille !

Comme il n'y a que cinq voitures devant elle, son tour viendra vite. Nathan la suit à pied et lui donne quelques consignes avec la voiture, afin de l'aider à obtenir un meilleur résultat et aussi dans le but qu'elle puisse s'amuser davantage. Alexandra l'écoute attentivement, car elle sait que ses conseils lui seront bien utiles.

La voiture devant elle se place pour le départ. Au prochain tour, ce sera à elle d'y aller. Nathan cours vers les estrades avec la caméra vidéo pour filmer sa douce chérie dans sa Supra sur la piste du quart de mile.

— Bon, je vais te filmer des estrades ! Bon essai ! lui lance Nathan juste avant de partir vers les estrades.

— Non, non… inutile de me filmer ! s'exclame Alexandra.

— Désolé, mais tu n'y échapperas pas ! lui répond Nathan en riant et en lui faisant un clin d'œil amical, alors qu'il est déjà à quelques pas plus loin.

Nathan tient vraiment à la filmer. Il ne peut pas s'en empêcher, car il est très fier de la voir assise au volant de sa voiture. En général, peu de femmes ont le cran d'essayer des voitures sur la piste, surtout des voitures aussi performantes que celle de Nathan, alors il tient absolument à immortaliser ce moment.

C'est maintenant au tour d'Alexandra d'y aller. Elle se positionne sur la ligne de départ. Une première lumière jaune s'allume, afin de lui indiquer qu'elle est positionnée au bon endroit sur la grille de départ. Cela lui signale qu'elle doit se préparer, car le feu va bientôt tourner au vert. Elle fait immédiatement monter un peu les RPM, mais pas trop, car la voiture commencerait à patiner sur place si elle donnait trop de gaz. Elle est maintenant prête !

La deuxième lumière jaune s'allume, puis la troisième et finalement la lumière verte. Alexandra relâche le frein et appuie méthodiquement sur la pédale de gaz et d'embrayage, en changeant les vitesses au bon moment.

Wow ! Elle n'en revient pas de la puissance de cette voiture ! Elle n'ose pas mettre la pédale au fond, tellement la voiture est performante. Quelle montée d'adrénaline ! pense Alexandra à mi-chemin sur le quart de mille.

Elle fait un bon temps, mais, évidemment, Nathan est plus rapide. Elle est néanmoins très fière d'elle et aussi de ce premier résultat. Pas mal du tout pour une première course ! se dit Alexandra pour s'encourager.

Elle stationne la voiture à l'endroit où Nathan l'avait mise un peu plus tôt. Elle a à peine le temps d'arrêter de rouler que Nathan est déjà à côté de la Supra, attendant avec impatience qu'elle en sorte.

— Je te l'avais bien dit que tu n'aurais pas de difficulté ! Tu étais vraiment super ! lui dit Nathan fier et enthousiaste.

— Merci beaucoup ! répond Alexandra, bien heureuse d'entendre ces paroles.

— Mais c'est fou le pouvoir que possède ta Supra ! Je n'ai même pas osé appuyer à fond ! ajoute Alexandra. J'avoue que j'aurais aussi bien aimé avoir un temps un peu plus près de ceux que tu obtiens, mais bon…

Nathan se met à rire et Alexandra lui jette un regard interrogateur, car elle n'a aucune idée de ce qui peut bien le faire rire.

— Je ne ris pas de toi, je te rassure ! Je ris parce que tu te critiques d'être moins bonne que moi, alors que je course depuis plusieurs années et que ce n'est pas non plus la première fois que je course ma Supra, contrairement à toi chérie !

— C'est vrai que… vu de cette façon ! répond Alexandra.

— Honnêtement, la plupart des femmes que je connais n'oseraient même pas s'asseoir au volant de cette voiture, et encore moins la courser !

Alexandra rougit un peu et est forcée d'admettre qu'il a bien raison.

— Je ne l'avais pas vu comme ça… merci beaucoup ! T'es vraiment un petit ami en or toi ! lui dit Alexandra en appuyant le haut de son corps contre lui et en lui donnant un tendre baiser.

— Non, c'est toi la meilleure ! lui répond Nathan, en la retenant contre lui et en lui donnant un second baiser.

Ils font d'ailleurs l'envie de plusieurs gens les entourant en ce moment, et ceux-ci les trouvent adorables ensemble ! La plupart des hommes présents à l'événement aimeraient avoir une femme comme Alexandra à leurs côtés et plusieurs des femmes présentes aimeraient bien avoir un homme comme Nathan dans leur vie.

Le reste de la journée au quart de mille d'Earlton se déroule très bien. Ils ont beaucoup de plaisir. Les choses vont très bien pour Nathan. Il gagne toutes ses courses et accède ainsi à la finale.

Alexandra lui apporte son soutien tout au long de la journée et filme toutes ses courses.

Lors de la finale entre Nathan et une Éclipse de Mitsubishi, elle aussi très modifiée, la course est très chaude. Nathan a un excellent départ, tout comme l'autre voiture. Ils sont pratiquement nez à nez jusqu'à la ligne d'arrivée. Ils sont tellement près l'un de l'autre qu'Alexandra ne sait pas qui est le vainqueur.

Elle se concentre sur les panneaux d'affichage lumineux qui indiquent les temps des deux coureurs, pour voir qui a gagné. Elle se rend alors compte que Nathan est de très peu arrivé second.

À un cheveu près de la première place, Nathan remporte finalement la deuxième place. Il aurait bien aimé remporter la première place, mais il est très heureux de sa deuxième place et de sa bourse de trois cents dollars. Alexandra est très fière de ce résultat! Elle le trouve vraiment bon. De plus, il est très séduisant au volant de sa jolie et puissante Supra jaune. Elle a très hâte de rentrer à la maison pour être près de lui!

Sur le chemin du retour, Alexandra joue à la vilaine fille et le déconcentre en lui donnant des baisers dans le coup et en le caressant.

— Ça t'apprendra à être aussi bon et séduisant lorsque tu compétitionnes! lui chuchote Alexandra à l'oreille.

Nathan sourit.

— Oui, bien là, je commence à avoir légèrement de la difficulté à porter mon attention sur la route! lui répond Nathan.

— Si tu continues à jouer avec le feu, chérie, tu vas te brûler! ajoute Nathan à titre d'avertissement, car il ne sait pas encore pendant encore de temps il va pouvoir réussir à résister à ses avances.

— Des promesses, des promesses ! dit Alexandra, avec un sourire coquin, en espérant qu'il va mettre ses menaces à exécution.

Ce que Nathan fait.

— Tu l'auras voulu ! lui répond alors Nathan, en se dirigeant vers un petit chemin de terre.

Ça ne lui prend que deux minutes pour trouver un endroit tranquille, à l'abri des regards.

Nathan arrête le camion, le met au neutre et se tourne rapidement vers Alexandra. Il glisse ensuite une de ses mains dans les cheveux défaits de celle-ci et se met à l'embrasser vigoureusement. Il met ensuite ses mains autour des hanches d'Alexandra et la tire vers lui. Elle suit son mouvement et s'installe sur les genoux, pour être assise à cheval sur lui et lui faire face.

Le camion n'étant pas un endroit très spacieux, elle se retrouve à quelques reprises le dos accoté contre le volant, mais cela ne la dérange pas. Au contraire, elle est bien contente qu'ils profitent de la spontanéité et de l'originalité du moment.

Ils rient à quelques reprises, car ils se cognent parfois ici et là pendant qu'ils font l'amour. Ce détail ne les empêche toutefois pas de profiter du moment. Au contraire, Alexandra a souvent eu ce fantasme de faire l'amour dans la voiture, alors elle est bien heureuse de le réaliser aujourd'hui. Elle n'est d'ailleurs pas du tout déçue. Nathan est comme toujours un excellent amant !

De plus, elle est bien contente qu'ils aient fait l'amour dans le camion, sur le bord d'une route de campagne déserte. Elle croit qu'en plus d'ajouter du piquant à leur relation, cela leur permet de sortir d'une certaine routine qui pourrait s'installer. Elle n'a jamais vraiment eu la chance de faire cela avant et elle apprécie la spontanéité de Nathan. Elle lui a présenté l'appât et elle est bien contente qu'il ait mordu aussi vigoureusement à l'hameçon.

— Je suis bien contente de t'avoir déconcentré ! dit Alexandra, lorsqu'ils remettent leurs vêtements.

— Je t'avoue que moi aussi ! C'était vraiment bien ! J'espère juste que tu n'auras pas de « bleus » à cause de ça ! lui dit Nathan.

— Nah ! Inquiètes-toi pas pour ça ! Je suis certaine que ça ne paraîtra même pas ! Je ne me suis quand même pas frappée bien fort, puisque tu faisais attention à moi, comme toujours ! lui répond Alexandra en souriant amoureusement.

— Je l'espère, sinon je vais devoir me faire pardonner ! lui répond Nathan.

— Ah bien là, c'est tentant par exemple ! ajoute Alexandra en riant.

Puis ils sortent du petit chemin de terre pour retourner à Ville-Marie.

Pour fêter la victoire d'une deuxième place pour Nathan, de façon un peu moins intime cette fois-ci, ils décident d'aller manger au restaurant. Quelques amis de Nathan se joignent à eux.

— Ouais, et comment ça se fait que tu nous as pas invités à aller te voir ? demande l'un de ses amis alors qu'ils viennent tout juste de prendre place à une table.

— Qu'est-ce que t'en penses ? répond un autre des amis de Nathan sur un ton expressif.

— Ah, O.K.... mais quand même ! ajoute celui-ci lorsqu'il réalise que son ami sous-entend que Nathan voulait y aller seul avec sa blonde.

— En tout cas, la Supra est vraiment rapide, j'étais impressionnée ! ajoute Alexandra pour changer le sujet de la conversation.

— Elle se conduit mieux que je le pensais et j'ai trouvé ça fort agréable d'avoir eu la chance de l'essayer sur le quart de mille là-bas ! ajoute-t-elle.

— Wow ! Nathan t'a laissé conduire sa Supra... son bébé ! s'exclame un des gars.

— Je n'en reviens pas ! ajoute un autre.

Alexandra se tourne alors vers Nathan, surprise d'entendre cela. Nathan lui fait simplement un sourire accompagné d'un petit clin d'œil.

— C'est parce que Nathan ne laisse à peu près jamais conduire sa Supra d'habitude ! ajoute l'un d'entre eux.

— Seulement ses chars de démolition ! ajoute un autre.

— Tu lui fais décidément tout un effet ! ajoute un autre des gars en riant et en jetant un regard rempli de sous-entendus à Nathan.

— Que voulez-vous, je vous l'ai dit qu'elle était spéciale ! Seriez-vous jaloux ? ajoute Nathan en riant.

Cette marque de confiance fait vraiment chaud au cœur à Alexandra et elle en est très heureuse. Alexandra jette un petit regard complice à Nathan en guise de remerciement pour la confiance qu'il a en elle.

— Oui ! répond un de ses amis, qui aurait bien voulu lui aussi essayer la Supra.

Les amis de Nathan n'en reviennent pas que Nathan ait laissé Alexandra conduire sa voiture. Surtout que très peu d'entre eux ont eu la chance de conduire sa Supra. Il a déjà laissé plusieurs de ses amis conduire ses voitures de démolition sans aucun problème, mais il a rarement laissé conduire celle-ci par quelqu'un d'autre.

Le lendemain avant-midi, environ une heure avant le dîner, Nathan prépare un petit goûter en cachette, pendant qu'Alexandra est sous la douche. Il met le tout dans un sac à dos et sort rapidement pour l'attacher après le quad. Il désire lui faire une petite surprise.

Lorsqu'elle sort de la douche, il lui fait une proposition.

— Que dirais-tu d'aller faire une balade en quad ? lui propose Nathan.

— Super ! Je suis partante ! s'exclame Alexandra qui ne se doute pas qu'une surprise l'attend.

Alexandra adore se promener en quad, et ce, d'autant plus qu'elle est avec Nathan, et surtout par une aussi belle journée ensoleillée.

— Je t'attends dehors ! ajoute Nathan.

— D'accord, j'arrive dans cinq minutes ! lui dit Alexandra qui est presque prête.

Comme promis, environ cinq minutes plus tard, elle sort de la maison et le rejoint sur le quad, prête pour l'aventure !

— Je suis prête ! lui lance Alexandra tout excitée.

Elle s'assoit à l'arrière de Nathan et pose ses bras autour de sa taille. Elle est prête pour la balade.

Ils se promènent en quatre-roues pendant environ une heure, puis Nathan arrête le tout-terrain, dans une jolie petite clairière, tranquille et paisible, à l'abri des regards. Alexandra se demande bien pourquoi ils s'arrêtent ici. Elle se dit que cela est peut-être dans le but d'admirer le paysage, car il est vrai que l'endroit est magnifique. Elle se sent bien, légère et en paix avec elle-même. Nathan lui fait découvrir de merveilleux endroits et lui fait vivre de très belles émotions !

Ils débarquent du véhicule tout-terrain. Alexandra s'approche de Nathan, enroule ses bras autour de son coup et lui donne un doux baiser pour le remercier de ce beau moment.

— Que me vaut l'honneur de ce doux baiser ? s'exclame Nathan agréablement surpris.

— C'est pour te remercier de m'avoir amenée dans un si bel endroit et parce que je suis bien avec toi, alors j'avais le goût de t'embrasser.

— Ah ! C'est gentil !

— Et sincère ! ajoute Alexandra, en le regardant tendrement dans les yeux.

Nathan se dirige ensuite vers l'avant du quatre-roues, afin de prendre le sac à dos qu'il y a déposé un peu plus tôt, le tout en affichant un sourire un peu espiègle.

— Qu'est-ce que tu mijotes ? lui demande Alexandra qui remarque son sourire espiègle.

— Tu vas voir ! lui répond évasivement Nathan.

Nathan fait quelques pas pour s'éloigner un peu du véhicule. Alexandra le suit, intriguée. Il ouvre lentement son sac à dos, puis en sort une jolie couverture et l'étend sur l'herbe. Alexandra en reste bouche bée, lorsqu'elle réalise ce qu'il est en train de faire pour elle.

— Tu nous as préparé un pique-nique ? lui demande Alexandra, surprise et touchée.

En guise de réponse, Nathan lui fait un beau sourire, fier d'avoir aussi bien réussi sa surprise.

— Oui madame ! lui répond-il finalement.

Il sort ensuite les choses du panier à pique-nique.

Tout au long du pique-nique, Alexandra ne manque pas une occasion de le remercier. Elle est vraiment touchée de cette belle et si romantique attention. Elle n'aurait jamais pensé qu'il était possible de vivre de si beaux moments.

Nathan est vraiment exceptionnel, se dit-elle ! Elle sait que les débuts d'une relation couple sont souvent plus passionnés, mais elle espère tout de même, du fond de son cœur, que leur amour restera fort et éternel.

— Je te remercie. Ce petit pique-nique était vraiment excellent ! Tu ne sais pas à quel point cette idée me fait plaisir ! s'exclame Alexandra, un peu émue et surtout très heureuse.

— Ça m'a fait plaisir ! Et c'est ma récompense de te voir si contente et heureuse en ce moment ! répond Nathan.

Alexandra se déplace à quatre pattes vers Nathan sur la couverture de pique-nique, avec le regard enjoué d'une tigresse. Nathan sourit, car il devine très bien ce que ces yeux veulent dire. Il attrape les choses sur la couverture et les enlève de son chemin. Alexandra se met ensuite à genoux et commence à l'embrasser en jouant. Elle se place par la suite à cheval de chaque côté des jambes de Nathan, puis ils se mettent à s'embrasser. Leur baiser s'intensifie.

L'instant d'après, Nathan se soulève légèrement, puis se penche vers l'avant, afin de déposer Alexandra sur le dos, en prenant soin de la garder sur la couverture, et se glisse au-dessus d'elle.

Les deux amoureux profitent de ce moment, de l'intimité et de la magie de l'endroit, en utilisant la couverture de pique-nique pour un autre plaisir.

CHAPITRE 11

Trois mois se sont écoulés depuis ce fameux pique-nique. Tout s'est déroulé pour le mieux entre les deux tourtereaux, pendant tout ce temps. Ils se sont téléphoné régulièrement et se sont vus tous les weekends. Pour ajouter du piquant à leurs conversations téléphoniques, ils s'excitaient mutuellement, ce qui hâtait leur désir de se revoir.

Comme convenu au départ, ils s'échangeaient à tour de rôle, les visites de fin de semaine. Alexandra prenait parfois des congés, soit le vendredi ou le lundi. Nathan, de son côté, en profitait pour finir le travail un plus tôt, ainsi ils pouvaient se voir plus longtemps.

Ils ont toujours bien profité du temps qu'ils passaient ensemble et ont fait plein de belles activités en couple. Parfois, lorsqu'ils avaient le goût de rester tranquilles, ils en profitaient pour aller voir un bon film au cinéma. Ils aimaient bien aller voir des comédies ou des films d'action à l'occasion.

Le vendredi soir, ils préféraient rester tranquillement à la maison, surtout après que l'un ou l'autre ait fait plusieurs heures de route. Ils en profitaient en s'enlaçant sur le divan et en regardant la télévision. La majeure partie du temps, ils ne portaient pas beaucoup d'attention à l'émission, car ils s'étaient trop ennuyés.

Au cours de ces trois mois qui ont passé, ils ont rencontré les familles et les amis de l'un et de l'autre. Les deux familles semblaient très heureuses que Nathan et Alexandra se soient rencontrés et ils les ont accueillis les bras ouverts.

Les parents de Nathan et d'Alexandra ont mentionné à plusieurs reprises qu'ils formaient un très beau couple, ce qui leur faisait évidemment chaud au cœur.

Alexandra avait aussi eu la chance de présenter Nathan à sa meilleure amie, Chloé. Celle-ci avait immédiatement aimé Nathan et était très contente pour Alexandre, car elle savait qu'Alexandra le méritait. Nathan avait aussi présenté Alexandra à ses amis, même si la plupart d'entre eux l'avaient déjà rencontrée, et ce, avant même qu'ils forment un couple.

Les deux amoureux se voient et se parlent régulièrement. Tout va bien pour eux. Toutefois, les nombreux allers et retours commencent à coûter cher. Même s'ils aiment tous les deux conduire, ils trouvent cela un peu épuisant de voyager une semaine sur deux comme ils le font depuis quelques mois déjà.

Alexandra réfléchit sur la façon dont ils pourraient se voir en voyageant moins, mais sans succès. Elle en est venue à la conclusion qu'il n'y a malheureusement pas beaucoup de possibilités, à part que l'un d'eux déménage plus près de l'autre. Elle n'aborde cependant pas le sujet, car elle se doute que Nathan n'aimerait pas déménager en ville et, à vrai dire, elle ne voudrait pas qu'il le fasse non plus. Elle sait que la place de Nathan est au Témiscamingue dans sa jolie et paisible campagne. Elle ne veut surtout pas qu'il fasse un changement de ce côté.

C'est maintenant au tour de Nathan de visiter Alexandra dans l'Outaouais. Cette fin de semaine, ils ont seulement prévu d'aller voir un bon film qui vient de sortir au cinéma. Ils veulent rester tranquilles et se reposer un peu des événements des derniers mois assez mouvementés jusqu'ici. Toutes les activités qu'ils ont faites lors des dernières fins de semaines, en plus des voyages sur la route et de leur travail respectif, les ont un peu épuisés.

Le lendemain soir, samedi, ils se préparent pour leur sortie au cinéma.

— On prend ma voiture ? demande Alexandra.

— Si ça ne te dérange pas, ça me ferait bien plaisir !

— Aucun problème, ça me fait plaisir de conduire ce soir ! répond Alexandra.

Dans la voiture, Nathan se décide à lui poser une question qui lui trotte dans la tête depuis un moment déjà.

— Je me demandais, as-tu déjà pensé à une solution pour réduire la distance entre nous ?

— Oui, j'y ai en effet souvent songé, mais je n'ai pas vraiment trouvé de solution idéale jusqu'à maintenant. Et toi ?

— Eh bien, je t'avouerai que j'y ai beaucoup réfléchi récemment et j'ai même une proposition à te faire...

— Ah oui ? Laquelle ? lui demande Alexandra, curieuse d'entendre sa proposition.

— Je sais que nous ne sommes ensemble que depuis environ trois mois, mais je suis vraiment bien avec toi, alors je me demandais si tu envisagerais de déménager avec moi ?

Nathan marque ensuite une petite pause, puis ajoute :

— Au Témiscamingue !

Alexandra est surprise par sa proposition. Il est certain qu'elle avait pensé à cette option, mais elle ne se sent pas encore tout à fait prête à tout quitter pour déménager au Témiscamingue avec lui. D'un autre côté, elle sait qu'ils ne pourront pas rester séparés ainsi pendant des années, mais pour l'instant, ce mode de vie n'est pas trop mal pour elle.

Voyant qu'Alexandra ne lui répond pas et qu'elle semble perdue dans ses pensées, Nathan lui dit :

— Je te laisse tout le temps dont tu as besoin pour y réfléchir. Tu n'as pas à me donner une réponse immédiate, ajoute Nathan.

— Ce n'est pas que je ne veux pas déménager avec toi, mais cela impliquerait un changement radical dans ma vie. Il faudrait que je quitte mon emploi stable, sécuritaire et très bien rémunéré ainsi que mon appartement, et, en plus, je devrais me séparer de ses amis. Cela veut aussi dire un retour à la campagne pour moi où j'habiterais de façon permanente avec toi, ce qui est tout de même une décision majeure, alors je dois réfléchir à tout cela.

— Je comprends tout à fait et je vais te laisser tout le temps dont tu as besoin pour y réfléchir, car je ne veux pas te brusquer. Je mets simplement cette offre sur la table, parce que je suis vraiment bien avec toi et que j'ai confiance entre notre couple.

— C'est gentil et moi aussi je crois très fort en notre couple, alors je te promets d'y réfléchir sérieusement, ajoute Alexandra, en lui donnant un baiser.

Les jours qui suivent, Alexandra s'interroge beaucoup. Elle ne sait vraiment plus si elle devrait accepter l'offre de Nathan et déménager chez lui ou continuer à vivre la situation présente. Elle se dit qu'elle a la sécurité d'emploi ici. Elle s'avoue qu'elle trouve toutefois son travail très peu captivant et intéressant, mais il est au moins très bien rémunéré et stable. Elle trouverait aussi dommage d'habiter aussi loin de Chloé, sa meilleure amie.

Elle hésite, car elle voudrait être certaine que leur relation va durer longtemps. Même si en ce moment elle a l'impression que tout va pour le mieux entre eux, elle aimerait être sûre que cela va rester ainsi. Après tout, ils ne se connaissent que depuis trois mois, c'est donc un peu risqué.

Elle n'aimerait pas perdre ce qu'elle a mis tant de temps à construire et recommencer à zéro, si sa relation venait à se terminer, peu de temps après son emménagement avec Nathan. Elle est vraiment dans un profond dilemme en ce moment. Même si tout semble aller pour le mieux entre eux, elle aimerait être vraiment certaine de faire le bon choix.

Lors de l'une de leurs conversations téléphoniques, pendant la semaine, Alexandra confie à Nathan quelques-unes de ses craintes face au déménagement. Il est très compréhensif et rassurant, comme elle l'espérait.

— J'ai un peu de difficulté à me faire à l'idée de tout quitter comme ça, lui avoue alors Alexandra, lors de leur conversation téléphonique. Mes amies, mon travail, mon appartement, la ville…

— C'est certain, je peux comprendre ça. Il faut que tu trouves aussi des points positifs à l'idée d'emménager avec moi, c'est important. Je ne veux pas que tu déménages ici juste parce que je te le demande, ma chérie ! Je veux que cette situation te convienne ! C'est très important pour moi et pour que notre couple continue de bien aller aussi ! lui dit doucement Nathan, de façon très compréhensive.

— Tu as raison, je te remercie de ta compréhension. C'est certain qu'il y a plein de points positifs ! Je pourrais ainsi me réveiller à tes côtés tous les matins. Nous n'aurions plus à faire toute cette distance pour nous voir. Nous pourrions faire des activités de couple et vivre notre relation au quotidien et non seulement les week-ends. Comme il y en a encore plein d'autres avantages, je considère sérieusement ton offre. J'ai seulement un peu de difficulté à prendre une décision définitive en ce moment. J'ai encore besoin d'un peu de temps pour me faire à cette idée !

— Je comprends tout à fait et je suis prêt à attendre le temps qu'il faut. C'est important d'attendre le bon moment et que tu sois prête ! lui dit à nouveau Nathan.

— J'ai aussi une autre proposition. J'aimerais également que tu réfléchisses à savoir si tu voudrais emménager dans la maison où j'habite actuellement ou trouver un autre endroit ? Parce que si tu te sens mal à l'aise d'habiter chez moi, à la campagne, je suis prêt à acheter une maison avec toi, où tu le désires... tant qu'elle est près de Ville-Marie. Je suis moi aussi prêt à faire des sacrifices pour toi, mon amour, pour faciliter cette transition du mieux que je le peux, alors laisse-moi savoir d'accord ?

— Wow ! Je te remercie. C'est vraiment gentil à toi de l'offrir... je vais y réfléchir, lui répond Alexandra, surprise de cette dernière proposition.

— Je veux simplement ajouter que je ne te demande pas cela uniquement parce qu'il y a beaucoup de distance entre nous, mais bien parce que je t'aime et que je pense sincèrement que notre relation va durer encore longtemps.

Alexandra est très touchée d'entendre ces mots.

-Ah ! Je te remercie, c'est vraiment gentil et je suis très touchée de te l'entendre dire. Moi aussi je t'aime.

— Bon bien, je te laisse y réfléchir ma chérie et je te dis à vendredi O.K. ?

— Oui, à vendredi ! Bonne soirée mon amour ! ajoute Alexandra.

— Toi aussi ! Fais de beaux rêves ! Je t'embrasse !

— Moi aussi je t'embrasse ! Bye ! dit Alexandra.

Après avoir raccroché le combiné, Alexandra se dit qu'il est difficile de résister à quelqu'un de si gentil et compréhensif, et qui a en plus de très bons arguments. D'autant plus qu'après avoir discuté de cette situation avec Chloé et une collègue, celles-ci lui ont conseillé d'aller foncer rejoindre

Nathan au Témiscamingue. Selon elles, il est évident qu'ils sont très amoureux l'un de l'autre et que tout va aller pour le mieux pour eux.

Deux semaines après la proposition de Nathan, elle ne lui a toujours pas répondu affirmativement, mais elle lui a laissé savoir, à plusieurs reprises, qu'elle pense sérieusement accepter son offre et emménager chez lui.

D'ailleurs, en fin de semaine, c'est à son tour d'aller le voir au Témiscamingue. Elle se dit que cela va probablement l'aider à se décider et à prendre enfin une décision. Elle pourra de nouveau regarder les lieux et voir si elle pourrait y demeurer de façon permanente.

Samedi soir, alors qu'Alexandra se trouve chez Nathan, il décide de lui faire une surprise en l'emmenant au restaurant.

— J'ai décidé que j'allais te sortir ce soir mon amour ! Je t'emmène au restaurant !

— Ah oui ? Et où ça ? lui demande Alexandra, intriguée.

— Ça c'est une surprise ! lui répond Nathan.

Elle tente de savoir quel est ce restaurant, mais il reste muet comme une carpe, puisque c'est une surprise. Elle trouve qu'il est particulièrement en beauté ce soir. Il est bien habillé et en plus il sent très bon. Il a mis l'eau de Cologne qu'Alexandra aime tant.

— Si je me fie à ce que tu portes, je vais aller me changer ! s'exclame Alexandra.

— C'est comme tu veux mon amour ! ajoute simplement Nathan qui ne veut pas trop en dire et vendre la mèche.

Alexandra observe Nathan un instant et décide d'aller se changer. Étant donné la façon dont il est habillé, elle décide d'opter pour une tenue un peu plus classique, car elle n'a aucune idée de l'endroit où ils vont. Heureusement qu'elle est une personne prévoyante et qu'elle apporte toujours plusieurs vêtements de style différents. Elle laisse toujours d'ailleurs quelques-uns de ses vêtements chez Nathan, car c'est plus pratique ainsi.

Elle enfile une jolie robe noire, qui s'attache autour du cou et qui descend juste au-dessus du genou. Le haut de la robe est assez moulant et décolleté, mais le bas est plus ample et décontracté. C'est une robe du genre passe-partout et chic à la fois. Puis elle enfile un délicat collier argenté, se coiffe et se maquille soigneusement. Elle aussi veut se faire belle pour leur souper en amoureux, mais elle se demande bien ce qu'il mijote.

— Wow ! Tu es ravissante ! s'exclame Nathan en la voyant sortir de la salle de bain.

— Je te remercie ! s'exclame Alexandra, heureuse et fière de la réaction de Nathan, car c'est bien pour lui qu'elle s'est habillée et arrangée ainsi.

— Prête ? lui demande Nathan.

— Oui ! lui répond Alexandra, tout excitée par cette sortie surprise.

— Où allons-nous, mon amour ? lui demande Alexandra de sa voix mielleuse.

Alexandra essaie de savoir où ils vont, mais Nathan résiste, car il veut réellement que ce soit une surprise complète.

— Je ne te le dirai pas ! C'est un secret ! lui répond Nathan.

Il se dirige maintenant à l'opposé de Ville-Marie. Alexandra est de plus en plus intriguée, car les seuls restaurants qu'elle connaît au Témiscamingue sont dans l'autre direction. Nathan sourit. Il est fier de son coup et ne dit pas un mot sur la destination et les plans de la soirée.

Alexandra réalise, au bout d'une vingtaine de minutes, qu'ils se dirigent vers le côté de l'Ontario, probablement à New Liskeard, puisque cette ville est la plus près du Témiscamingue. Elle se dit qu'il a probablement voulu faire changement en l'emmenant dans un restaurant différent et pense que c'est une délicate et charmante attention.

Cependant, la vraie raison est plutôt qu'il voulait être seul avec elle. De plus, il voulait éviter que des gens qu'ils connaissent ne viennent les déranger.

À son arrivée, Alexandra est agréablement surprise de l'endroit. Elle n'y était jamais venue auparavant et trouve l'endroit très beau, intime, bien décoré. L'ambiance du restaurant est très agréable.

— Wow ! Quel bel endroit ! Tu as vraiment bien choisi ! C'est une très belle surprise ! s'exclame Alexandra.

Alexandra est impressionnée, il y a même une chandelle et un bouquet constitué de trois jolies roses rouges sur la table.

— Que de romantisme ! s'exclame Alexandra.

— Tu me gâtes ! ajoute-t-elle.

— Merci ! Je suis bien content que l'endroit te plaise, lui répond Nathan.

Quand la serveuse leur apporte le menu, ils constatent que les mets semblent très alléchants. Elle hésite un peu, puis se décide.

— Je vais prendre une brochette de poulet servie sur un lit de riz et de légumes S.V.P., dit Alexandra à l'intention de la serveuse.

— Je vais prendre un bon steak accompagné d'une pomme de terre au four et des légumes S.V.P. Je voudrais aussi avoir une bruschetta en entrée pour deux.

— Est-ce tout ? demande la serveuse avant de repartir.

— Non, j'aimerais aussi commander une bouteille de vin rouge.

Dès que la serveuse repart, Alexandra ricane légèrement. Nathan la regarde en souriant, car il se demande pourquoi elle rit.

— Est-ce que c'est mon anniversaire ? s'exclame alors Alexandra.

— C'est encore mieux que ça mon amour ! lui répond Nathan, d'une voix empreinte de sous-entendus.

Que veux-tu dire par là ? lui demande Alexandra, curieuse de savoir ce qu'il mijote encore.

— Tu vas voir en temps et lieu ma chérie ! lui répond simplement Nathan, en souriant chaleureusement.

Alexandra le trouve décidément très habile dans le suspense et se demande réellement ce qu'il mijote.

À l'heure du dessert, il lui demande :

— Que veux-tu comme dessert ? C'est moi qui offre !

— T'es bien gentil, mais je n'ai plus faim moi !

— Mais oui, je suis certain que tu as encore de la place pour une bouchée ou deux. On peut le partager si tu préfères et je te laisse l'honneur de choisir !

— D'accord, je peux bien en partager un avec toi si tu insistes !

Alexandra n'a plus faim, mais elle se laisse convaincre par Nathan de manger un bon gâteau triple chocolat.

— Nous allons prendre une pointe de gâteau triple chocolat ! Pouvez-vous également apporter deux cuillères S.V.P. ?

— Bien sûr ! lui répond la serveuse.

— Merci ! ajoute Nathan.

La serveuse leur apporte le dessert et repart.

La serveuse a à peine le temps de s'éloigner que Nathan se lève de sa chaise, s'approche d'Alexandra, fouille dans la poche de son pantalon, puis en ressort un joli petit boîtier blanc. Puis, Nathan s'agenouille à demi par terre devant elle. Le cœur d'Alexandra se met soudainement à battre plus vite et ses mains deviennent moites. Nathan lui dit en la regardant droit dans les yeux :

— Voici un présent pour te montrer à quel point je t'aime et que je suis sérieux quand je te dis que je te veux dans ma vie, et ce, pour encore très longtemps.

Puis il ouvre le boîtier. Il lui prend ensuite doucement la main gauche et poursuit en disant tendrement :

— Alexandra, amour de ma vie, acceptes-tu de m'épouser ?

Alexandra a peine à y croire. Elle ne s'y attendait pas du tout et elle a de la difficulté à trouver ses mots, alors que des larmes de joie et d'émotion se mettent à perler sur ses joues. Elle se lève en entrainant Nathan avec elle et se jette dans ses bras.

— Oui ! lui répond-elle ensuite, tout à la fois émue et remplie de joie.

Elle lui donne ensuite un baiser rempli d'amour. Nathan la serre très fort contre lui. Soulagé et heureux, il s'écarte ensuite d'un pas, prend à nouveau la main gauche d'Alexandra et glisse la magnifique bague de fiançailles au doigt de celle-ci.

— Wow ! Elle est absolument magnifique ! s'exclame Alexandra en observant attentivement la bague qu'elle a maintenant au doigt.

— Je suis bien content qu'elle te plaise ! J'ai longtemps hésité avant de la choisir, parce que je voulais qu'elle soit parfaite ! lui dit Nathan.

— Tu as très bien choisi ! ajoute Alexandra.

La bague est absolument superbe et lui va à ravir. Elle n'en revient toujours pas qu'il lui ait fait une telle surprise et une si belle proposition. Elle apprécie aussi l'endroit intime qu'il a choisi pour lui faire cette demande. De cette façon, elle ne se sentait aucunement obligée de dire « oui » et a pu sincèrement lui répondre.

— Tu as vraiment bien organisé la soirée ! lui confie Alexandra.

— Tout était absolument parfait ! Ce moment magique restera à jamais gravé dans ma mémoire ! Merci ! ajoute-t-elle.

— Je te remercie et je suis moi aussi bien heureux que tu aies accepté ma demande ! lui répond Nathan avec émotion.

Tout au long de la soirée, elle ne cesse de contempler sa bague en or blanc qui est munie d'un diamant un peu plus gros que les autres au centre et de deux petits de chaque côté.

Elle n'en revient pas de la chance qu'elle a. Elle est au septième ciel en ce moment. Elle se dit qu'elle l'a finalement trouvé son prince charmant !

Nathan est lui aussi très heureux du déroulement de la soirée. Il ne pouvait espérer mieux comme réaction. Elle est si heureuse ! De plus, elle a aimé l'ambiance du restaurant ainsi que sa surprise et, de plus, elle a accepté de devenir sa femme. Il se sent lui aussi l'homme le plus heureux sur terre en ce moment. Il est décidément très heureux de s'être enfin ouvert les yeux à temps cet été. Il ne pourrait plus imaginer sa vie sans elle.

De retour à la maison de Nathan, Alexandra repense à l'idée de cohabitation. Finalement, elle se dit qu'elle a vraiment envie d'habiter avec lui.

Alors qu'ils sont assis confortablement sur le divan collés l'un à l'autre, Alexandra se retourne vers Nathan.

— J'ai pris ma décision ! C'est oui ! s'exclame Alexandra.

— Oui, tu veux encore m'épouser ? lui demande Nathan en riant, car il ne peut pas lire dans ses pensées.

— Ha ! Ha ! Je voulais dire, oui, je veux emménager avec toi ! précise Alexandra.

— Je suis très heureux de te l'entendre dire ! Mais es-tu certaine ? Tu ne fais pas ça juste pour me faire plaisir, hein ?

— Je suis maintenant absolument certaine de mon choix ! D'ailleurs, il est hors de question que je te demande de quitter ta jolie maison sur la ferme, au bord du lac, tout ça pour que tu achètes une autre maison dans Ville-Marie ou ailleurs !

— Tu es donc d'accord pour habiter ici avec moi ? lui demande Nathan.

— Absolument ! Ta maison est parfaite pour nous deux et je ne pourrais rêver mieux ! lui dit sincèrement Alexandra, en affichant un sourire et des yeux pétillants de bonheur.

— Tu fais de moi l'homme le plus heureux sur terre ! s'exclame Nathan avec émotion

Ils sont littéralement au paradis ce soir ! Tout s'arrange pour le mieux entre eux. Bientôt, la distance ne les séparera plus !

Lorsqu'elle est de retour dans l'Outaouais, Alexandra s'affaire aux préparatifs du déménagement. Elle commence par mettre ses choses dans des boîtes, à les étiqueter et à faire le tri entre ce qu'elle garde et ce qu'elle ne veut plus garder. Elle veut déménager avant qu'il commence à neiger ou qu'il fasse trop froid, puisque le mois de novembre est déjà entamé.

De retour au travail, le lundi matin, Alexandra entreprend d'aller voir sa patronne pour lui annoncer son départ. Elle désire lui dire le plus tôt possible, car elle veut lui donner un délai raisonnable pour lui permettre de trouver un remplaçant ou une remplaçante.

— Bonjour Sylvie ! Je voulais vous rencontrer ce matin pour vous informer que je vais quitter mon emploi, car beaucoup de choses se sont produites dans ma vie récemment. Je viens de me fiancer et j'ai décidé de quitter la région, pour aller m'installer avec mon copain… mon fiancé, au Témiscamingue.

— Eh bien, tout d'abord, félicitations pour vos fiançailles ! Je dois t'avouer que l'annonce de ton départ ne me surprend pas vraiment… disons que je m'y attendais depuis déjà un petit moment.

— Je ne prévois pas partir avant la fin du mois, car je voulais vous donner un délai raisonnable.

— Je te remercie beaucoup, c'est très gentil de ta part. Je trouve bien dommage de perdre une employée comme toi, car tu es très efficace dans ton travail et très appréciée de l'équipe, mais je te souhaite la meilleure des chances dans cette nouvelle vie qui t'attend.

— Je vous remercie beaucoup ! ajoute Alexandra, avant de retourner à son bureau.

Pour sa part, Alexandra n'est pas triste de quitter son travail, car elle ne s'y plaisait pas vraiment. Elle le trouvait monotone et trop facile. De plus, le fait de prendre l'autobus matins et soirs ne lui manquera pas !

Le soir, en rentrant du travail, Alexandra téléphone immédiatement au concierge de l'immeuble où elle habite afin de lui annoncer son déménagement. Elle désire qu'il mette son appartement à louer le plus tôt que possible.

Alexandra sait qu'ils n'auront aucune difficulté à trouver un nouveau locataire, puisque l'endroit où elle habite est très convoité. Elle a l'intention de quitter l'appartement à la fin du mois, c'est-à-dire dans environ trois semaines.

Elle ne veut pas partir trop vite, car elle veut donner un délai raisonnable à tout le monde, et aussi parce qu'elle veut avoir suffisamment de temps pour bien organiser son déménagement. Elle va notamment devoir mettre toutes ses choses dans des boîtes, faire des changements d'adresse, louer un camion de déménagement et plusieurs autres petits détails de ce genre. Elle a donc besoin d'au moins trois semaines pour tout accomplir.

Elle a aussi pris un arrangement avec Nathan. Elle ne veut pas retourner au Témiscamingue avant son déménagement, de peur de manquer de temps et d'énergie pour tout faire. Nathan n'y a vu aucun inconvénient et lui a promis qu'il allait lui donner un coup de main dans les préparations. Il est prêt à faire tout ce qu'il peut pour lui simplifier la tâche et l'aider au maximum.

Nathan a même apporté plusieurs changements à sa maison, pour faire de la place à Alexandra. Il a entre autres libérer une pièce, afin qu'elle puisse y mettre son ordinateur et tout ce qu'elle désire. Il lui a aussi fait de la place dans son armoire à vêtements ainsi que dans les armoires de cuisine. Il veut absolument qu'elle se sente chez elle le plus rapidement possible.

Tout au long des trois semaines de préparation, Nathan lui apporte vraiment tout le soutien dont il est capable. Elle lui en est très reconnaissante et cela lui confirme encore davantage qu'elle a vraiment fait le bon choix. Elle n'a aujourd'hui plus aucun doute. Elle est cependant consciente qu'il va y avoir une petite période d'adaptation au début, puisqu'il s'agit d'un changement majeur, mais cela ne lui fait pas peur. Elle sait désormais qu'elle va toujours pouvoir compter sur Nathan.

Finalement, le jour du déménagement arrive. Le moment est maintenant venu pour elle de quitter son appartement ainsi que la ville où elle habite depuis plusieurs années. Avec l'aide d'amis et du frère d'Alexandra, tous ses objets sont placés dans le camion de déménagement.

— Est-ce que tout y est? demande Nathan.

— Oui! Je viens de faire de nouveau le tour de l'appartement pour vérifier que nous n'avons rien laissé derrière, alors nous pouvons y aller! Je dois juste passer chez le concierge pour lui remettre la clé de mon logement.

— D'accord, je t'attends ici! dit Nathan.

— Je reviens dans deux minutes! lance Alexandra.

Puis Alexandra retourne au camion de déménagement. Ils sont maintenant prêts à partir. Le frère d'Alexandra a proposé de les suivre avec la Mustang de celle-ci, afin de lui permettre de voyager avec son fiancé ainsi que pour leur donner à nouveau un coup de main pour décharger le camion chez Nathan.

De cette façon, Félix va avoir la chance de conduire la voiture sport performante de sa sœur, de rendre visite à ses parents et de voir où elle va maintenant habiter.

Nathan a laissé son camion à Gatineau, où ils ont loué le camion de déménagement, car ils vont devoir le ramener dans l'Outaouais lorsqu'ils auront terminé le déménagement. Ils ne pouvaient malheureusement pas le laisser au Témiscamingue, mais cela ne les dérange pas.

Arrivée chez Nathan, Alexandra est agréablement surprise de constater qu'il lui a fait de la place un peu partout dans la maison. Cela lui fait chaud au cœur qu'il y ait pensé. Elle trouve que c'est une très belle attention et cela montre à quel point il veut qu'elle se sente chez elle. Alexandra commence à placer tranquillement ses choses dans la maison, ici et là. Elle ne veut pas tout faire le même jour, car elle est un peu fatiguée à cause du déménagement et de tout ce qui s'est passé ce mois-ci dans sa vie. Même s'il s'agit de changements positifs, la planification et le déménagement ont été exigeants.

À peine une semaine plus tard, elle se sent déjà chez elle. Elle est vraiment très heureuse d'habiter avec Nathan et ne regrette rien, bien au contraire ! Elle commence déjà à regarder pour se trouver un emploi, car elle n'aime pas rester inactive trop longtemps.

La plupart des emplois affichés ne sont pas très bien rémunérés et ne l'intéressent pas vraiment, mais elle continue de chercher.

— Prends ton temps dans ta recherche d'emploi. Tu peux demeurer à la maison aussi longtemps que tu le veux et tu n'as pas à t'inquiéter pour l'argent, car mon salaire est bien suffisant pour nous faire vivre tous les deux, puisque la maison est déjà payée! lui offre gentiment Nathan.

— Merci pour ton offre, mais je veux travailler, même à temps partiel, s'il le faut. C'est important pour moi, ça me tient occupée et puis je veux aussi gagner de l'argent! J'ai l'habitude d'être autonome.

— C'est très légitime! lui répond Nathan qui la comprend très bien.

Par ailleurs, elle aime travailler. Nathan comprend bien les raisons qui la motivent et il espère qu'elle va trouver un travail qui lui plaît. Il a un peu peur aussi qu'elle regrette son choix.   Alexandra épluche les petites annonces depuis quelques semaines déjà.

Il n'y a pas beaucoup d'offres d'emploi dans la région. Puis comme c'est le Temps des fêtes, cela est encore pire.

Alexandra remarque enfin une offre d'emploi qui l'intéresse. Elle avait déjà songé faire carrière dans ce domaine, mais pour une raison ou une autre, ne l'a jamais fait. L'emploi offert est dans une garderie qu'elle a elle-même fréquentée dans sa jeunesse. La garderie cherche présentement du personnel d'animation auprès des enfants.

Alexandra décide de tenter sa chance, même si son expérience dans le gardiennage d'enfants remonte à son adolescence.

Environ deux jours après avoir postulé à ce poste, elle est convoquée à une entrevue. L'entretien d'embauche se déroule très bien. Alexandra a le sentiment d'avoir fait bonne impression et espère avoir de bonnes chances pour ce poste, car celui-ci l'intéresse vraiment beaucoup.

À sa grande surprise, elle reçoit un appel, à peine deux jours plus tard.

— Bonjour, pourrais-je parler à mademoiselle Alexandra Turcotte S.V.P. ? demande une voix féminine à l'appareil.

— Moi-même ! répond Alexandra, intriguée.

— Je suis Noëlla de la garderie Caliméro. Je voulais savoir si vous étiez toujours intéressée au poste d'animatrice, auprès de la garderie pour enfants Caliméro ? lui demande-t-elle.

— Absolument ! lui répond Alexandra, très heureuse de cette question.

— Parfait. J'ai donc le plaisir de vous annoncer que votre candidature a été retenue ! Bienvenue parmi nous ! ajoute Noëlla.

— C'est super ! Merci beaucoup ! ajoute Alexandra, très enthousiaste.

— Si cela vous convient, vous pourriez commencer la semaine prochaine.

— Cela me convient parfaitement ! répond Alexandra.

— Parfait, alors je vous dis à lundi prochain, sept heures trente !

— Oui, j'y serai !

Alexandra est folle de joie ! Il s'agit d'un poste à quatre jours semaine qui consiste à s'occuper d'un groupe de jeunes enfants ainsi qu'à les amuser et à les divertir. Elle sait qu'elle va se plaire dans son nouvel emploi, ce qui la rend très heureuse. Le fait qu'il soit un peu moins bien rémunéré que son emploi précédent lui importe peu, puisqu'elle va enfin faire un travail qui lui plaît et la stimule, et cela compte pour beaucoup pour elle.

— J'ai obtenu le poste ! s'exclame Alexandra, lorsque Nathan rentre du travail.

— Le poste en garderie ? lui demande Nathan.

— Oui ! Celui qui m'intéressait vraiment beaucoup. En plus, c'est un travail à quatre jours semaine !

— Wow ! C'est une super bonne nouvelle ça ! Je suis très content pour toi ! Je savais que tu l'aurais ! Qui pourrait te dire non ! ajoute Nathan en lui faisant un clin d'œil.

Nathan est lui aussi très fier et heureux pour elle. Il trouve que c'est un excellent choix et lui aussi pense qu'elle va s'y plaire.

À cela s'ajoute le début des préparatifs du mariage. Nos deux jeunes amoureux désirent se marier en juin, c'est-à-dire dans environ cinq mois. Alexandra est comblée. Elle a de la difficulté à croire qu'elle a enfin rencontré un homme comme Nathan. Elle a eu tellement de difficulté à trouver un homme qui lui convient. Sa vie est parfaite !

Elle vient tout juste de se trouver un emploi stimulant dans une jolie petite garderie. De plus, elle habite une belle et chaleureuse maison sur une jolie petite ferme à la campagne qui, comble de bonheur, se situe près d'un lac et dont la vue est absolument magnifique.

L'endroit où elle habite maintenant est paisible et propice à la détente et à la relaxation, ce qui apporte un nouvel équilibre à sa vie. Puis, de plus, elle y habite avec son fiancé, l'homme de sa vie, celui qu'elle va épouser dans quelque mois et qui va devenir le père de ses enfants.

Ils en ont discuté à quelques reprises déjà et ils aimeraient tous deux fonder une famille après leur mariage. Ils souhaiteraient bien avoir un garçon et une fille, dans la mesure du possible. Ils ont même une bonne idée du nom de leurs futurs enfants. Leur fille se prénommerait « Cassandra » et leur garçon « Tristan ». Ils ont même prévu d'essayer de concevoir un enfant pendant leur lune de miel, en Jamaïque. La Jamaïque est reconnue comme un endroit de choix pour les jeunes mariés.

Leur mariage approche à grands pas, ce qui ajoute à leur bonheur. Ils ont prévu faire la cérémonie du mariage à l'église de Ville-Marie, car celle-ci offre une vue superbe sur le lac Témiscamingue, où ils pourront prendre de très jolies photos. Ils ont invité à la célébration leurs familles et amis respectifs.

Les parents d'Alexandra ainsi que ceux de Nathan ont généreusement offert de les aider à payer une partie des coûts liés au mariage. Puis, à la plus grande joie d'Alexandra, Chloé, sa meilleure amie, a accepté sans la moindre hésitation d'être sa demoiselle d'honneur.

— Je ne manquerais cet événement heureux pour rien au monde ! lui a-t-elle répondu lorsqu'Alexandra lui avait demandé d'être sa demoiselle d'honneur.

Alexandra est absolument comblée. Tout va pour le mieux et ses échecs amoureux sont enfin terminés ! Elle nage maintenant dans le bonheur aux côtés de son charmant et tant aimé Nathan. Elle anticipe avec hâte leur mariage, qui sera, sans nul doute, le plus beau jour de sa vie. Elle est certaine que ce sera une journée mémorable et magique, car c'est la journée où elle deviendra madame Nathan Cameron.

Chapitre 12

Alexandra et Nathan réalisent à quel point leur mariage arrive à grands pas. Ils croient qu'il est grand temps d'aller magasiner leurs habits de noce. Ils prévoient aller faire le magasinage dans deux semaines à Ottawa, en espérant y trouver la robe de mariée, l'habit du marié, les robes des trois demoiselles d'honneur ainsi que les habits des trois garçons d'honneur. Il ne faut pas non plus oublier la robe de la bouquetière et l'habit du petit page. Une fin de semaine qui risque d'être bien remplie.

La meilleure amie d'Alexandra, Chloé, a accepté de l'accompagner dans sa quête de la robe de mariée parfaite ainsi que de celles des demoiselles d'honneur. Sophie, la sœur de Nathan, qui est une des demoiselles d'honneur, a proposé d'apporter son soutien à la future mariée.

Le meilleur ami de Nathan a accepté de l'aider à choisir un habit de marié ainsi que les vêtements des garçons d'honneur et du petit page. Le frère d'Alexandra sera lui aussi de la partie, afin d'aider Nathan dans cette tâche.

Les hommes iront magasiner de leur côté et les femmes de l'autre, car il ne faut surtout pas gâcher la surprise. Il ne faut pas que les mariés voient le complet de l'un et la robe de l'autre, avant le mariage. C'est une tradition à laquelle ils tiennent.

Par chance, les habits et les robes de mariés se trouvent dans des boutiques distinctes, alors cela leur facilitera la tâche. Ils n'auront qu'à demander des housses opaques pour y ranger les ensembles choisis.

Entre temps, Alexandra en profite pour faire les invitations de mariage, car celles-ci doivent partir le plus tôt que possible. Alexandra est très douée et aime exploiter ce côté artistique de sa personnalité.

Nathan, qui y jette un coup d'œil de temps à autre, est très impressionné par le travail de sa fiancée.

— C'est vraiment très joli ce que tu fais avec les invitations mon amour! Tu as décidément plein de talents cachés! s'exclame Nathan.

— Je te remercie beaucoup! Je t'avouerai que je m'amuse beaucoup à les faire! lui confie Alexandra.

D'après lui, une simple invitation écrite noire sur blanc aurait suffit, mais il doit avouer que ce qu'elle fait est vraiment très beau et puis elle aime cela, alors pourquoi l'en empêcher.

— Si tu veux Alexandra, je peux te donner un coup de main en entrant les adresses postales de ta liste d'invités, dans l'ordinateur. De cette façon, il ne te restera plus qu'à les imprimer sur des étiquettes et à les apposer sur les enveloppes! Qu'en dis-tu?

— C'est une très bonne idée et ça m'aiderait beaucoup en effet ! Merci beaucoup de l'offrir ! répond Alexandra.

— Tiens, voici ma liste ! ajoute Alexandra en lui remettant sa liste d'invités, avec les adresses de la plupart des gens.

— Je vais aussi m'occuper de trouver les adresses manquantes à ta liste, si tu le veux ?

— Wow ! Tu serais un amour ! Merci ! lui répond Alexandra.

De cette façon, lorsqu'Alexandra aura terminé de faire les invitations, ils pourront les glisser dans des enveloppes et y apposer les étiquettes préparées avec les adresses. Alexandra apprécie beaucoup son aide ainsi que la générosité de leur entourage qui les aide si gentiment à l'organisation du mariage.

Les parents d'Alexandra et de Nathan contribuent également beaucoup à la préparation du mariage, particulièrement leurs mères.

Les parents d'Alexandra ont offert d'organiser le service de traiteur et de s'occuper des présences pour le souper, la cérémonie et la soirée.

Pour ce faire, ils ont besoin des réponses d'invitation au mariage afin de prévoir les mets et la quantité de nourriture.

Cette aide est fort appréciée par Alexandra et Nathan.

Alexandra, en collaboration avec les deux mamans, a prévu une section à cet effet sur les invitations. Les invités devront cocher, sur leur invitation, leur présence à l'un ou l'autre des événements de la journée, soit à la cérémonie seulement, soit à la cérémonie et au souper, ou soit au souper et à la soirée uniquement. Elle a aussi prévu une case pour ceux qui ne pourront être présents le jour du mariage. Elle demande également dans l'invitation de joindre une certaine somme d'argent par personne présente au souper, afin d'aider à payer les coûts reliés au repas.

Brigitte et Solange, les mères d'Alexandra et de Nathan, vont aussi s'occuper de gérer le budget avec le service de traiteur. Elles vont aussi s'occuper de la logistique de la salle pour le repas et la soirée.

La fin de semaine de magasinage est enfin arrivée. Tout le monde est enfin prêt à partir. Sophie et Phil sont arrivés chez Nathan et Alexandra.

— Nous sommes prêts! leur crie Sophie en ouvrant la porte de la maison.

— Oui, oui! On arrive dans une minute! répond Alexandra.

Environ cinq minutes plus tard, ils embarquent tous dans la voiture de Sophie, une Toyota Corolla, puisque celle-ci est plus spacieuse. Alexandra a du mal à rester en place. Elle est très excitée à l'idée de pouvoir enfin choisir sa robe de mariage.

— J'ai tellement hâte de trouver ma robe! leur confie Alexandra.

— Moi aussi! répond Sophie.

— Je suis certaine qu'on va bien s'amuser ce week-end! ajoute-t-elle.

— Je t'avouerai, même si je ne vais pas souvent magasiner, que j'ai moi aussi hâte de voir mon habit ! révèle Nathan.

— J'ai aussi bien hâte de te voir marcher dans l'allée centrale, en ma direction, dans ta magnifique robe blanche, murmure Nathan à l'oreille d'Alexandra.

— Ah ! C'est vraiment gentil mon amour ! Moi aussi j'ai hâte d'aller te rejoindre à l'hôtel de l'église et de te voir dans ton bel habit, lui murmure à son tour Alexandra.

Sophie et Phil se lancent un regard complice en souriant de façon moqueuse. Ils trouvent amusant d'entendre Alexandra et Nathan se chuchoter de petits mots doux à l'oreille, d'autant plus qu'ils n'auraient jamais pensé voir Nathan agir de cette façon envers une femme. Sophie en est d'ailleurs agréablement surprise et est très fière de l'attitude de son grand frère.

Après un petit moment, Alexandra se calme. Puis elle se glisse doucement dans les bras de son fiancé, en posant sa tête dans le creux de son épaule.

Ils sont tous deux assis à l'arrière de la voiture. Sophie est au volant et Phil occupe le siège passager à l'avant, afin de laisser la chance aux futurs mariés de se coller à leur guise, à l'arrière de la voiture.

Après cinq heures de route, ils arrivent à Gatineau, à temps pour le dîner. Comme prévu, ils arrêtent chez Félix pour y déposer leurs bagages. Félix a gentiment offert de les héberger pour la fin de semaine, afin de leur permettre d'éviter des frais de dépenses hôtelières.

Alexandra cogne à la porte de l'appartement de Félix.

— Toc! Toc! C'est nous! s'exclame Alexandra.

Félix ouvre tout de suite et les invite à entrer.

— Entrez! Vous pouvez déposer vos bagages où vous le voulez pour l'instant, on vous installera plus tard! ajoute Félix.

— Comment était le voyage? leur demande Félix.

— Très bien, mais j'avais vraiment hâte d'arriver à Gatineau! lui répond Alexandra.

Environ dix minutes après leur arrivée chez Félix, ils sautent tous à nouveau dans la voiture, accompagnés cette fois du frère d'Alexandra.

— Je commence à avoir faim! s'exclame Alexandra. Est-ce qu'il y en a d'autres qui ont faim ou suis-je la seule?

— Non, moi aussi j'ai faim! ajoute Sophie.

Phil, Félix et Nathan leur indiquent qu'eux aussi ont une petite fringale. Ils prévoient donc s'arrêter dans une rôtisserie de la région, le Score, pour y manger avant le début du magasinage.

Ils passent un agréable moment au restaurant. Ils rient beaucoup et apprécient la nourriture qui leur est servie.

Pendant le repas, Alexandra téléphone à Chloé afin de l'informer qu'ils sont arrivés en ville et qu'ils devraient être à la boutique des mariés dans environ quarante-cinq minutes. Elle veut laisser la chance à celle-ci de les y rejoindre à temps.

Ils finissent donc leur succulent repas, puis partent en direction d'Ottawa. Nathan est cette fois-ci au volant de la voiture, car les femmes vont se déplacer avec Chloé cet après-midi.

Chloé est d'ailleurs déjà sur place et les attend à l'extérieur de l'entrée de la boutique.

— Wow ! Chloé est déjà arrivée ! dit Alexandra.

— Tu peux nous déposer ici, en avant de la boutique, mon amour, nous allons continuer avec Chloé !

— Et voilà ! s'exclame Nathan en stationnant la voiture.

Nathan dépose Alexandra et Sophie en face de la première boutique que celles-ci veulent visiter, puis l'embrasse tendrement.

— Bonne journée. On se revoit un peu plus tard ! lance Nathan

— Oui, à tantôt ! Amusez-vous bien là ! Bye ! s'exclame Alexandra, très excitée.

Nathan repart avec la voiture de Sophie, accompagné de Phil et de Félix.

Tout au cours de la journée, Alexandra essaie plusieurs robes. La plupart de celles-ci sont magnifiques, mais elle n'arrive pas à se décider. Elle veut la robe qui lui convient parfaitement et elle n'a pas l'impression de l'avoir encore trouvée parmi toutes celles qu'elle a essayées.

Pendant ce temps, Chloé et Sophie essaient elles aussi quelques robes de demoiselles d'honneur, avant de trouver la robe parfaite.

— Non, ce n'est pas tout à fait ça ! dit Alexandra après la première robe en essai de Chloé et Sophie.

— Hum… je sais pas hein ? dit Alexandra, non convaincue après le deuxième essai de robe des filles.

— Qu'en pensez-vous ? leur demande-t-elle ensuite, indécise.

— Peut-être, mais je ne suis pas certaine moi non plus, lui répond honnêtement Chloé, qui hésite un peu.

Le téléphone de Sophie sonne.

— C'est pour toi Alexandra ! Nathan veut te parler !

Nathan a eu la bonne idée d'appeler Alexandra pour lui laisser savoir comment seront habillés les garçons d'honneur, afin qu'elle puisse coordonner les robes des demoiselles d'honneur en conséquence.

— C'était une très bonne idée de m'appeler mon chéri, tu es génial ! lui dit Alexandra au téléphone. Je t'embrasse. Bon magasinage ! ajoute-t-elle avant de raccrocher.

Elle apprécie beaucoup ce geste et trouve que c'était une très bonne initiative de la part de son charmant fiancé de lui faire savoir comment allaient être habillés les garçons d'honneur.

Le troisième essai est le bon. Elles ont finalement trouvé la robe parfaite pour les demoiselles d'honneur !

— Oh oui ! Celle-ci est parfaite ! Je l'adore ! s'exclame Alexandra.

Le choix de la couleur de la robe des demoiselles d'honneur était planifié. Il s'agit d'une magnifique robe rose pâle en satin, avec des bretelles sous forme de ruban d'environ un pouce de large, qui croisent dans le dos. Cette robe des demoiselles d'honneur a un magnifique bustier ajusté, par-dessus lequel sont cousues horizontalement des bandes de tissus plissés, ce qui donne un très beau style délicat à la robe. Il y a aussi quelques petites perles le long des bretelles, ce qui ajoute à la délicatesse et au style de la robe. Celle-ci est également ajustée de la poitrine à la taille et s'élargit légèrement vers le bas.

— Wow! Moi aussi je trouve cette robe vraiment belle! J'ai hâte de la porter à ton mariage! s'exclame Sophie, en s'admirant dans le long miroir de la boutique.

— Moi aussi je la trouve vraiment très belle! ajoute Chloé.

— Je crois que nous n'avons plus besoin de chercher pour les robes des demoiselles d'honneur hein? demande ensuite Chloé à Alexandra.

— Non, en effet! Je les prends!

Chloé et Sophie sont ravies et excitées à l'idée de porter cette robe au mariage d'Alexandra et de Nathan. Elles trouvent toutes deux que c'est un excellent choix de couleur et de modèle.

Alexandra est aussi très excitée à l'idée de voir ses demoiselles d'honneur porter ces ravissantes robes à son mariage. Le prix est aussi très raisonnable. Les robes ne coûtent que cent trente dollars chacune, ce qui convient parfaitement au budget des futurs mariés.

Du côté des hommes, tout va pour le mieux. Dès la première boutique et après seulement une heure de magasinage, ils ont déjà trouvé l'habit du marié ainsi que celui des garçons d'honneur. Il ne leur reste qu'à trouver celui du petit page.

— Qu'en dites-vous ? demande Félix en arborant l'habit.

— Ça me semble vraiment bien ! ajoute Nathan. Qu'en penses-tu Phil ?

— Oui, moi ça me va ! répond Phil.

La coupe de ce complet noir avec de légères rayures gris pâle leur va d'ailleurs à ravir. Ils vont aussi porter une chemise argentée pâle en dessous, et mettront un mouchoir en soie rose très pâle dans la poche de leur veston. L'ensemble forme un tout très harmonieux. Le conseiller de la boutique leur a suggéré de compléter l'ensemble avec une magnifique cravate noire et rose, ainsi que des boutons de manchette argentés. Les hommes sont plutôt contents de ce choix. Cet ensemble leur va très bien.

— Bon bien, dans ce cas, je les prends ! Ce n'est pas plus compliqué que ça ! s'exclame Nathan.

— Je me demande si les femmes prennent des décisions aussi… eh, aussi efficaces ? ajoute Félix en riant.

— Ha ! Ha ! Je serais bien curieux de voir ça ! ajoute Phil lui aussi en riant.

Les trois hommes rient, car ils se doutent que le magasinage des femmes est probablement plus complexe et plus long que le leur. Jusqu'à maintenant, les hommes trouvent rapidement ce qu'ils cherchent.

Nathan trouve lui aussi un habit qui lui plaît.

— Que pensez-vous de celui-ci ? demande Nathan.

— Je l'aime bien moi ! ajoute ensuite Nathan, en se regardant dans le long miroir du magasin.

— Il vous va à ravir, monsieur ! s'exclame le conseiller.

— Et vous, qu'en pensez-vous ? demande à nouveau Nathan à Phil et Félix.

— Je le trouve très bien ! lui répond Félix.

— Oui, y'é ben correct, répond Phil.

Il s'agit d'un magnifique costume trois-pièces gris foncé satiné, avec une large ligne noire, elle aussi satinée. Cette coupe italienne lui va à ravir. Il porte en dessous du veston, qui descend jusqu'à la mi-cuisse, une jolie chemise blanche ainsi qu'une cravate satinée aux couleurs de l'habit. Il sourit en se regardant dans le miroir et a hâte qu'Alexandra le voie dans cet ensemble.

— Bon bien c'est décidé, c'est celui-là que je veux ! s'exclame Nathan, décidé.

Il est très fier de son choix. Il se trouve bel homme dans ce complet et s'y sent très confiant, encore plus qu'à l'habitude. Il a l'intention de mettre un joli petit bouquet de fleurs blanches à la poche de son veston.

Il est maintenant dix-sept heures. Le magasinage est terminé pour la journée. Comme convenu, ils doivent tous se rencontrer au restaurant La Casa Grecque de Gatineau pour le souper.

— Bon, partons rejoindre les hommes au restaurant ! s'exclame Alexandra.

Arrivées au restaurant, cinq minutes à l'avance, les femmes constatent que les hommes les ont devancées et qu'ils ont réservé une table. Elles les rejoignent immédiatement, en souriant. Les hommes aussi sont d'une excellente humeur.

— Vous avez fait vite ! s'exclame Alexandra, lorsqu'elle arrive à la table.

— Oui, ça nous a pris moins de temps que nous l'aurions cru pour nous rendre ici, alors nous avons décidé de réserver tout de suite une table, lui répond Nathan.

— Excellente idée ! C'est gentil ! ajoute ensuite Alexandra.

Ils profitent tous d'un excellent repas, en bonne compagnie. Le restaurant est beau, très bien décoré et l'ambiance y est également excellente. Les femmes trouvent qu'ils ont fait un bon choix.

— Vous avez fait un très bon choix ! s'exclame à son tour Sophie, qui semble elle aussi apprécié l'endroit et l'ambiance de celui-ci.

— Eh bien, merci beaucoup ! s'exclame Félix qui a choisi le restaurant.

Tout au long du repas, ils parlent à l'occasion de leur journée de magasinage, en étant toutefois prudent de ne pas dévoiler ce qui doit être une surprise. Ils couvrent également une variété d'autres sujets, car cela est plus prudent et plus intéressant pour tous.

Ils restent environ deux heures à la Casa Grecque, puis décident de partir.

— Bonsoir et à demain ! leur dit Chloé, qui retourne chez elle.

Quant aux cinq autres, ils vont chez Félix, pour le reste de la soirée.

— On va tous chez moi ? offre Félix.

Alexandra jette un regard au groupe avant de répondre, et comme ils semblent tous d'accord, elle répond :

— Oui, très bonne idée !

Arrivés chez Félix, ils restent tranquilles, car ils sont tous un peu fatigués de leur journée bien remplie. Félix allume la télévision et choisit un poste où commence justement un film. Ils prennent place sur le divan et écoutent silencieusement le film.

Puis, le film terminé, ils décident d'un commun accord d'aller se coucher. Nathan et Alexandra dorment dans la chambre d'invités gentiment préparée par Félix. Sophie, quant à elle, s'installe sur le divan-lit dans le salon, tandis que Phil prend le matelas gonflé, posé lui aussi dans le salon.

Le lendemain matin, à huit heures, tout le monde est debout et s'apprête à déjeuner.

— Ne vous gênez pas ! Prenez ce que vous voulez pour déjeuner. J'ai des *toasts* et des céréales pour tout le monde ! J'ai aussi du jus d'orange, du café et même du chocolat chaud pour les intéressés ! leur offre Félix, en étalant le tout sur sa table de cuisine.

Ils déjeunent sans trop s'attarder, car ils doivent commencer tôt cette autre journée de magasinage, s'ils veulent tout trouver ce qu'ils cherchent, avant leur départ prévu pour seize heures ce soir.

Tout le monde est prêt ? demande Alexandra.

Ils semblent en effet prêts à entamer cette deuxième journée de magasinage. Vers neuf heures quinze, ils sautent dans le véhicule de Sophie et partent à nouveau en direction d'Ottawa.

Chloé doit aujourd'hui aussi les rencontrer à la première boutique choisie par les femmes.

Cette journée de magasinage risque d'ailleurs d'être très courte pour les hommes, car il ne leur reste qu'à trouver le costume du petit page, ce qui devrait se faire assez rapidement. Cela n'est pas pour leur déplaire non plus, car ils ne raffolent pas autant que les femmes du magasinage.

Ils vont pouvoir ainsi profiter de leur temps libre pour faire autre chose, par exemple aller faire quelques parties de billards. Alexandra est bien contente de savoir que les hommes vont profiter d'une partie de la journée pour s'amuser un peu.

Arrivées sur place, Sophie et Alexandra entrent dans la boutique de mariage.

— Ah ! Nous avons devancé Chloé aujourd'hui ! s'exclame Sophie.

— On dirait bien que oui, mais je suis certaine qu'elle ne tardera pas ! ajoute Alexandra.

Chloé ne tarde pas en effet pas à les y rejoindre et arrive cinq minutes plus tard.

— J'avais de la difficulté à trouver du stationnement ! s'exclame Chloé.

— Bonjour ! lui dit Alexandra.

— Inquiète-toi pas avec ça, nous venons juste d'arriver de toute façon ! la rassure Alexandra.

Elles amorcent cette autre journée, en espérant qu'elles trouveront ce qu'il leur manque, soit la robe de la mariée et de la bouquetière.

— Gardez les yeux ouverts pour une jolie petite robe de bouquetière, les filles ?

— Aucun problème ! répondent-elles en cœur.

À sa grande joie, Alexandra trouve rapidement la robe parfaite pour sa bouquetière : une magnifique petite robe blanche ornée de quelques petites roses mauve foncé munies de petites feuilles vert foncé aux épaules et dans le bas de la robe. Celle-ci possède aussi un joli ruban autour de la taille, en guise de ceinture, de la même couleur que les fleurs de la robe.

— J'adore cette petite robe ! s'exclame Alexandra en la regardant plus attentivement.

Celle-ci possède un beau tissu de qualité, ornée d'une délicate dentelle douce au toucher. La partie jupette de la robe est bouffante, ce qui lui donne un style adorable. Elle se dit que la jeune fillette de Véronique, la cousine de Nathan, à peine âgée de cinq ans, sera absolument superbe dans cette petite robe de bouquetière. Elle s'assure ensuite que la robe sera également confortable pour la petite et que rien ne va piquer.

Tout est beau de ce côté également.

— Cette robe est vraiment parfaite ! s'exclame de nouveau Alexandra, heureuse d'avoir trouvé la robe qui va convenir à sa petite bouquetière.

— C'est vrai qu'elle est belle cette robe ! s'exclame à son tour Sophie.

— La petite de Véronique va être belle comme tout là-dedans ! ajoute Sophie.

— Oui, très bon choix ! commente à son tour Chloé.

Du côté des hommes, la chance tourne à nouveau. Après seulement trente minutes de magasinage, ils ont déjà trouvé le costume idéal pour le petit page. Il s'agit d'un joli petit habit deux-pièces, simple, mais très élégant, et parfait pour un mariage. Le petit veston et le pantalon très classiques sont noirs. Cet ensemble est accompagné d'une chemise blanche légèrement ondulée le long de la boutonnière. La cravate est également noire et un petit foulard en soie rouge ressort harmonieusement de la petite poche extérieure du veston. Ludovic, le petit page âgé de six ans, sera beau à croquer dans cet ensemble.

— Oui, c'est parfait ! s'exclame Nathan en observant l'habit pour le petit page que lui présente le conseiller du magasin.

— Je le prends ! ajoute-t-il ensuite.

Les hommes ont terminé leur magasinage et peuvent enfin vaquer à d'autres occupations.

— Que diriez-vous d'aller à la Cage au Sport ? demande Félix qui connait bien les lieux, contrairement à Nathan et Phil.

— Oui, excellente idée ! répond Nathan.

Phil est lui aussi d'accord.

Ils décident de retourner à Gatineau, dans le but d'aller dîner à la Cage aux sports, entre hommes, car les dames n'ont pas terminé leur magasinage. Les hommes sont pratiquement certains qu'elles vont magasiner jusqu'à la dernière minute, c'est-à-dire jusqu'à au moins seize heures. Alors, ils ont prévu d'aller ensuite jouer au billard, toujours à Gatineau, pendant que les femmes terminent leur magasinage pour le mariage.

Alexandra, Chloé et Sophie, de leur côté, s'arrêtent dîner dans un restaurant Subway, qui se situe juste en face de l'avant-dernière boutique de mariage.

Après avoir mangé, les femmes se rendent à la boutique d'en face afin de trouver la robe de mariage parfaite pour Alexandra. Même si elle a déjà vu une ou deux robes dans une autre boutique, elle aimerait en trouver dans laquelle elle va se sentir comme la femme la plus belle au monde et vivre ainsi son conte de fée. Comme elle ne l'a pas encore trouvée, elle cherche à nouveau.

Les filles trouvent cette boutique vraiment très belle. Elles commencent immédiatement à faire le tour, afin de trouver des modèles pour Alexandra.

À sa grande surprise, Alexandra aime plusieurs robes dans cette boutique et tout spécialement la magnifique robe de couleur ivoire qu'elle aperçoit juste devant elle. Plusieurs robes qu'elle a vues jusqu'à présent sont des modèles bustier, sans bretelles, mais celle-ci est différente.

La robe possède un magnifique bustier, qui s'attache derrière la nuque. Elle possède aussi un décolleté assez plongeant, qui se termine en pointe sur la poitrine, si Alexandra se fie à ses calculs. Cette robe est assez *sexy*, selon Alexandra, ce qu'elle aime bien. Elle possède aussi de magnifiques broderies et des perles et des paillettes ornent le bustier dans des tons de blanc qui s'harmonisent parfaitement avec le taffetas français de la robe.

— Elle est belle hein ? dit la conseillère, lorsqu'elle aperçoit le regard d'Alexandra fixé sur cette robe.

— Oui, très ! répond Alexandra.

La conseillère de la boutique lui prépare une salle d'essayage. Alexandra entre tout de suite dans la cabine et enfile la robe du mieux qu'elle peut, puis sort afin que la conseillère puisse attacher le derrière de la robe et voir le résultat final.

La combinaison broderie, perles et paillettes est vraiment magnifique sur cette robe. Ce joli assortiment part des bretelles et va jusqu'à la hauteur des épaules, puis suit les courbes du décolleté ainsi qu'une partie du bustier, et se termine en forme de « V » à nouveau juste au-dessus du nombril. Le dos du bustier est lui aussi en forme de « V », ce qui est assez unique. Il y a même des détails de broderies, de perles et de paillettes à cet endroit le long du « V » dans le dos de la robe.

Alexandra tourne d'un côté puis de l'autre devant le miroir, afin d'observer sa robe. Elle est épatée et très heureuse.

— Puis, qu'en pensez-vous ? lui demande la conseillère.

— Je la trouve très belle ! répond Alexandra, en continuant de s'observer avec cette magnifique robe.

La partie jupe de la robe est aussi en taffetas français, ce qui est très beau et unique. De plus, celle-ci bouffe en s'accentuant à partir de la taille jusque dans le bas, et possède une traîne d'environ un mètre de long par trois mètres circulaires de large.

Le tissu extérieur de la jupe est aussi pincé à plusieurs endroits, formant ainsi plusieurs losanges imparfaits, mais très harmonieux avec le style de la robe. Elle ressemble un peu au style d'une robe victorienne très élégante et au fini satin. Chloé et Sophie sont également épatées par le style de la robe.

— Qu'en pensez-vous, les filles ? leur demande Alexandra, de toute évidence très emballée.

— Magnifique ! lui répond Chloé.

— Super ! lui répond également Sophie.

— Elle te va vraiment très bien ! ajoute Chloé.

— C'est vrai ! Mon frère va adorer, j'en suis certaine ! ajoute Sophie.

— Tu sais qu'avec les cheveux remontés et un diadème dans ceux-ci, tu auras l'air d'une véritable princesse ? s'exclame Chloé.

Alexandra aime particulièrement la façon dont tombe le bustier qui met en valeur sa poitrine et sa taille affinée. Alexandra a toujours eu une belle silhouette.

— Cette robe met vraiment ta silhouette en valeur Alexandra ! s'exclame Chloé.

— C'est vrai ! Mon frère va être ébloui lorsque tu feras ton entrée dans la grande allée de l'église ! ajoute Sophie.

Alexandra rougit un peu et les remercie.

— Vous êtes super ! leur lance Alexandra, heureuse.

— J'aime particulièrement la combinaison broderie, perles et paillettes aux différents endroits de la robe. Je trouve que ça ajoute une touche d'élégance à celle-ci. Et j'adore aussi la partie jupe ! Elle est étonnamment confortable, je m'y sens assez l'aise ! leur confie Alexandra.

La robe est parfaite. Voilà le coup de cœur qu'elle attendait depuis le début de son magasinage. Alexandra est au septième ciel.

— Cette robe est parfaite les filles ! C'est le coup de cœur que j'attendais ! s'exclame Alexandra.

Elle est très excitée et émue d'avoir trouvé une robe aussi magnifique. Elle a vraiment très hâte que Nathan la voie vêtue de cette magnifique robe, lorsqu'elle marchera en sa direction, dans l'allée de l'église. Elle en a même les larmes aux yeux à cette pensée.

— Ah ! s'exclament Chloé et Sophie, lorsqu'elles voient deux larmes perler aux yeux d'Alexandra.

Elles se dirigent immédiatement vers Alexandra, afin de lui faire une étreinte.

— Je vous remercie sincèrement pour l'aide et le soutien que vous m'apportez ! leur dit Alexandra.

— Je vous aime ! ajoute-t-elle ensuite émue..

— Nous aussi on t'aime ! réplique Chloé.

— Je vais la prendre ! s'exclame Alexandra, à l'intention de la conseillère de la boutique.

Puis elle retourne à sa cabine d'essayage, afin d'enlever la robe. Chloé et Sophie l'aident gentiment à sortir de la robe. Alexandra remet ses vêtements puis se rend au comptoir pour payer.

Heureuse nouvelle ! Lorsqu'Alexandra s'apprête à payer, la conseillère l'informe que cette magnifique robe coûte seulement quatre cent quatre-vingt-dix-neuf dollars, au lieu du prix régulier à mille cent quatre-vingt-dix-neuf dollars et que le sac à main ainsi que le grand foulard qui se portent sur les épaules sont compris dans la vente.

Alexandra est stupéfaite et folle de joie. Elle croyait bien défoncer un peu le budget qu'elle s'était fixé pour l'achat de sa robe, mais il n'en est rien. Elle se dit que Nathan sera probablement lui aussi ravi d'entendre qu'elle n'aura pas dépensé des milliers de dollars pour cet achat.

La conseillère emballe donc la robe dans une housse opaque, pendant qu'Alexandra règle la facture.

— Avez-vous entendu ça ? s'exclame Alexandra, lorsqu'elles traversent la rue pour se rendre à la voiture.

— La robe était presque à moitié prix ! ajoute Alexandra, sur un ton expressif.

— Wow ! s'exclament les femmes.

— C'est vraiment un bon prix ! ajoute Chloé.

— Ouin, t'as bien fait de magasiner plus longtemps et d'attendre avant de faire ton choix hein ? ajoute à son tour Sophie.

— Ça c'est certain ! acquiesce Alexandra.

Comme leur magasinage est maintenant terminé, les femmes sont maintenant prêtes à retourner à Gatineau. Assises bien confortablement dans la voiture, les paquets à l'abri dans le coffre de la voiture, elles sont heureuses de constater qu'il n'est que quatorze heures trente. À leur grande surprise, elles ont terminé leurs achats plus d'une heure à l'avance et en sont ravies.

Sur le chemin du retour, Alexandra donne un petit coup de fil à Nathan, afin de savoir où ils se trouvent pour aller les y rejoindre.

— Bonjour ma chérie !

— Bonjour ! Nous avons terminé notre magasinage ! s'exclame Alexandra, tout heureuse.

— Déjà ! Wow ! Vous avez fait vite ! s'exclame Nathan, agréablement surpris.

— Où êtes-vous en ce moment ? lui demande Alexandra.

— Nous sommes au… Félix, où sommes-nous encore ? demande Nathan.

— Ah oui, nous sommes au Mulligan, à Gatineau ! lui répond Nathan.

— Parfait ! Je sais exactement où ça se trouve. Je vais demander à Chloé si elle est d'accord pour nous y conduire.

Chloé accepte avec plaisir, même si cela lui occasionne un grand détour.

— Chloé est d'accord, alors à bientôt mon amour ! s'exclame Alexandra.

— Oui, à tout de suite ! lui répond Nathan.

Alexandra ne manque pas de remercier sa grande amie de sa générosité et de sa gentillesse. Chloé les dépose où se trouvent les hommes. Elle les aide ensuite à transférer les paquets d'un véhicule à l'autre, fait un gros câlin à Alexandra, puis repart chez elle.

— Encore merci Chloé ! À la prochaine ! s'écrie Alexandra, en faisant un signe d'au revoir à sa grande amie.

Ils ne restent au bar qu'environ une quinzaine de minutes, le temps que les hommes terminent leur partie, puis ils se rendent chez Félix pour l'y déposer et prendre leurs bagages avant de repartir vers le Témiscamingue.

— Un gros merci pour ton aide Félix ! lui dit Nathan, en lui donnant une chaude poignée de main, suivie d'une accolade sur l'épaule.

— Oui ! Merci pour ton aide et pour ton hospitalité ! ajoute Alexandra, en lui faisant un câlin.

— Tiens ! Nous avons un petit quelque chose pour toi ! ajoute Alexandra, en lui remettant une bouteille de vin blanc pour le remercier.

— Ce n'était pas nécessaire de me faire un cadeau ! Ça m'a fait plaisir ! ajoute Félix.

— Je sais, mais nous y tenions ! ajoute Alexandra.

— Eh bien ! Merci et bonne route !

— Bye ! disent ensuite Nathan, Alexandra, Sophie et Phil en quittant l'appartement de Félix.

Ils repartent donc tous les quatre, vers quinze heures vingt. Ils tenaient à partir le plus tôt que possible, afin de ne pas arriver trop tard à Ville-Marie. Ils travaillent tous tôt demain matin.

Chapitre 13

Pendant les deux mois et demi qui vont suivre, Alexandra, aidée de son fiancé et de son entourage, devra tout mettre en place pour le grand jour. Les invitations ont été envoyées il y a déjà un petit moment de cela, donc cette tâche est déjà terminée.

Les mères des futurs mariés peuvent ainsi s'occuper du service de traiteur et de la logistique de la salle. Solange et Brigitte veillent également à ce que rien ne soit oublié dans les préparatifs du mariage, pour aider les futurs mariés. Elles espèrent ainsi leur permettre de vivre un merveilleux jour de mariage sans encombre.

Alexandra travaille le jour à la garderie, emploi qu'elle aime d'ailleurs beaucoup et qui lui convient parfaitement. Elle s'occupe des autres préparatifs du mariage, la fin de semaine, quelques soirs par semaine et le vendredi dans la journée, puisqu'elle ne travaille que quatre jours par semaine.

Samedi matin, Alexandra et Nathan se rendent chez le bijoutier, afin de choisir leurs bagues de mariage. Alexandra en est très excitée. Ils ont décidé de les choisir ensemble, car ils veulent s'assurer que leur bague conviendra parfaitement, puisqu'ils vont la porter de façon quotidienne, en symbole de leur amour et de leur union.

Alexandra en trouve quelques-unes à son goût et les essaie, afin de déterminer laquelle elle préfère. Après quelques essais, elle trouve celle qu'elle désire.

— C'est celle-ci ma préférée! indique Alexandra à Nathan.

— Moi aussi j'en ai trouvé une! J'aime bien celle-ci! indique Nathan à Alexandra.

Par principe, ils ont décidé qu'ils reviendraient les acheter un peu plus tard, séparément

Deux jours plus tard, Alexandra va acheter la bague de mariage que Nathan désire. Après être passée chez le bijoutier, elle se rend chez son couturier, afin de faire apporter des retouches à sa robe de marié.

— Tourne un peu, ma chérie! lui dit le couturier en l'examinant.

— Et puis? demande Alexandra.

— Elle te va à ravir très chère! Je n'aurai qu'à apporter quelques petits changements… et tu seras sublime! lui répond son couturier.

Heureusement, il n'y a pas beaucoup d'ajustements à faire, donc cela sera vite fait et sa robe sera prête en un rien de temps. Par ailleurs, comme son couturier est très doué, Alexandra sait que sa robe est entre de bonnes mains

— Je te la confie alors! s'exclame Alexandra.

— Ta robe est entre bonnes mains! D'ici une semaine ce sera fait! lui indique le couturier.

Nathan travaille aussi de son côté et aide Alexandra avec les préparatifs, lorsqu'il le peut. Même si ce genre de travail ne relève pas du tout de son domaine, il tient quand même à apporter son soutien à sa fiancée.

C'est d'ailleurs lui qui s'est chargé de trouver un photographe pour prendre les photos officielles du mariage ainsi qu'un animateur qui s'emploiera au divertissement musical de la soirée.

— J'ai trouvé un photographe et un animateur de musique! lui annonce Nathan.

— Sérieusement? s'exclame Alexandra.

— Oui! lui répond Nathan fier.

— Tu es génial! lui répond-elle.

Alexandra apprécie beaucoup cette aide de Nathan. En effet, il a sollicité les services d'un de ses cousins qui est animateur de musique à temps partiel et qui a de l'expérience dans le domaine. Ce cousin a accepté la demande avec plaisir et a promis à Nathan qu'il y aurait beaucoup d'ambiance à son mariage!

Nathan a aussi fait appel à l'un des cousins d'Alexandra, qui est photographe de métier. Ce dernier avait déjà manifesté le désir de prendre leurs photos de mariage. Nathan a donc communiqué avec lui afin de lui demander s'il désirait encore être le photographe attitré à son mariage. Sa réponse a été positive et il a même offert de le faire gratuitement, en guise de cadeaux.

Les jeunes mariés n'auront qu'à payer les frais reliés au développement des photos. Nathan n'a pas manqué de le remercier pour cette offre généreuse.

— Ton cousin nous a offert de prendre nos photos de mariage tout à fait gratuitement! C'est génial hein? s'exclame Nathan à Alexandra, afin de la tenir au courant.

— Wow! Pour vrai? C'est vraiment gentil à lui! Hé qu'on est chanceux! répond Alexandra. Elle est très consciente de leur chance d'être entourés d'autant de bonnes et généreuses personnes.

De plus, la petite chorale paroissiale a accepté avec plaisir de chanter à l'église lors de leur mariage. Alexandra en est vraiment très contente, car elle trouve qu'ils ont de superbes voix d'anges. Les jeunes de la chorale leur ont même offert d'interpréter une ou deux chansons de leur choix ce jour-là.

Cette offre généreuse des adolescents et des enfants de la chorale fait vraiment chaud au cœur d'Alexandra. Elle leur a répondu qu'elle ferait son choix le plus tôt possible afin qu'ils puissent les pratiquer avant la cérémonie.

Le samedi suivant, Alexandra se rend à son salon de coiffure et d'esthétique habituel, au village, afin de se faire coiffer. Elle veut aussi choisir le maquillage qu'elle portera et prendre un rendez-vous avec la manucure pour se faire poser de faux ongles.

Comme elle veut avoir la coiffure idéale pour son mariage, elle feuillette un catalogue de coiffures de mariage, elle a de la difficulté à arrêter son choix sur une seule, mais elle trouve finalement celle qui lui convient.

— J'aimerais bien avoir une coiffure comme celle-ci ! dit Alexandra à sa coiffeuse, en pointant une coiffure du livre.

— Aucun problème, ma belle, je serai en mesure de te la faire le jour de ton mariage ! Tu as d'ailleurs très bien choisi ! Cette coiffure t'ira à merveille ! s'exclame sa coiffeuse.

Ses cheveux seront presque tous attachés vers l'arrière. Elle aura une magnifique et grosse tresse renversée à l'arrière de sa tête, qui se terminera par trois boucles, d'où plusieurs petites mèches de cheveux tomberont. Quelques mèches soigneusement placées partiront du bas de la tresse.

De petites fleurs blanches délicates seront également ajoutées dans ses cheveux, autour du haut de sa tresse, et deux mèches tomberont de chaque côté de son visage. Pour couronner le tout, elle portera un superbe et délicat diadème.

Elle choisit ensuite, avec l'esthéticienne, le maquillage qu'elle désire porter pour son mariage. Cette dernière fait un premier test pour être certaine que ce maquillage convient à Alexandra.

— Qu'en penses-tu ? lui demande l'esthéticienne.

— Oui, c'est parfait ! C'est exactement ce que je veux ! lui répond Alexandra, heureuse du résultat.

Alexandra a opté pour un maquillage discret et assez naturel, qui met en valeur ses yeux et ses lèvres. Ce maquillage est parfait.

De son côté, Nathan suit l'exemple d'Alexandra et prend un rendez-vous chez le coiffeur pour le matin de son mariage. Il veut lui aussi paraître du mieux qu'il peut pour le grand jour.

— C'est très bien que tu aies choisi un coiffeur situé de l'autre côté de la ville. De cette façon, nous avons moins de chance de nous croiser le jour du mariage! dit Alexandra.

Alexandra ne veut surtout pas qu'il la voie dans sa robe avant la cérémonie du mariage. Le village est déjà bien assez petit, ils devront faire bien attention de ne pas se croiser avant la cérémonie, le jour du mariage.

Le lendemain, Alexandra, assistée par sa mère, s'occupe de choisir une magnifique pièce de gâteau pour le mariage.

— Que dites-vous de celui-ci? demande le pâtissier.

Le pâtissier leur montre plusieurs modèles dans un catalogue et Alexandra y choisit celui qu'elle désire.

— Oui, je crois que celui-ci sera parfait! s'exclame Alexandra, après le huitième gâteau que lui montre le pâtissier, dans une revue.

Elle a arrêté son choix sur un gâteau rond de trois étages. Elle désire que l'étage du bas ait au moins vingt-deux pouces de diamètre, le deuxième étage sera un peu plus petit et le troisième encore plus petit. Elle a donc opté pour une forme de gâteau traditionnelle.

Elle choisit un gâteau blanc à la vanille avec un glaçage blanc dont la majeure partie sera très lisse. Le pâtissier y dessinera plusieurs motifs perlés de style dentelle à certains endroits bien précis, afin que celui-ci paraisse plus délicat et raffiné, à l'image de la mariée.

Il y aura aussi des fleurs rouges avec un peu de feuillage vert et des pétales de roses à divers endroits sur le gâteau. Deux figurines représentant les mariés qui s'embrassent surmonteront le gâteau.

De leur côté, Brigitte, Solange et Sophie ont aussi offert d'acheter tout ce qui sera nécessaire, afin de décorer la salle de réception du mariage. Elles vont par ailleurs se charger de décorer celle-ci avec l'aide des demoiselles d'honneur, des garçons d'honneur et de quelques autres volontaires, lorsque le moment sera venu, car elles savent qu'Alexandra et Nathan auront bien d'autres occupations à ce moment-là.

Alexandra et Nathan apprécient énormément l'aide qu'ils reçoivent de tous pour les préparatifs du mariage. Alexandra prend également rendez-vous avec le fleuriste du village.

— Pensez-vous pouvoir m'aider à déterminer mes besoins floraux pour mon mariage ? demande Alexandra au fleuriste.

— Bien sûr ! Sans aucun problème ! lui répond celui-ci.

— Parce que je n'y connais vraiment pas grand-chose en fleurs, alors je suis un peu perdue.

— Ne t'inquiète pas, je m'occupe de tout !

Le fleuriste est ravi de lui apporter son aide et lui promet de lui confectionner un magnifique bouquet composé de diverses fleurs fraîches blanches et rouges accompagné d'un peu de verdure, comme demandé par Alexandra. Il confectionnera aussi une petite boutonnière dans les mêmes couleurs pour le marié.

— Pourriez-vous également préparer un bouquet de fleurs fraîches, roses et blanches pour chacune de mes demoiselles d'honneur ? lui demande ensuite Alexandra.

— Mais bien sûr ! lui répond le fleuriste.

— J'aimerais aussi des pétales de roses et un petit panier en osier pour la bouquetière, qu'en pensez-vous ? lui demande ensuite celui-ci.

— Oh oui ! C'est très bien pensé !

Le fleuriste, qui a l'habitude des arrangements floraux pour des mariages, lui mentionne qu'elle pourrait avoir des arrangements floraux à l'église, lors de la cérémonie du mariage. Avec tout ce qu'il y a à penser, Alexandra avait oublié le décor à l'église.

— C'est bien vrai ! Je vous remercie d'y avoir pensé ! Nous voulons en effet des fleurs dans l'allée centrale, ainsi qu'au bout de chacun des bancs d'église ! lui répond Alexandra.

Elle se sent rassurée de savoir qu'il s'occupera de tout. Il lui propose de faire de simples et magnifiques arrangements floraux blancs accompagnés de verdure pour chacun des bancs d'église. Il propose également d'y ajouter de jolis rubans blancs et d'installer le tout lui-même le jour du mariage, avec l'aide de ses employés.

Alexandra est heureuse et soulagée de voir qu'il s'occupera de tout l'aspect floral de son mariage, ce qui inclut la décoration de l'église, et ce, sans frais additionnels. Elle croit que ce sont ces petites choses et ces belles attentions qui rendent les petites villes comme Ville-Marie si agréables.

— Je laisse donc tout ceci entre vos mains expertes ! Je vous fais entièrement confiance ! lui dit Alexandra.

— Parfait ! Tout sera prêt à temps et tout sera très beau. Vous n'avez pas à vous inquiéter ! ajoute le fleuriste.

— Je vous remercie beaucoup ! lui dit Alexandra, en lui donnant une poignée de main avant de quitter le magasin.

— N'hésitez pas à m'appeler s'il y a quelque chose ! ajoute Alexandra.

— Oui, absolument ! lui répond ce dernier, alors qu'Alexandra s'apprête à sortir.

Après cette longue discussion au sujet de l'arrangement floral, Alexandra est maintenant prête à repartir. Elle est surprise de constater qu'il y a beaucoup de choses à faire, et comme elle court à droite et à gauche depuis maintenant plusieurs semaines, elle est un peu épuisée.

Elle ne veut toutefois pas se plaindre, car elle reçoit beaucoup d'aide. Elle a aussi choisi d'organiser ce genre de mariage pour que ce jour soit mémorable. Alors elle ne veut pas se plaindre ou encore négliger quoi que ce soit dans les préparatifs.

Il ne reste plus que deux semaines pour terminer l'organisation afin que tout soit prêt pour le mariage d'Alexandra et de Nathan.

Alexandra et Nathan ont extrêmement hâte à ce jour. Ces deux dernières semaines risquent de paraître très longues, se dit Alexandra !

Pendant cette semaine, Alexandra prévoit régler quelques détails de dernière minute. Elle est d'ailleurs heureuse de constater que, jusqu'à maintenant, tout est presque prêt pour le grand jour.

— Il ne nous reste vraiment plus grand-chose à faire avant le mariage ! dit Alexandra à Nathan.

— Wow ! Vraiment ? C'est une bonne nouvelle ! Nous allons pouvoir prendre ça un peu plus tranquille jusqu'au mariage ! lui répond Nathan.

— Oui, exactement ! lui répond Alexandra.

— J'ai tellement hâte, mon amour ! ajoute-t-elle ensuite.

— Oui, moi aussi ! J'ai d'ailleurs très hâte au moment où je vais te voir faire ton entrée dans l'église ! lui avoue Nathan.

Quelques minutes plus tard, Nathan rejoint Alexandra dans la cuisine.

— J'y pensais… que dirais-tu que nous fassions un BBQ pour remercier tout le monde de leur aide précieuse avec les préparatifs du mariage ? lui demande ensuite Nathan.

— C'est une excellente idée ! répond Alexandra.

— Quand voulais-tu le faire ? lui demande-t-elle ensuite.

— J'ai pensé à samedi, qu'en penses-tu ?

— Mais oui, pourquoi pas ? ajoute-t-elle sur un ton expressif.

Alexandra et Nathan décident d'organiser, comme convenu, un grand Barbecue chez eux. De plus, cela fera passer le temps plus vite et les tiendra occupés jusqu'au mariage, pensent-ils.

Les parents d'Alexandra, ceux de Nathan, le meilleur ami de celui-ci et sa sœur ainsi que plusieurs amis des futurs mariés ont accepté l'invitation.

La journée se déroule très bien : ils discutent, blaguent et rient beaucoup. Ils s'amusent et mangent très bien. Les talents culinaires de Nathan au barbecue sont incontestables. Ils passent une très belle journée. De plus, la température est au beau fixe tout au long de la journée et de la soirée !

Le dimanche, les mamans des deux tourtereaux s'entendent pour offrir des vacances aux futurs mariés.

— Bon, à partir d'aujourd'hui, vous n'avez plus le droit de vous occuper d'une chose ou l'autre concernant votre mariage ! Vous devez vous reposer et être en parfaite forme pour le grand jour ! ajoutent Solange et Brigitte.

Alexandra et Nathan acceptent leur proposition et les remercient.

— J'accepte avec plaisir et je vous remercie beaucoup ! dit Alexandra.

Elle ne tient pas à avoir les yeux cernés sur ses photos de mariage et avoue que du repos lui fera le plus grand bien.

— Merci beaucoup maman ! C'est vraiment gentil de ta part et merci à toi aussi Brigitte ! Votre aide et votre soutien

sont grandement appréciés ! Nous vous devons beaucoup !
ajoute Nathan.

— Mais non ! Ça nous fait plaisir et c'est à ça que servent
les mamans ! réplique Solange.

— Tout à fait ! acquiesce Brigitte.

Alexandra est surprise de constater que les jours passent plus vite qu'elle ne s'y attendait. Même chose pour Nathan. Le mariage arrive maintenant à grands pas.

Il ne reste plus que deux autres jours avant le mariage.

— Peux-tu croire que nous en sommes déjà à deux jours de
notre mariage ? s'exclame Alexandra à Nathan, le jeudi.

— Je sais ! C'est fou hein ? J'ai tellement hâte ! s'exclame à
son tour Nathan.

Alexandra qui vient tout juste de terminer sa journée
de travail doit se rendre chez la manucure pour la pose
d'ongles. Ce rendez-vous ne prend qu'une trentaine de minutes et Alexandra est étonnée de voir à quel point ses ongles sont beaux et paraissent naturels. Elle est vraiment très
heureuse du résultat et de ce petit moment de détente. De
plus, comme la technicienne a bien pris soin de ses mains
pendant tout le processus, cela était très apaisant et relaxant
pour Alexandra. Elles ont aussi discuté, ce qui a gardé son
esprit occupé et a fait passer le temps rapidement. Elle en
avait bien besoin !

De retour à la maison, elle parade ses beaux ongles devant Nathan.

— Regarde mon amour ce que je me suis fait faire pour le
mariage ! Pas mal hein ? lui demande Alexandra.

— Houhou! C'est très joli, ma chérie! Ils te vont à ravir! lui dit Nathan, en souriant avec approbation.

— J'aime vraiment mes ongles de cette façon... je me sens encore plus belle et désirable! ajoute ensuite Alexandra.

— Ah oui, hein? Ces ongles... est-ce qu'ils sont seulement pour le *look*... a-t-elle aussi le droit de s'en servir? demande Nathan d'un air enjoué et complice.

— Mais pourquoi ne pas joindre l'utile à l'agréable? répond Alexandra.

— Exactement ce que je pensais! Que dirais-tu de monter à l'étage afin de faire quelques tests avec ces nouveaux faux ongles, question de s'assurer de la qualité du travail? prétexte-t–il pour continuer le jeu.

— Je te suis! lui répond Alexandra.

Puis ils se précipitent vers la chambre à coucher pour aller faire des galipettes de jeunes amoureux.

Les deux jours qui suivent, Alexandra et Nathan font tout pour se tenir occupés. Ils ont vraiment très hâte au jour de leur mariage et ne tiennent plus en place. Ils veulent que le temps passe vite jusqu'au grand jour.

Leur entourage trouve charmant de les voir se tenir occupés et comprenne très bien. Les parents du jeune couple se souviennent du moment où ils se sont mariés eux aussi. Ils ont très hâte de les voir s'unir devant l'église, mais demeurent assez calmes, compte tenu des circonstances.

Le jour « J » est enfin arrivé! Alexandra aurait bien aimé dormir un peu plus longtemps, mais elle est tellement excitée à l'idée de se marier, qu'elle n'y arrive pas. Elle est aussi un peu préoccupée par les préparatifs du mariage et espère que tout est en place à temps et qu'il n'y aura pas de problèmes majeurs.

Il n'est pourtant que six heures trente du matin. Elle décide de se lever et de regarder sa liste de préparatifs du mariage, afin de s'assurer que tout est prêt pour cet après-midi, en prenant soin de ne pas faire de bruit, afin de ne pas réveiller Nathan inutilement.

La cérémonie de mariage n'est qu'à treize heures, ce qui lui laisse beaucoup de temps devant elle pour se préparer. Ses rendez-vous chez la coiffeuse et l'esthéticienne n'ont lieu que dans environ quatre heures.

Alexandra se lève silencieusement et descend à la cuisine sur la pointe des pieds.

Alors qu'elle se prépare une rôtie et se verse un verre de jus d'orange, elle sent des mains entourer sa taille. Nathan s'est levé lui aussi.

— Hé! Tu sembles d'excellente humeur toi ce matin et tu es très matinal aussi! s'exclame Alexandra, en se tournant vers son fiancé.

— Bien sûr que je le suis! lui répond Nathan.

— Je faisais attention pour ne pas faire de bruit, car je ne voulais pas te réveiller. Je n'arrivais plus à dormir, alors je suis descendue à la cuisine.

— Oui, c'est la même chose pour moi! Moi non plus je n'arrivais plus à dormir, parce que j'ai trop hâte à cet après-midi! lui répond Nathan, en déposant un doux baiser sur le front d'Alexandra.

— Hé, qu'on se ressemble, hein ? lance ensuite Alexandra.

— Ça, c'est bien vrai ! lui répond Nathan, avec un petit sourire chaleureux.

Ils en profitent pour déjeuner en tête à tête, en prenant leur temps.

— Si tu veux, tu pourrais vérifier la liste des préparatifs du mariage avec moi ! Mais c'est comme tu veux là ! offre Alexandra.

— Oui, excellente idée ! lui répond alors Nathan.

Ils regardent ensemble la liste des préparatifs du mariage pour s'assurer que rien n'a été omis. Tout semble fin prêt pour un superbe mariage. Dame nature est d'ailleurs encore une fois de la partie ! Ils sont vraiment chanceux, car chaque fois qu'il y a eu un événement assez important, la température était très clémente.

Vers neuf heures, Alexandra chasse amoureusement Nathan de la maison.

— Bon bien, tu devrais aller passer du temps, avant la cérémonie, avec tes amis et les garçons d'honneur, mon amour ! Parce que moi je dois bientôt commencer à me préparer ! lui lance Alexandra, avec un beau sourire, en lui donnant un baiser.

— Parfait ! Je te laisse mon amour et je te dis à bientôt ! J'ai tellement hâte !

— Oui, moi aussi ! Je suis super nerveuse en ce moment, mais c'est de la bonne nervosité ou plutôt de l'excitation, je crois ! ajoute Alexandra.

— Je sais exactement ce que tu veux dire ! ajoute Nathan qui partage ce sentiment.

Nathan suit donc son conseil et part rejoindre ses amis. Il ne manque toutefois pas d'embrasser passionnément sa fiancée, avant de partir. Alexandra en a même un grand frisson qui lui parcourt le corps, comme au premier jour. Il est tellement romantique et attentionné, pense-t-elle. Elle verse une larme lorsqu'elle pense à quel point elle se trouve chanceuse d'épouser un homme tel que lui.

— À bientôt, future madame Cameron ! lui lance Nathan avec un clin d'œil, puis il saute dans sa camionnette.

Wow ! Madame Cameron ! Hé que ça sonne bien ! pense alors Alexandra.

Puis elle lui fait signe de la main et lui envoie des baisers à distance. Nathan sort ensuite sa tête par la fenêtre du côté.

— Je t'aime mon amour ! lui crie-t-il.

— Alexandra a de nouveau les larmes aux yeux.

— Moi aussi je t'aime ! lui crie à son tour Alexandra.

À dix heures quinze, Alexandra se hâte pour ne pas être en retard à ses rendez-vous chez la coiffeuse et l'esthéticienne. Dans sa voiture, elle met la musique assez forte, baisse ses fenêtres et chante. Elle est d'une excellente humeur et fait sortir sa nervosité de cette façon.

Environ une demi-heure plus tard, Nathan fait de même et se rend lui aussi chez son coiffeur. Il veut être le plus beau possible pour sa douce Alexandra.

La cérémonie du mariage arrive maintenant à grands pas. Chloé, qui sera la demoiselle d'honneur, quitte la salle pour aller aider la mariée à enfiler sa robe. La maman d'Alexandra se joint à elle et laisse les autres à la décoration de la salle de réception du mariage.

Alexandra avait bien insisté pour que sa mère et Chloé soient présentes à ses côtés quelques heures avant son mariage. Chloé et Brigitte pourront aussi en profiter pour enfiler leurs robes de mariage et se préparer en même temps qu'Alexandra.

Phil, ainsi qu'un autre des garçons d'honneur, quitte aussi la salle pour aller voir comment se porte Nathan. Heureusement, les préparatifs et les décorations de la salle sont presque terminés, alors ils n'ont plus vraiment besoin d'eux en ce moment.

Nathan s'est préparé chez Phil, puisqu'Alexandra doit se préparer dans leur maison et qu'ils ne doivent pas se croiser avant le mariage. Alors, ils se sont donné rendez-vous chez Phil.

— Ne te gêne surtout pas pour entrer et faire comme chez toi si jamais tu arrives avant nous ! lui avait généreusement offert Phil.

Les garçons d'honneur se rendent eux aussi chez Phil, pour offrir un soutien moral à Nathan. Ils en profiteront pour enfiler eux aussi leurs habits, afin d'être prêt pour le mariage.

CHAPITRE 14

Nous voici enfin au début de la cérémonie du mariage ! Nathan se tient à l'avant de l'église. Il est très élégant dans son habit de marié et plus que jamais prêt à voir sa précieuse Alexandra franchir les portes et s'avancer dans l'allée pour l'y rejoindre.

Tous les invités sont arrivés. Les garçons et les demoiselles d'honneur se sont mis à l'avant avec le futur marié. L'église est joliment décorée avec une multitude de délicats arrangements floraux blancs. Le curé ainsi que la jeune chorale sont aussi prêts.

— Tu es ravissante ma chérie ! lui confie son père, ému, en la prenant par le bras.

— Merci beaucoup papa ! lui répond Alexandra, plus heureuse que jamais que ce grand jour soit enfin arrivé.

Les premières notes d'orgue de la marche nuptiale se font entendre, ce qui signale le début de la cérémonie du mariage. Les portes de l'église s'ouvrent pour laisser entrer Alexandra et son père, lequel se tient à ses côtés, car c'est à lui que revient l'honneur de conduire sa fille jusqu'à l'hôtel et de la présenter à Nathan.

Nathan est très excité et garde ses yeux rivés sur les portes qui s'ouvrent. Il aperçoit finalement Alexandra.

Elle est vraiment magnifique dans son époustouflante robe ivoire satinée. Nathan en a le souffle coupé et son estomac ne fait qu'un tour en l'apercevant. Il se dit qu'il est vraiment chanceux d'épouser une femme aussi sublime et merveilleuse qu'Alexandra !

Alexandra garde ses yeux doux rivés sur Nathan. Elle a très hâte de se trouver à ses côtés et de le voir enfin de près, car il semble très élégant et vraiment très séduisant dans son costume.

Plus elle s'avance vers lui, plus il constate à quel point elle est encore plus resplendissante et belle que jamais ! Elle rayonne de bonheur et semble être la femme la plus heureuse au monde. Elle a vraiment l'air d'une princesse dans sa robe ivoire, qui paraît sculptée à son corps, ainsi qu'avec le bouquet de fleurs à la main et le diadème dans sa magnifique coiffure.

Toutes les personnes présentes dans l'église sourient à son passage, car elle est d'une élégance et d'une beauté absolue. Son père, très fier, la conduit vers son bien-aimé, Nathan, qui l'attend impatiemment à l'hôtel devant le curé.

Alexandra trouve Nathan resplendissant dans son habit de marié. Elle est tout excitée et heureuse de le voir ainsi. Elle marche d'un pas régulier et calculé en se dirigeant vers lui, même si elle aurait plutôt envie de courir à toute allure et de lui sauter au cou pour l'embrasser.

La bouquetière répand des pétales de roses dans l'allée, non loin devant Alexandra et son père, et le petit page apporte les anneaux de mariage placés sur un petit oreiller de soie blanche. Tout se déroule à merveille jusqu'ici et Alexandra est au septième ciel.

Elle est maintenant tout près de l'autel de l'église et aperçoit sa mère, assise au premier banc, qui a les larmes aux yeux. Elle devine bien que ce sont des larmes de joies. Elle sourit chaleureusement à sa mère au passage, puis regarde de nouveau en direction de Nathan.

Elle est tellement heureuse et remplie d'émotions diverses qu'elle a de la difficulté à ne pas verser quelques larmes de joie.

Michel offre maintenant le bras de sa fille à Nathan et pose une main sur l'épaule de celui-ci pour lui montrer, de façon sous-entendue, qu'il est heureux de le compter parmi sa famille.

— Je te la confie ! murmure Michel à Nathan.

Celui-ci accepte sans hésitation le bras de sa douce et glisse doucement son bras gauche autour du bras d'Alexandra. Ils se regardent un court instant, se font un grand sourire, puis se tournent pour faire face au curé.

La cérémonie du mariage se déroule vraiment très bien. Alexandra et Nathan sont de toute évidence comblés de bonheur de s'unir à l'église devant leur famille et leurs proches.

Le couple se regarde régulièrement avec complicité pendant la cérémonie. Ils sont entourés de leurs garçons et demoiselles d'honneur. La chorale chante aussi de merveilleuses et douces chansons de mariage entre les différentes étapes de la cérémonie, ce qui ajoute à la belle ambiance qui règne.

C'est maintenant l'étape de l'échange des alliances, lequel s'accompagne de ces quatre mots pleins de douceur : « Oui je le veux ». Alexandra répète les phrases que prononce le curé.

— Alexandra Turcotte, acceptez-vous de prendre Nathan Cameron, ici présent, comme légitime époux, de l'aimer et de le chérir, jusqu'à ce que la mort vous sépare ? Dites « Oui, je le veux » prononce le curé.

— Oui je le veux ! répond immédiatement Alexandra, en regardant tendrement Nathan dans les yeux.

Ses mains tremblent un peu, lorsqu'elle glisse délicatement l'anneau de mariage au doigt de son fiancé. Nathan sourit car il trouve cela adorable. Lui aussi se sent comme l'homme le plus heureux au monde en ce moment.

Vient maintenant le tour de Nathan de réciter les mots que le curé prononce.

— Nathan Cameron, acceptez-vous de prendre Alexandra Turcotte, ici présente, comme légitime épouse, de l'aimer et de la chérir, jusqu'à ce que la mort vous sépare ? Dites « Oui, je le veux » prononce à nouveau le curé.

— Oui je le veux ! répond à son tour Nathan, avec toute la certitude et la conviction du monde dans la voix.

Puis il glisse à son tour la bague de mariage au doigt d'Alexandra. Alexandra se dit, en regardant sa bague, qu'elle est vraiment magnifique, mais ce sont les yeux de son mari, lorsqu'il a prononcé les mots « oui je le veux » en lui glissant la bague au doigt, qui la touche le plus. Ce moment restera à tout jamais gravé dans sa mémoire et dans son cœur.

Après la cérémonie de mariage, les jeunes mariés sortent à l'extérieur pour les photos de mariage. Leur famille et amis leur lancent des confettis au passage.

À leur sortie de l'église, une autre surprise les attend. Connaissant la passion du couple pour les voitures, leurs amis se sont cotisés afin de louer un magnifique Hummer blanc comme véhicule de nouveaux mariés. Ils n'ont pas manqué d'afficher un gros carton à l'arrière du véhicule où est inscrit « Nouveaux mariés ».

Alexandra et Nathan pouffent immédiatement de rire lorsqu'il constate que leur voiture de mariage est un superbe Hummer H2 blanc.

— C'est trop génial ! s'exclame Nathan.

— Wow ! s'exclame en même temps Alexandra. Ils ont tous deux leurs yeux rivés sur le véhicule et sont aussi très touchés de cette attention prouvant que leurs amis les connaissent bien.

— C'est vraiment trop cool ! ajoute Alexandra, en regardant son mari.

— Oui, c'est vraiment génial ! dit à nouveau Nathan, lui aussi très impressionné.

Le cousin photographe d'Alexandra prend quelques photos au pied de l'église avec tous les invités ainsi qu'en avant du Hummer H2. Le couple tenait absolument à être photographié devant le véhicule.

— Que ceux qui ont eu cette bonne idée et qui ont cotisé s'approchent et se joignent à nous pour une photo ! crie ensuite Alexandra.

— Excellente idée ! Tu lis dans mes pensées ! lui dit Nathan, en lui déposant un baiser sur le front. Le photographe profite de ce geste naturel et spontané pour prendre un cliché de ce moment précis.

Ensuite d'autres clichés sont pris de l'autre côté de la rue, dans le parc du Centenaire, qui est magnifique avec ses quelques arbres et sa verdure. De plus, ce parc est très proche du lac Témiscamingue. La baignade y commence tout juste aux pieds du parc. Cet endroit promet de faire de très belles photos, surtout par une aussi belle journée ensoleillée.

Ils prennent donc quelques photos à cet endroit, puis Alexandra et Nathan montent ensuite dans le Hummer, afin d'aller prendre d'autres photos de mariage dans un autre endroit.

Les endroits féeriques et panoramiques pour prendre de belles photos ne manquent pas dans la région. Les parents d'Alexandra et de Nathan, leurs frères et sœurs ainsi que les garçons et demoiselles d'honneur les suivent dans leurs véhicules respectifs, car les mariés veulent plusieurs photos avec eux.

À l'intérieur du superbe Hummer H2 blanc, dont l'intérieur est en cuir noir, Alexandra et Nathan en profitent pour se parler et se dire à quel point ils sont heureux de leur journée et d'être enfin mari et femme.

— Tu as fait de moi la femme la plus heureuse, Nathan ! lui avoue Alexandra, en levant les yeux pour le regarder, bien blottie dans ses bras.

— Et tu as fait de moi l'homme le plus heureux au monde ! lui dit à son tour Nathan.

— Madame Cameron ! ajoute-t-il.

— C'est vrai hein ! Et que ça sonne bien en plus ! lui dit Alexandra, en souriant de fierté.

— Oui, c'est vrai que ça sonne très bien !

— Je vais très vite m'y habituer ! dit ensuite Alexandra.

Arrivés sur le nouveau site pour la prise de photos, Nathan et Alexandra sortent du Hummer. Ils se dirigent ensuite à l'endroit indiqué par le photographe. Celui-ci prend plusieurs photos de la famille et des amis ainsi que d'autres un peu plus romantiques avec seulement le couple. Ils sont vraiment très beaux à voir ensemble.

— Vous êtes trop beau à voir ! s'exclame Brigitte, qui ne peut s'empêcher d'aller les embrasser et de leur faire un gros câlin.

— Merci maman ! répond Alexandra, émue.

La séance de photo terminée, tous se dirigent vers la salle de réception, pour la deuxième partie du mariage, c'est-à-dire un repas suivi de diverses festivités.

Alexandra est très heureuse du repas et de la fête qui suivra avec tous les invités, mais une partie d'elle voudrait demeurer dans les bras confortables de Nathan pour le reste de la soirée

— Je sais qu'une belle soirée nous attend, mais j'aurais tout de même envie de demeurer ainsi, bien au chaud contre toi, pour le reste de la soirée ! lui murmure Alexandra, bien blottie dans ses bras.

— Ah ! C'est trop mignon ! Pour te dire vrai, je partage ce sentiment, mais je te promets que nous allons malgré tout avoir une formidable soirée avec notre famille et nos amis ! ajoute Nathan.

— Tu as bien raison… comme toujours ! lui répond Alexandra, en lui souriant chaleureusement et tendrement.

Elle pense, dans son for intérieur, à quel point Nathan trouve toujours les mots justes pour la rassurer et lui faire du bien.

Lorsque les nouveaux mariés font leur apparition dans la salle de réception, tous les invités applaudissent.

— Bravo ! s'écrie la foule, en les applaudissant très fort.

Alexandra et Nathan leur sourient, en rougissant légèrement de cette soudaine attention. Ils se rendent ensuite jusqu'à la table d'honneur des mariés et observent la belle décoration de la salle. L'endroit est magnifique, festif et très chaleureux. Ils sont aussi surpris lorsqu'ils aperçoivent la montagne de cadeaux qui leur est destinée.

Puis, vient le moment des « toasts ».

— J'aimerais porter un « toast » aux nouveaux mariés ! commence la mère d'Alexandra en levant son verre de champagne dans les airs. Puissent-ils rester heureux pour le reste de leur vie. Je vous souhaite beaucoup d'amour, de bonheur… et d'enfants ! dit Brigitte, en riant de ses derniers mots.

— Alexandra la regarde en souriant, puis elle lève son verre.

— À Nathan et Alexandra ! s'exclame la foule en levant leurs verres dans les airs.

Les parents portent eux aussi un « toast » similaire, qui fait très plaisir à Alexandra et à Nathan. Quelques garçons et demoiselles d'honneur lèvent aussi leur verre. Alexandra ajoute :

— Nous aimerions porter, Nathan et moi, un « toast » à tous les gens qui nous ont donné de l'aide au cours des dernières semaines, afin de faire de cette belle journée un souvenir mémorable ! dit sincèrement Alexandra à voix haute.

— Oui, merci à tous nos amis et aux familles… vous avez été absolument géniaux ! Nous ne savons pas ce que nous aurions fait sans vous ! ajoute Nathan.

— Je tiens aussi à dire un merci tout spécial à tous ceux qui ont aidé à décorer la salle ! Vous avez fait de l'excellent travail, c'est magnifique ! dit ensuite Alexandra.

Elle se tourne ensuite du côté des parents de Nathan et des siens installés à la table d'honneur, puis ajoute :

— Nous tenons à faire un dernier remerciement à nos parents, pour leur aide et leur soutien…

— Autant financier que moral ! ajoute Nathan en leur faisant un clin d'œil, ce qui fait sourire Alexandra.

— Sérieusement, votre aide nous a été très précieuse ! ajoute Nathan.

— Merci papa et maman ! ajoute ensuite Alexandra en regardant ses parents.

— Oui, merci papa et maman ! ajoute Nathan, en se tournant vers ses parents.

Puis, Alexandra et Nathan lèvent leur verre.

Comme Nathan l'avait promis, la soirée se déroule à merveille. Il n'aurait pu demander mieux. Le repas était excellent ! Plusieurs personnes ont également porté de beaux et très touchants « toasts » à leur égard, ce qui leur a fait grand plaisir.

Puis c'est le moment du retrait de la jarretelle. Une des règles est que Nathan n'a pas le droit de se servir d'autre chose que de sa bouche ou de ses dents pour l'enlever de la cuisse de sa douce mariée.

Alexandra gigote beaucoup, car cela la chatouille lorsque Nathan se met à descendre la jarretelle. Elle tient d'ailleurs fortement sa robe, de chaque côté de sa cuisse, et pose un pied sur une chaise, afin que personne ne voie en dessous de sa robe.

Nathan a assez rapidement et habilement réussi à lui retirer la jarretelle. Alexandra en est impressionnée, tout comme la foule d'ailleurs !

— T'es le meilleur, mon amour ! s'exclame Alexandra, lorsque Nathan se relève, jarretelle entre les dents.

— Je te remercie beaucoup, ma chérie ! lui répond Nathan, arborant un large sourire de fierté.

Elle se serre contre lui, afin de lui donner un tendre baiser de récompense.

Au moment de la traditionnelle danse du couple de mariés, pour ouvrir le plancher de danse, l'animateur de musique fait jouer *Everything I do, I do it for you* de Brian Adams.

— À nous d'ouvrir le bal, ma chérie ! s'exclame Nathan.

— Madame Cameron, m'accorderiez-vous cette danse ? lui demande-t-il avec beaucoup de galanterie, en lui tendant la main.

— Absolument ! lui répond Alexandra, très heureuse.

Le couple est très beau à voir lors de cette première danse romantique de la soirée, car ils dansent très serrés l'un à l'autre, plus amoureux et plus heureux que jamais.

— J'adore cette chanson ! lui chuchote Alexandra à l'oreille, alors qu'ils dansent sur le plancher de danse entouré de couples.

— Je sais ! C'est moi qui lui ai demandé de la faire jouer pour nous ! lui avoue Nathan.

— Tu es vraiment le meilleur, toi ! J'ai bien fait de t'épouser ! s'exclame ensuite Alexandra, en l'embrassant tendrement.

Peu de temps après, le père d'Alexandra vient demander à Nathan s'il peut inviter Alexandra à danser, et la maman de Nathan en fait autant. Puis Brigitte danse avec Nathan, et ensuite Nathan danse avec Alexandra. Plus tard, les invités dansent tour à tour l'un ou l'autre des mariés.

Nathan et Alexandra passent le reste de la soirée à discuter avec les différents invités, à danser, à manger du gâteau et à profiter de chaque instant. Tous deux s'amusent beaucoup, malgré leur hâte de se retrouver seuls pour leur lune de miel.

Vers une heure du matin, le couple danse une dernière fois, au rythme de la chanson *When a man loves a woman*, puis ils se retirent pour aller se reposer, car le départ pour leur voyage de noces n'est plus que dans quelques heures.

— Peux-tu m'aider à enlever ma robe s'il te plaît mon chéri? demande doucement Alexandra, lorsqu'ils sont enfin dans la chambre à coucher.

— Oui, viens ici, je vais t'aider.

— J'aime beaucoup cette robe, mais j'ai quand même bien hâte de l'enlever! Elle devient lourde à la longue!

— Ha! Ha! Je peux l'imaginer! lui répond Nathan.

— Bonne nuit mon chéri! Désolée, mais moi c'est dodo, parce que je tombe littéralement de fatigue! Tu m'en veux pas, hein? lui demande Alexandra, avec des yeux à qui on pourrait tout pardonner.

— Pas du tout! Pour dire vrai, moi aussi je tombe de sommeil et je ne serais pas à mon meilleur, disons!

— Bonne nuit mon amour! lui dit-il en lui glissant un doux baiser sur le front.

— Bonne nuit!

Il ne leur faut que peu de temps pour tomber endormi, car tous deux sont épuisés par cette merveilleuse journée.

Ils se lèvent quelques heures plus tard.

— Bon matin, mon amour ! lui souhaite Nathan.

— Bon matin ! Il me semble d'ailleurs qu'il est venu bien vite ! s'exclame Alexandra.

— Je suis bien d'accord, mais dis-toi que c'est pour une bonne cause ! Notre lune de miel !

— C'est drôle, mais je m'endors pas mal moins tout d'un coup ! s'exclame Alexandra, en lui faisant un sourire.

— Ha ! Ha ! T'es trop mignonne toi !

— Je sais ! lui répond Alexandra en s'amusant.

Ils se lèvent puis déjeunent tranquillement. Le petit déjeuner terminé, ils se préparent pour leur voyage dans le Sud.

Ils doivent se rendre à l'aéroport d'Ottawa au moins deux heures avant le départ de l'avion, pour l'enregistrement de leurs bagages. Étant donné que leur vol est à seize heures trente, ils doivent être sur place à quatorze heures trente.

— Es-tu prête chérie ? lui crie Nathan, alors qu'il charge le dernier bagage dans son camion.

— Oui ! J'arrive, j'arrive ! s'exclame Alexandra qui sort de la maison en courant.

— Tu n'as plus besoin de rien dans la maison ? lui demande celle-ci.

— Non, j'ai tout ce qu'il me faut... sauf toi ! lui répond Nathan, avec un brin d'humour.

— Mon petit comique, toi ! J'arrive ! lui répond Alexandra en riant.

Elle verrouille la porte de la maison, puis le rejoint dans le camion.

Ils quittent la maison, en direction d'Ottawa, vers huit heures quinze. Cela devrait leur laisser suffisamment de temps pour arrêter manger un petit quelque chose en route avant de se rendre à l'aéroport.

Ils sont très excités, car ils n'ont eu que très peu d'occasions de voyager dans un autre pays. Ils sont très heureux d'avoir la chance de faire ce voyage ensemble, seuls, en amoureux.

— Je ne peux pas y croire ! Nous allons en Jamaïque ! s'exclame Alexandra.

— C'est fou, hein ? s'exclame à son tour Nathan.

— J'ai tellement hâte d'arriver et de boire de bons verres sur une terrasse ou mieux encore, de notre balcon, avec vue sur la mer ! ajoute celui-ci.

— C'est vrai que ce serait bon ça ! Les pieds dans le sable… le doux soleil… la mer ! Et que j'ai hâte ! s'exclame à son tour Alexandra.

Après avoir fait une heure de route, Nathan s'aperçoit qu'Alexandra tombe de sommeil, mais elle se retient pour ne pas dormir.

— Tu sais que tu peux profiter du voyage pour te reposer un peu, hein ? lui dit alors Nathan.

— T'es certain que ça ne te dérange pas ? Parce que ça serait plate pour toi si je dormais une bonne partie du voyage, alors que tu dois conduire !

— Mais non, ne t'inquiète pas avec ça. Moi ça va, alors repose-toi bien ! Tu as même le droit de faire de beaux rêves ! lui dit Nathan.

— D'accord, merci, c'est gentil ! Je crois que je vais suivre ton conseil. Réveille-moi si tu t'endors et que tu veux que je conduise à mon tour !

— Aucun problème, bonne sieste !

— Merci !

Alexandra décide de profiter de l'offre de Nathan pour faire une petite sieste.

Lorsqu'elle ouvre les yeux, ils sont déjà arrivés à Ottawa.

— Wow ! Nous sommes arrivés à l'aéroport ! s'étonne Alexandra, encore à moitié endormie.

— Oui ! Dans quelques heures nous allons être dans l'avion… et dans quelques heures encore, nous allons enfin être en Jamaïque ! s'exclame Nathan.

— Super ! répond Alexandra.

Nathan avait bien vu qu'elle était fatiguée et qu'elle dormait bien, alors il n'avait pas voulu la réveiller, même si lui aussi était un peu fatigué. Par ailleurs, cela lui faisait plaisir de conduire et de la laisser se reposer un peu. Il se disait qu'il aurait tout le temps de récupérer dans l'avion.

Arrivés à l'aéroport d'Ottawa, les deux amoureux enregistrent leurs bagages.

— As-tu faim ? demande Nathan, lorsqu'ils se trouvent dans la zone de l'embarcadère de l'aéroport.

— Oui et toi ?

— Oui. Ça fait déjà un bon petit bout que j'ai faim.

— D'accord. Allons acheter quelque chose à manger d'abord. Nous avons le temps de toute façon !

— Oui, très bonne idée.

Ils se dirigent vers le coin des restaurants de l'aéroport, afin de manger un léger goûter avant l'embarquement. Le temps passera ainsi plus rapidement.

— Je vais prendre un chocolat chaud et un muffin aux fruits S.V.P., demande Alexandra à la serveuse du Tim Horton.

— Est-ce que c'est tout ? demande la caissière.

Alexandra se tourne vers Nathan, afin de voir ce qu'il veut commander.

— Non ! Je vais prendre un BLT pain blanc avec un café s.v.p., demande Nathan à la caissière.

Ils s'assoient à une table et mangent leur repas. Nathan a bien besoin d'un café, car il tombe de sommeil.

— Mon amour, tu as l'air mort de fatigue ! lui dit Alexandra, assise en face de lui.

— Oui, ce café va me faire le plus grand bien ! Je t'avoue que je commence à avoir hâte d'être dans l'avion pour pouvoir faire une petite sieste moi !

— Je comprends ! s'exclame Alexandra.

À l'heure prévue, ils embarquent finalement dans l'avion. Peu de temps après le décollage de l'avion, Nathan ferme les yeux, afin de récupérer à son tour, avant leur arrivée dans le Sud. Alexandra en profite pour écouter des films. Elle regarde aussi, de temps à autre, son merveilleux mari qui dort paisiblement à ses côtés.

— As-tu bien dormi mon amour ? lui demande Alexandra, lorsque l'avion se pose en sol jamaïcain.

— Oui, très bien ! répond celui-ci en s'étirant.

— Sommes-nous déjà arrivés ? lui demande ensuite Nathan.

— Oui ! lui répond Alexandra tout excitée.

— Wow, que ça a fait du bien cette sieste-là ! s'exclame ensuite Nathan.

— Bien heureuse de te l'entendre dire ! Tu avais d'ailleurs l'air d'un ange !

— Ah ! Tu me regardais dormir ! s'étonne Nathan, bien qu'il trouve ça mignon.

— À l'occasion, oui ! Ça me rappelait à quel point je suis chanceuse de t'avoir ! lui répond ensuite Alexandra.

— Ah ! C'est vraiment gentil ça ! Mais c'est moi le plus chanceux des deux ! réplique ensuite Nathan.

Puis, ils s'embrassent juste avant de détacher leur ceinture pour pouvoir enfin sortir de l'appareil.

Arrivés à l'aéroport international de la Jamaïque, ils ramassent leurs bagages et se rendent à l'autobus qui doit les amener à leur hôtel.

Alexandra est excitée et a très hâte de voir le paysage de cette région qui lui est inconnue, ainsi que leur hôtel. Ils ont aussi très hâte de voir la mer, même si la vue de celle-ci risque d'être meilleure demain, puisqu'il fait déjà nuit en Jamaïque. Alexandra s'assoit sur le bord de la fenêtre, afin d'admirer le paysage. Nathan se tient dans le siège à ses côtés et profite lui aussi de la vue, en tenant Alexandra tout contre lui.

Un sentiment de bien-être, de liberté et de légèreté les envahit. Même s'ils ne sont pas encore arrivés à leur hôtel, ils se sentent déjà très bien dans cette belle île qu'est la Jamaïque. Ils ont choisi cet endroit, car on leur a dit que celui-ci était paradisiaque et des plus romantiques. Ce qui leur a semblé être un endroit de prédilection pour une lune de miel.

Ils ont d'ailleurs très hâte d'être à l'hôtel, afin de célébrer dans l'intimité et le romantisme leur récente alliance. Ils n'ont malheureusement pas eu l'occasion de faire l'amour la nuit précédente, car ils étaient trop épuisés, mais ils comptent bien se rattraper ce soir et cette nuit !

Ils arrivent finalement à leur hôtel, à leur plus grande joie. Ils se présentent immédiatement à la réception, avec leurs bagages aux bras, afin de réclamer la clé de leur chambre pour s'y engouffrer au plus vite.

— Bonjour, nous aimerions avoir les clés de la chambre réservée au nom de Nathan et Alexandra Cameron s.v.p., demande Nathan au comptoir d'accueil de l'hôtel.

— Ah ! Vous êtes le couple de nouveaux mariés ! Mes félicitations ! s'exclame le préposé à l'accueil.

— Merci beaucoup ! répondent Alexandra et Nathan.

— Voici vos clés ! Excellent séjour parmi nous ! leur souhaite ensuite le préposé.

Étant nouveaux mariés, ils ont droit à une chambre spécialement conçue à cet effet. Heureusement, l'enregistrement à l'accueil ne prend que quelques minutes. Les deux amoureux comptent bien demeurer dans leur chambre pour le reste de la soirée et de la nuit !

— Je crois que c'est ici ! s'exclame à voix basse Alexandra, pour ne pas réveiller les gens qui dorment.

— Oui, je crois que tu as raison ! lui répond Nathan, en glissant la clé dans la serrure de la porte de chambre.

Fort heureusement, ils ne cherchent pas bien long-temps. Aussitôt entrés dans leur chambre, ils déposent leurs bagages, et constatent avec surprise l'effort qui a été mis dans l'aménagement de celle-ci.

— Wow ! s'exclament ensemble Alexandra et Nathan.

— C'est vraiment beau, hein ? s'exclame Nathan.

— Et très romantique ! ajoute Alexandra.

Celle-ci est vraiment digne d'une chambre de nuit de noces, avec tous ces pétales de roses, le champagne et les petits chocolats soigneusement disposés ici et là. Ils font une tournée rapide de la chambre.

— C'est vraiment bien, hein ? s'exclame Nathan.

— Oui ! J'adore ! dit à son tour Alexandra, ravie.

Alexandra se dirige ensuite vers le balcon de leur cham-bre, suivi de près par Nathan, afin d'y observer la vue sur la mer. Celle-ci est éclairée par une magnifique pleine lune brillant de mille éclats et offre une vue à couper le souffle ce soir.

— Wow ! Regarde comme la vue est belle Nathan ! s'ex-clame Alexandra.

— C'est vraiment trop beau ! ajoute Alexandra éblouie.

— C'est vrai que c'est vraiment beau d'ici ! Nous avons une très belle vue, tout particulièrement ce soir ! acquiesce Nathan.

Il se glisse ensuite derrière elle, puis enroule ses bras autour de sa taille. Il la serre ensuite fermement contre lui, puis il dépose son visage dans le creux de son cou et de son épaule. Elle glisse à son tour ses bras autour de ceux de Nathan, afin de le garder le plus près d'elle que possible. Elle espère lui faire sentir tout l'amour qu'elle ressent pour lui.

— Je t'aime ! lui murmure Nathan à l'oreille.

— Je t'aime très fort moi aussi ! lui répond immédiatement Alexandra.

Ils commencent ensuite à s'embrasser, sous cette magnifique pleine lune et ce ciel étoilé féerique. Ils ne pourraient être plus heureux qu'en ce moment.

— Que dirais-tu de rentrer dans la chambre ? lui chuchote à l'oreille Nathan.

— Je te dirais que c'est une excellente idée ! lui répond Alexandra.

Ils retournent donc à l'intérieur de leur chambre, afin de continuer amoureusement ce qu'ils ont commencé à l'extérieur. Alexandra avait prévu s'habiller d'un joli petit déshabillé pour leur première nuit de lune de miel, pour le plaisir des yeux de son mari, mais la passion qui s'est emparée d'eux à l'instant en a décidé autrement.

Le jeune couple de nouveaux mariés scelle leur union, dans cet endroit paradisiaque, au milieu de pétales de roses, avec amour, passion, désir et sensualité.

Ils font amoureusement et passionnément l'amour à deux autres reprises cette nuit-là, épris d'un très grand désir l'un envers l'autre. C'est ce qui se produit lorsque deux êtres s'entendent parfaitement sur les plans émotionnel, sexuel et intellectuel !

Le merveilleux couple de jeunes mariés adore cet endroit paradisiaque et surtout très inspirant ! C'est d'ailleurs à ce moment précis que furent conçus Tristan et Cassandra, des jumeaux aimés de tout cœur par leurs parents, Alexandra et Nathan.

Le rêve le plus cher d'Alexandra s'est enfin concrétisé : elle est mariée à un homme merveilleux qu'elle aime de tout son cœur et avec qui elle a deux magnifiques enfants, un garçon et une fille, en parfaite santé, neuf mois après leur lune de miel. Elle a enfin la vie qu'elle désire.